Danielle Steel

Avec une centaine d'ouvrages publiés en France et 800 millions d'exemplaires vendus à travers le monde, Danielle Steel est un auteur dont le succès ne se dément pas depuis ses débuts. Une catégorie en soi. Un véritable phénomène d'édition. Elle a été promue au grade de chevalier de l'ordre de la Légion d'honneur.

Retrouvez toute l'actualité de l'auteur sur :
www.danielle-steel.fr

MAGIQUE

DU MÊME AUTEUR
CHEZ POCKET

. Coups de cœur
. Joyaux
. Naissances
. Disparu
. Le Cadeau
. Accident
. Cinq jours à Paris
La Maison des jours heureux
. Au nom du cœur
Honneur et courage
. Le Ranch
. Renaissance
. Le Fantôme
. Le Klone et moi
. Un si long chemin
. Douce amère
Forces irrésistibles
. Le Mariage
. Mamie Dan
. Voyage
. Le Baiser
. Rue de l'Espoir
. L'Aigle solitaire
. Le Cottage
. Courage
. Vœux secrets
. Coucher de soleil à Saint-Tropez
. Rendez-vous
. À bon port
. L'Ange gardien
. Rançon
. Les Échos du passé
. Impossible
. Éternels célibataires
. La Clé du bonheur
. Miracle
. Princesse
. Sœurs et amies
. Le Bal
. Villa numéro 2
. Une grâce infinie
. Paris retrouvé
. Irrésistible
. Une femme libre
. Au jour le jour
. Affaire de cœur
. Double reflet
. Maintenant et pour toujours
. Album de famille
. Cher Daddy
. Les Lueurs du Sud
. Une grande fille
. Liens familiaux
. La Vagabonde
. Il était une fois l'amour
. Une autre vie
. Colocataires
. En héritage
. Joyeux anniversaire
. Traversées
. Un monde de rêve
. Les Promesses de la passion
. Hôtel Vendôme
. Trahie
. Secrets
. La Belle Vie
. Souvenirs d'amour
. Zoya
. Des amis si proches
. La Fin de l'été
. L'Anneau de Cassandra
. Le Pardon
. Seconde chance
. Jusqu'à la fin des temps
. Star
. Plein ciel
. Souvenirs du Viêtnam
. Un pur bonheur
. Victoires
. Loving
. Coup de foudre
. Palomino
. Ambitions
. La Ronde des souvenirs
. Kaléidoscope
. Une vie parfaite
. Bravoure
. Un si grand amour
. Malveillance
. Un parfait inconnu
. Le Fils prodigue
. Musique
. Cadeaux inestimables
. Agent secret
. L'Enfant aux yeux bleus
. Collection privée
. L'Appartement
. Ouragan
. Magique

. Offrir l'espoir

DANIELLE STEEL

MAGIQUE

ROMAN

Traduit de l'anglais (États-Unis)
par Hélène Colombeau

Titre original :
MAGIC
L'édition originale de cet ouvrage a paru
chez Delacorte Press, Penguin Random House, New York.

Pocket, une marque d'Univers Poche,
est un éditeur qui s'engage pour la préservation
de l'environnement et qui utilise du papier fabriqué
à partir de bois provenant de forêts gérées
de manière responsable.

place
des
éditeurs

ISBN 978-2-266-29150-7
Dépôt légal : octobre 2019

À mes enfants merveilleux et tant aimés,

Puisse-t-il y avoir toujours de la magie
dans vos vies.
Cherchez-la !
Croyez en elle !
Chérissez-la !
Vous êtes la magie de ma vie,
Je vous aime de tout mon cœur
et de tout mon amour,
Maman/ds

1

Le Dîner en blanc est une ode à l'amitié, à la joie et à l'élégance, en même temps qu'un hommage aux somptueux monuments de Paris. Un peu partout dans le monde, d'autres villes ont tenté de l'imiter, sans jamais l'égaler. Il n'y a qu'un seul Paris, et l'événement y est tellement bien organisé, tellement admiré, qu'il est difficile de l'imaginer dans un autre lieu.

Tout a commencé il y a près de trente ans, quand un officier de marine et sa femme décidèrent de célébrer leur anniversaire d'une façon insolite, en donnant rendez-vous à une vingtaine d'amis à Paris, devant un de leurs monuments préférés, avec pour consigne de se vêtir de blanc. Tables et chaises pliantes furent installées, nappes, belle vaisselle et bouquets de fleurs disposés, et tous partagèrent les mets raffinés que chacun avait apportés. La magie débuta ce soir-là.

Ce fut une telle réussite qu'ils renouvelèrent l'expérience l'année suivante, en choisissant un autre lieu tout aussi prestigieux. Depuis, tous les ans, la tradition du Dîner en blanc se perpétue, un soir de juin. Et les gens sont toujours plus nombreux à y participer.

Seules les personnes invitées peuvent assister à cette soirée secrète, devenue l'une des plus prisées de Paris. Le code vestimentaire est resté le même – tenue blanche et élégante, jusqu'aux chaussures – et tous les convives s'efforcent de le respecter. Chaque année, le Dîner en blanc se déroule devant un monument différent. Les possibilités ne manquent pas à Paris : sur le parvis de Notre-Dame, devant l'Arc de triomphe, sur le Trocadéro face à la tour Eiffel, place de la Concorde, entre les pyramides du Louvre, place Vendôme… Depuis sa création, le Dîner a investi une multitude de sites, tous plus magnifiques les uns que les autres.

L'événement a pris une telle ampleur qu'il se tient aujourd'hui en deux lieux distincts afin de pouvoir accueillir tous les participants, dont le nombre s'élève à près de quinze mille. Difficile d'imaginer autant de personnes se comportant correctement et appliquant les règles à la lettre – et pourtant, le miracle se produit chaque année. Les convives sont toujours invités par deux, et chaque couple apporte une table et deux chaises pliantes de taille réglementaire. La table doit être habillée d'une nappe blanche et dressée de porcelaine, d'argenterie et de cristal, comme au restaurant ou à la maison lorsqu'on reçoit des hôtes de marque. Les aliments blancs sont encouragés, mais l'essentiel est de prévoir un « vrai » repas (les hot dogs, hamburgers et autres sandwichs sont proscrits). Tout doit pouvoir tenir dans un chariot. À la fin de la soirée, les reliefs et déchets sont ramassés, jusqu'au moindre mégot de cigarette, dans des sacs-poubelle blancs que l'on remporte chez soi. Il ne doit rester aucune trace du passage des dîneurs, qui disparaissent aussi gracieusement qu'ils sont apparus.

Malgré la foule que l'événement réunit, aucune demande d'autorisation n'est déposée (cela gâcherait l'effet de surprise). Et la police ferme les yeux ! Autre fait remarquable, personne ne tente de resquiller : les invitations au Dîner en blanc sont très convoitées, mais ceux qui n'en ont pas ne cherchent pas à se présenter le soir même en prétendant figurer sur la liste. Jusque-là, il n'y a jamais eu d'incident majeur ni d'altercation. C'est une soirée où la joie domine, dans le respect des autres et l'amour de Paris.

Une grande partie du plaisir tient au mystère qui entoure chaque année le lieu de la fête. En trente ans, le secret, jalousement gardé par les six organisateurs, n'a jamais été trahi. À vingt heures quinze précises, ces derniers informent les sous-chefs, appelés « rallieurs », des premiers points de rendez-vous où devront se présenter les convives. Divisés en deux groupes, ceux-ci sont prévenus l'après-midi du jour J ; l'excitation commence alors à monter tandis que l'on tente de deviner où se dérouleront les festivités. Les lieux de rendez-vous aident à se faire une idée, puisque la destination finale ne doit pas se trouver à plus de cinq minutes à pied, mais il y a généralement plusieurs sites remarquables dans les environs immédiats.

À l'heure dite, les invités arrivent, habillés de blanc et munis de leur pique-nique ; les amis se hèlent et se rejoignent dans la foule ; chacun repère avec joie les têtes connues. La gaieté et la fébrilité se lisent sur tous les visages. Puis, à vingt heures quarante-cinq, le lieu du dîner est enfin révélé. Chaque couple se voit alors assigner une place de la largeur exacte de sa table, au sein d'une longue rangée.

À vingt et une heures, sept mille personnes sont réunies par petits groupes d'amis devant chacun des deux monuments choisis pour la soirée. On déplie les tables et les chaises, on arrange les nappes et les chandeliers en argent, comme pour un mariage. Quinze minutes plus tard, les dîneurs sont installés, le verre à la main, aussi excités que des enfants conviés à une fête d'anniversaire surprise.

Lorsque la nuit commence à tomber, toute la place s'illumine de milliers de bougies et les verres en cristal scintillent à la lueur des flammes. À vingt-trois heures, on allume des cierges magiques au son de l'orchestre dansant qui anime la soirée. Sur le parvis de Notre-Dame, les cloches de la cathédrale retentissent et le prêtre bénit la foule du haut du balcon. Enfin, à minuit trente exactement, les sept mille dîneurs plient bagage et disparaissent dans la nuit comme autant de petites souris, ne laissant derrière eux que le souvenir inoubliable d'un bon moment passé entre amis.

Le Dîner en blanc a ceci d'intéressant qu'il ne donne lieu à aucune transaction financière. Dès lors que l'on est invité, nul besoin de s'acquitter d'un quelconque droit d'entrée. Personne ne peut « acheter » sa place : ce sont les organisateurs qui choisissent leurs convives, et l'événement n'est pas dénaturé par des questions d'argent. D'autres villes ont tenté d'en faire une manifestation payante, attirant du même coup de grossiers personnages prêts à débourser des sommes folles pour participer à la soirée, qu'ils parviennent à gâcher à tous les autres. Le Dîner en blanc de Paris est resté fidèle à ses valeurs d'origine.

À l'approche du mois de juin, les heureux élus attendent la fête avec impatience – et ils ne sont jamais déçus. Tous se souviendront de cette soirée comme d'un moment véritablement empreint de magie.

Jean-Philippe Dumas, trente-neuf ans, participait au Dîner en blanc depuis maintenant dix ans. Étant ami avec l'un des organisateurs, il avait le droit d'inviter neuf couples pour former un groupe de vingt personnes dont les tables étaient mises bout à bout. Chaque année, il sélectionnait ses convives avec le plus grand soin, mêlant à ses amis proches quelques nouvelles connaissances qui sauraient selon lui respecter les règles de l'événement, s'entendre avec les autres et prendre du bon temps. Rien n'était laissé au hasard ; il remplissait sa mission très sérieusement. Et si d'aventure l'un de ses hôtes se révélait ennuyeux, n'appréciait pas la fête ou tentait d'en profiter pour se créer un réseau de relations – ce qui n'est vraiment pas le but de la soirée –, il le remplaçait l'année suivante. Néanmoins, la plupart de ses invités étaient des habitués qui n'auraient raté ce rendez-vous pour rien au monde.

Sept ans plus tôt, Jean-Philippe avait épousé une Américaine, Valérie, qui avait vite succombé au charme du Dîner en blanc. Depuis, elle l'aidait à choisir ses convives. À trente-cinq ans, Valérie était rédactrice en chef adjointe chez *Vogue* et en bonne place pour succéder à sa supérieure, dont le départ en retraite était prévu deux ans plus tard. Jean-Philippe, lui, travaillait dans une société d'investissement réputée. Il avait rencontré Valérie huit ans auparavant, alors qu'elle venait à peine d'arriver à Paris, et avait eu le coup de foudre pour cette grande et belle femme aux longs cheveux bruns. Valérie était à la fois chic et sans prétention, intelligente et pleine d'humour, et s'entendait à merveille avec les amis de Jean-Philippe. Ensemble, ils formaient le couple idéal dont tout le monde recherchait la compagnie.

Ils avaient eu trois enfants en l'espace de six ans, deux garçons et une fille. Valérie avait travaillé pour *Vogue* à New York dès sa sortie de l'université et attachait beaucoup d'importance à sa carrière, mais elle parvenait malgré tout à conjuguer vie de famille et vie professionnelle. Elle adorait Paris et n'imaginait pas résider ailleurs. Pour Jean-Philippe, elle avait fait l'effort d'apprendre le français. Cela lui servait aussi dans son travail : elle pouvait plus facilement échanger avec les photographes, les stylistes et les créateurs. Malgré son fort accent américain qui suscitait les taquineries de Jean-Philippe, Valérie maîtrisait plutôt bien la langue de son pays d'adoption. Tous les étés, ils passaient des vacances aux États-Unis, dans sa maison de famille du Maine, pour que leurs enfants puissent tisser des liens avec leurs cousins américains. Mais c'est en France que Valérie se sentait chez elle. New York ne lui manquait plus. Et Paris était à ses yeux la plus belle ville du monde.

Propriétaires d'un superbe appartement, Valérie et Jean-Philippe menaient une existence heureuse, entourés d'un large cercle d'amis. Ils organisaient régulièrement des dîners informels, préparant eux-mêmes le repas ou louant les services d'un cuisinier lorsqu'ils étaient trop pris. Leurs invitations étaient très convoitées, en particulier celles pour le Dîner en blanc.

Parmi les heureux habitués du Dîner se trouvaient Benedetta et Gregorio Mariani. Valérie avait fait leur connaissance durant la Fashion Week de Milan, peu après avoir débuté chez *Vogue* à Paris. Le courant était tout de suite passé entre eux. Jean-Philippe les appréciait beaucoup lui aussi ; il les avait d'ailleurs invités au Dîner en blanc alors que Valérie et lui n'étaient pas encore mariés, à l'époque où ils commençaient tout juste à se fréquenter. Depuis, les Mariani faisaient le déplacement tous les ans.

Pour cette nouvelle édition, Benedetta portait des talons hauts et une robe en maille blanche dessinée par ses soins, qui mettait en valeur sa silhouette parfaite ; Gregorio, lui, arborait un costume qu'il avait créé à Rome – de couleur blanche, bien sûr, comme l'étaient également sa chemise, sa cravate de soie et ses chaussures en daim. Tous deux donnaient toujours l'impression de s'être échappés d'un magazine de mode. Leurs familles respectives travaillaient dans ce milieu depuis des siècles, et Benedetta et Gregorio avaient réussi à combiner leurs talents pour en faire profiter les deux maisons.

Du côté de Benedetta, on créait des tricots et des vêtements de sport réputés dans le monde entier – un succès qui n'avait fait qu'augmenter grâce à ses idées de génie. Quant aux Mariani, ils fabriquaient les plus beaux tissus d'Italie depuis deux cents ans. Gregorio travaillait à présent avec sa femme, mais ses frères continuaient de gérer les usines familiales et leur fournissaient la plupart de leurs tissus. Benedetta et lui étaient un peu plus âgés que Jean-Philippe et Valérie : elle avait quarante-deux ans, et Gregorio, quarante-quatre. Mariés depuis vingt ans, ils n'avaient pas d'enfants : elle était stérile et tous deux avaient choisi de ne pas adopter. Benedetta consacrait donc tout son temps, son amour et son énergie à leurs créations. Les résultats en valaient la peine.

Seul point négatif de leur union : Gregorio avait un faible pour les jolies femmes et se laissait parfois aller à quelques aventures qui ne manquaient pas d'attirer l'attention de la presse à scandale. Même si elle déplorait ces écarts de conduite, Benedetta avait décidé depuis longtemps de fermer les yeux, dans la mesure où Gregorio ne s'attachait jamais à ses maîtresses et les quittait rapidement. Finalement, son mari ne lui semblait pas pire que ceux d'un certain nombre de ses amies italiennes... Bien sûr, elle était en colère lorsqu'il la trompait, mais il n'en était pas fier et lui répétait chaque fois qu'il l'aimait passionnément. Alors elle lui pardonnait. Au moins, il s'était donné pour règle de ne jamais coucher avec des femmes qu'ils connaissaient tous les deux.

Gregorio était désespérément attiré par les mannequins, très jeunes de préférence. Benedetta faisait donc en sorte qu'il n'assiste pas aux essayages. Cela ne servait à rien de l'exposer à la tentation, alors qu'il n'avait aucun mal à trouver des occasions d'y succomber tout seul. Il n'était pas rare de le voir accompagné d'une jeune fille buvant ses paroles et le regardant d'un air enamouré. Cependant, lorsqu'il sortait avec Benedetta, il ne laissait jamais rien paraître de son tempérament de coureur et redevenait un époux dévoué qui adorait sa femme.

Gregorio possédait un charme fou, et il formait avec Benedetta un superbe couple avec qui l'on ne s'ennuyait jamais. Ce soir-là, ils affichaient tous les deux une mine réjouie tandis qu'ils attendaient sur la place Dauphine de savoir où le dîner se tiendrait cette année. Chacun y allait de son hypothèse ; Jean-Philippe était persuadé qu'ils pique-niqueraient devant Notre-Dame.

Et son intuition se vérifia. Quand le lieu de la fête fut annoncé à neuf heures moins le quart, la foule laissa échapper une exclamation de joie et les applaudissements fusèrent. C'était l'un des sites préférés de la plupart des convives. Le groupe d'amis, maintenant au complet, se mit en route pour aller dîner.

Chantal Giverny faisait partie des proches de Jean-Philippe qui assistaient chaque année à l'événement. À cinquante-cinq ans, elle était un peu plus âgée que les autres. Scénariste réputée, elle avait déjà gagné deux césars et été nominée pour un oscar et un Golden Globe aux États-Unis. Chantal avait toujours un projet en cours. Auteur d'œuvres cinématographiques puissantes, elle écrivait également des documentaires sur des sujets sérieux, souvent en lien avec la cruauté et les injustices dont les femmes et les enfants sont victimes. Elle travaillait actuellement sur un scénario, mais rien n'aurait pu lui faire manquer le Dîner en blanc. Jean-Philippe l'adorait. Ils s'étaient rencontrés à une soirée et avaient rapidement sympathisé. Aujourd'hui, Chantal était devenue sa confidente et ils se retrouvaient régulièrement pour déjeuner. Jean-Philippe avait toute confiance en son jugement et n'hésitait pas à lui demander conseil. Pour lui comme pour elle, leur amitié était un véritable don du ciel.

Lorsque Jean-Philippe et Valérie lui avaient annoncé qu'ils allaient se marier, Chantal avait été ravie : à ses yeux, ils étaient faits l'un pour l'autre. Le jeune couple l'avait choisie comme marraine pour le fils aîné, Jean-Louis, qui avait maintenant cinq ans. De son côté, Chantal avait trois enfants, mais aucun ne vivait en France, et Jean-Philippe savait qu'elle souffrait de cet éloignement. Devenue veuve très tôt, elle s'était entièrement consacrée à eux. Elle leur avait appris à être indépendants et à poursuivre leurs rêves coûte que coûte – et ils l'avaient écoutée. Éric, son plus jeune fils, s'était installé comme artiste à Berlin ; Paul, l'aîné, réalisait des films indépendants à Los Angeles ; quant à sa fille, Charlotte, après des études à la London School of Economics et un master de gestion à l'université de Columbia, elle travaillait aujourd'hui dans une banque à Hong Kong. Aucun ne voyait l'intérêt de revenir en France, si bien que Chantal était seule. Elle avait trop bien rempli sa mission : ses oisillons avaient pris leur envol.

Heureusement, son travail l'empêchait de se morfondre. De temps en temps, elle rendait visite à ses enfants, mais elle ne voulait pas s'imposer. Ils menaient leurs propres vies à présent, et attendaient d'elle qu'elle mène la sienne. Son seul regret était de ne pas avoir fait l'effort de s'engager dans une relation sérieuse à l'époque où ils étaient encore jeunes. Elle avait été trop occupée pour cela, et les années avaient passé sans qu'elle rencontre aucun homme qui ait éveillé son intérêt. Voilà pourquoi elle travaillait toujours autant.

Mais elle était heureuse et se plaignait rarement de sa solitude. Jean-Philippe ne s'en inquiétait pas moins pour elle. Il aurait voulu qu'elle trouve un compagnon. Parfois, Chantal lui confiait qu'il lui était difficile de vivre si loin de ses enfants ; le plus souvent, néanmoins, elle occupait son temps libre en voyant ses amis et gardait une attitude positive face à la vie. Chantal aimait tout autant s'amuser que se cultiver.

Cette année, tous les membres du groupe étaient des habitués du Dîner, à l'exception d'un Indien charmant que Jean-Philippe et Valérie avaient rencontré à Londres un an plus tôt. Originaire de Delhi, Dharam Singh était un génie de la technologie et comptait parmi les hommes les plus brillants de son pays. Des entreprises high-tech du monde entier le consultaient. Pour ne rien gâcher, il était modeste et très séduisant… Comme il devait se rendre à Paris en juin pour son travail, Jean-Philippe et Valérie l'avaient invité au Dîner en blanc, pensant qu'il ferait un bon partenaire pour Chantal, laquelle n'avait personne en face d'elle à sa table. Jean-Philippe était certain qu'ils s'entendraient bien, même si Dharam semblait plutôt attiré par les femmes jeunes. Et s'il ne se passait rien entre eux, ils prendraient au moins plaisir à bavarder.

Âgé de cinquante-deux ans, Dharam était divorcé et père de deux enfants. Son fils travaillait avec lui, en Inde, et sa fille, d'une beauté spectaculaire, avait épousé l'homme le plus riche du pays, avec qui elle avait eu trois enfants. Dans son costume blanc fait sur mesure par son tailleur de Londres, Dharam dégageait un charme tout exotique tandis qu'il prenait place en face de Chantal. Celle-ci avait prévu la nappe, les couverts et le repas ; Dharam avait apporté du caviar dans un bol en argent, du champagne à profusion, et un excellent vin blanc.

Chantal était ravissante. Avec sa silhouette élancée, son visage encore jeune et ses longs cheveux blonds, elle ne paraissait pas son âge. Lorsque Dharam ouvrit la bouteille de champagne, Chantal et lui étaient déjà en pleine conversation sur l'industrie du film en Inde. Plusieurs tables se partageaient les plats que chacun avait apportés ; l'atmosphère était festive et conviviale. On avait peine à croire que sept mille personnes étaient en train de dîner ensemble avec autant d'élégance… À vingt et une heures trente, la fête battait son plein : on faisait circuler les hors-d'œuvre et les bouteilles de vin ; on retrouvait de vieux amis, on en découvrait de nouveaux.

Derrière la tablée de Jean-Philippe, une autre rangée était occupée par des couples plus jeunes, avec parmi eux quelques très jolies filles que Gregorio et Dharam avaient repérées. Néanmoins, ils préféraient se concentrer sur leur petit groupe, tout à fait agréable et animé. Les rires fusaient tandis que les derniers rayons du soleil se reflétaient sur les vitraux de Notre-Dame. Le spectacle était grandiose. Les cloches de la cathédrale avaient retenti peu après l'arrivée des dîneurs, comme pour les accueillir, et le prêtre était apparu au balcon pour les saluer.

Une demi-heure plus tard, le soleil était couché, et le parvis de Notre-Dame brillait des milliers de chandelles allumées sur les tables. Jean-Philippe passait de l'une à l'autre pour s'assurer que ses invités ne manquaient de rien. Alors qu'il s'arrêtait près de Chantal, celle-ci fut surprise par l'expression sérieuse de son regard.

— Tout va bien ? s'enquit-elle à voix basse.

— Je t'appellerai demain, murmura-t-il en se penchant pour l'embrasser. Tu es libre pour déjeuner ?

Chantal acquiesça. Elle était toujours là pour lui.

À la table voisine, le téléphone de Gregorio se mit à sonner. Il répondit en italien, puis passa très vite à l'anglais. Benedetta l'observait d'un air inquiet. Quand il se leva et s'éloigna pour poursuivre sa communication, elle se tourna vers Dharam et Chantal, s'efforçant de cacher son malaise.

Mais Chantal avait surpris le regard peiné de son amie. Sans doute les dernières frasques de Gregorio, songea-t-elle. Dharam l'intégra avec grâce à leur conversation. Il était en train d'essayer de convaincre Chantal de venir en Inde et lui faisait la liste de tous les sites incontournables – Udaipur, notamment, avec ses temples et ses palais. Selon lui, c'était la ville la plus romantique au monde. Chantal n'osa pas lui dire qu'elle n'avait pas envie de voyager seule. Il aurait eu pitié d'elle… Dharam continua de chanter les louanges de son pays pour Benedetta, tout en servant le vin généreusement. La créatrice italienne sembla se détendre et lui avoua qu'elle non plus n'avait jamais mis les pieds en Inde…

Gregorio refit son apparition une demi-heure plus tard, l'air nerveux, et adressa quelques mots en italien à sa femme. Il devait partir. Chantal et Dharam continuèrent de bavarder pour ne pas donner l'impression d'écouter leur échange.

— Maintenant ? s'enquit Benedetta d'un ton irrité. Ça ne peut pas attendre ?

Voilà six mois qu'elle vivait une situation infernale, et elle n'appréciait pas que les égarements de son mari viennent s'immiscer dans une si belle soirée. Certes, tout le monde était au courant : l'histoire faisait la une des tabloïds depuis un moment déjà. Mais personne n'avait eu l'indélicatesse d'aborder le sujet devant elle.

Huit mois plus tôt, Gregorio avait commencé à fréquenter une top model russe de vingt-trois ans. Celle-ci avait eu la bonne idée de tomber enceinte de jumeaux au bout de deux mois et avait refusé d'avorter. Or, si Gregorio n'en était pas à sa première aventure, jamais il n'avait eu d'enfants avec ses maîtresses. Benedetta le vivait d'autant plus mal qu'elle était elle-même incapable de concevoir. L'année qui venait de s'écouler avait été la pire de son existence... Gregorio lui avait juré qu'il s'agissait d'une erreur stupide, qu'il n'était pas amoureux d'Anya, et qu'il la quitterait tout de suite après la naissance des bébés. Mais Benedetta doutait que la jeune fille le laisse partir aussi facilement. Anya s'était installée à Rome trois mois plus tôt pour se rapprocher de lui, et Gregorio n'avait cessé depuis de faire la navette entre Rome et Milan. Cela la rendait folle.

— Non, ça ne peut pas attendre, répondit-il. Elle est sur le point d'accoucher.

Gregorio se sentait terriblement mal. Il détestait lui annoncer cela en plein dîner. Mais Anya n'en était qu'à son sixième mois de grossesse...

— Elle est à Rome ?

— Non, elle est ici. Elle avait un casting à Paris cette semaine. Elle a été admise à l'hôpital il y a une heure. Je suis vraiment navré, Benedetta, mais je dois y aller. Elle n'a personne ici ; elle est terrifiée.

Gregorio aurait voulu rentrer sous terre. Cette affaire était atrocement gênante, et les paparazzis s'en étaient donné à cœur joie ces derniers mois. Son épouse faisait preuve d'une grande élégance, mais on ne pouvait pas en dire autant d'Anya, qui l'appelait sans arrêt et exigeait de le voir à des moments impossibles. Il était marié, et avait bien l'intention de le rester : les choses avaient été claires entre eux dès le départ. Sauf qu'aujourd'hui la jeune femme se retrouvait seule dans un hôpital parisien, prête à accoucher avec trois mois d'avance. Gregorio estimait de son devoir de la rejoindre au plus vite. Après tout, il était humain. Mais il avait bien conscience d'avoir mis sa femme – et de s'être mis lui-même – dans une situation invivable. Benedetta n'allait pas apprécier d'être abandonnée en plein Dîner en blanc.

— Tu ne peux pas attendre la fin de la soirée ? demanda-t-elle.

— Je suis désolé… Il vaut mieux que j'y aille tout de suite.

Il ne jugea pas utile de préciser qu'Anya avait été prise de sanglots hystériques au téléphone. Benedetta en savait déjà bien assez.

— Je suis vraiment désolé, répéta-t-il. Je vais m'éclipser discrètement, tu n'auras qu'à dire que j'ai repéré des amis à une autre table. Personne ne se rendra compte de mon absence.

Bien sûr que si, les gens s'en rendraient compte, songea-t-elle. Et elle saurait, elle, où il était parti, avec qui, et pourquoi. Il venait de lui gâcher sa soirée. Et surtout, comment pouvait-elle accepter l'idée qu'il allait avoir deux enfants avec une autre femme alors qu'ils n'en avaient aucun ensemble ?

Gregorio se leva, bien décidé à partir. Il avait beau regretter amèrement d'avoir couché avec Anya et de l'avoir mise enceinte, il ne pouvait pas la laisser toute seule à l'hôpital dans son état.

Pour sa part, Benedetta était certaine qu'Anya faisait du cinéma pour attirer Gregorio auprès d'elle. La situation l'embarrassait au plus haut point. Les autres convives allaient vite s'apercevoir de sa défection, puisqu'elle n'aurait personne en face d'elle jusqu'à la fin du dîner.

— Si jamais c'est une fausse alerte, reviens vite, le pria-t-elle.

— Je ferai de mon mieux, promit Gregorio avec un regard contrit.

Puis, sans rien dire à leur hôte ni aux autres membres de leur petit groupe, il disparut dans la foule des dîneurs qui circulaient de table en table. Benedetta s'employa à faire comme s'il ne s'était rien passé. Quelques instants plus tard, Chantal, qui bavardait toujours avec Dharam, s'excusa pour aller saluer une connaissance à une autre table. Alors que Benedetta tentait de ravaler ses larmes et sa colère, Dharam se tourna vers elle en souriant.

— Votre mari est parti ? s'enquit-il poliment.

— Oui… une urgence. Un ami a eu un accident, il est allé le rejoindre à l'hôpital, expliqua-t-elle d'un ton faussement détaché. Il a préféré s'esquiver discrètement pour ne pas interrompre la fête.

Dharam avait assisté à l'échange tendu entre les deux époux. Il voyait bien que Benedetta était contrariée.

— Ça doit être le destin, dit-il pour tenter de lui remonter le moral. Depuis le début du repas, j'essaie de vous avoir pour moi tout seul. Je vais enfin pouvoir vous faire la cour sans avoir votre mari dans les pattes !

Benedetta ne put s'empêcher de rire.

— Avec un cadre aussi romantique, on devrait être fous amoureux avant qu'il ne revienne, ajouta-t-il.

— Je ne crois pas qu'il reviendra, répliqua-t-elle tristement.

— Mais c'est parfait ! Les dieux sont vraiment de mon côté, ce soir ! Ne perdons pas de temps : quand viendrez-vous me voir en Inde ?

Dharam plaisantait, bien sûr, mais cette femme le touchait bien plus qu'il n'aurait osé l'admettre. Comme elle riait de son numéro de charme, il lui offrit une rose blanche du bouquet de Chantal. Benedetta l'accepta en souriant. Au même instant, l'orchestre commença à jouer devant la cathédrale.

— M'accorderez-vous cette danse ? demanda Dharam.

Benedetta n'était pas d'humeur à danser, mais elle n'avait pas non plus le cœur de dire non à cet homme qui se montrait si attentionné avec elle. Elle accepta donc la main qu'il lui tendait et se laissa entraîner à travers la foule jusqu'à la piste. Dharam était un bon cavalier : pendant quelques instants, elle oublia ses problèmes. Un grand sourire éclairait son visage lorsqu'ils rejoignirent leur table, où ils trouvèrent Chantal et Jean-Philippe en pleine conversation.

— Où est passé Gregorio ? demanda ce dernier à Benedetta.

— J'ai payé deux hommes pour l'enlever et le ligoter, répondit Dharam avant qu'elle ait eu le temps d'ouvrir la bouche. Je voulais séduire sa si jolie épouse, et il devenait encombrant.

Tous se mirent à rire ; même Benedetta souriait. Jean-Philippe comprit qu'il valait mieux ne plus poser de questions au sujet de Gregorio. De toute évidence, il s'était passé quelque chose et Dharam tentait de distraire Benedetta. Peut-être le couple s'était-il disputé et Gregorio était-il parti furieux… Jean-Philippe l'avait déjà vu faire des scènes. Et Valérie lui avait raconté que tout n'était pas rose entre eux ces temps-ci.

Dans le petit monde de la mode, l'histoire de la top model enceinte était sur toutes les lèvres et il était fort regrettable pour Benedetta que Gregorio se soit éclipsé dans ces circonstances. Nul doute que cela ferait jaser. Jean-Philippe se prit à espérer que leur couple y survivrait, comme il avait survécu aux précédents écarts de Gregorio. Heureusement, Dharam aidait Benedetta à sauver la face… Lorsque Jean-Philippe s'éloigna pour aller discuter avec ses autres invités, son ami indien parlait avec animation aux deux femmes assises en face de lui.

Par la suite, Dharam ne cessa de prendre des photos et des vidéos avec son téléphone portable, dans l'idée de les montrer plus tard à ses enfants. Il était si heureux d'être venu ! Finalement, tout le monde semblait passer une bonne soirée, même Benedetta, grâce à sa gentillesse et à son humour. Il lui avait resservi plusieurs fois de son excellent champagne pour tenter de l'égayer. De délicieux desserts faisaient le tour des tables. Quelqu'un avait apporté une énorme boîte de chocolats, tandis qu'un autre couple partageait de délicats macarons blancs de chez Pierre Hermé.

À onze heures, Jean-Philippe distribua les traditionnels cierges magiques, et bientôt le parvis tout entier s'illumina de petits feux crépitants. Dharam s'empressa d'immortaliser la scène sur son téléphone. Chantal avait été touchée d'apprendre qu'il comptait montrer les photos à ses enfants. Elle ne s'imaginait pas faire la même chose avec les siens : ils auraient trouvé cela stupide et se seraient sûrement demandé pourquoi elle s'était rendue à cette soirée. Ses enfants avaient tendance à considérer qu'elle ne vivait que pour eux et pour son travail. Elle leur parlait donc très peu de ses activités et, la plupart du temps, ils ne lui posaient pas de questions – non pas par méchanceté, mais parce qu'ils ne concevaient pas que sa vie puisse avoir un quelconque intérêt. Dharam, à l'inverse, faisait poser le petit groupe qu'ils formaient pour pouvoir partager les images avec son fils et sa fille, convaincu qu'ils auraient envie de tout savoir sur ce dîner. Dès qu'il parlait d'eux, son visage s'éclairait.

La fête battait son plein, et les convives étaient de plus en plus nombreux à circuler entre les tables. Chantal salua un collègue scénariste et un cameraman qui avait travaillé sur le tournage d'un de ses documentaires au Brésil. Elle remarqua alors le groupe de jeunes gens qui occupait les tables derrière eux. Un des hommes était en train de distribuer des lanternes en papier qu'il sortait d'un grand carton. Il en offrit aux invités de Jean-Philippe et leur montra comment s'en servir. Les lanternes mesuraient près de un mètre et étaient munies à leur base d'un petit brûleur qu'il fallait allumer. Une fois la boule de papier remplie d'air chaud, on devait faire un vœu avant de la lâcher. L'homme leva la sienne au-dessus de sa tête, puis la laissa s'envoler. La sphère lumineuse monta dans le ciel nocturne, portée par le vent, brillante comme une étoile filante. C'était magnifique. Sur ce, les voisins du jeune homme allumèrent leurs lampions avec enthousiasme, et Chantal les regarda s'élever dans les airs, fascinée par la beauté du spectacle. Dharam filmait ; il aida ensuite Benedetta à allumer la sienne, et la tint avec elle jusqu'au dernier moment.

— Avez-vous fait un vœu ? lui demanda-t-il d'un air sérieux tandis que la boule de papier s'éloignait dans le ciel.

Benedetta acquiesça, mais préféra ne rien dire, de peur que son souhait ne se réalise pas. Elle avait prié pour que tout redevienne comme avant entre elle et son mari. Avant qu'Anya ne s'immisce dans leurs vies.

Alors qu'il finissait d'aider ses amis, l'homme aux lanternes se tourna vers Chantal et croisa son regard. Il était très séduisant, avec son jean et son pull-over blancs et son épaisse crinière de cheveux bruns. Chantal lui donna entre trente-cinq et quarante ans, comme Jean-Philippe. En revanche, les filles de sa table, toutes ravissantes, avaient à peine une vingtaine d'années – l'âge de sa fille.

— Vous avez eu une lanterne ? lui demanda-t-il sans la quitter des yeux.

Chantal fit non de la tête. Elle avait été trop occupée à regarder Dharam et Benedetta lâcher la leur.

Jean-Philippe, lui, avait été parmi les premiers à tenter l'expérience.

Le jeune homme s'avança vers elle et lui tendit une boule de papier – la dernière, lui confia-t-il. Il la lui alluma, et Chantal eut l'impression qu'elle s'emplissait d'air plus vite que les autres ; elle fut surprise par la chaleur de la petite flamme.

— Tenez-la avec moi et faites un vœu, lui enjoignit l'inconnu.

Quand le lampion fut prêt à prendre son envol, il se tourna vers Chantal et plongea son regard dans le sien.

— Vous avez fait un vœu ?

Elle acquiesça.

— Alors vous pouvez le lâcher.

La lanterne monta vers les étoiles comme une fusée. Chantal la contempla, émerveillée, à la manière d'un enfant qui regarde son ballon s'envoler. À côté d'elle, l'homme avait lui aussi les yeux rivés sur la sphère de papier éclairée par la petite bougie. Lorsqu'elle eut complètement disparu, il se tourna vers Chantal en souriant.

— Ce devait être un bon vœu. Elle est partie très haut dans le ciel.

— Oui… J'espère qu'il se réalisera, répondit Chantal en lui rendant son sourire.

Elle venait de vivre un de ces instants parfaits que l'on est sûr de ne jamais oublier. Le Dîner en blanc était vraiment une soirée de rêve.

— C'était magnifique, murmura-t-elle encore. Merci de m'avoir donné la dernière lanterne et d'avoir partagé ce moment avec moi.

Il acquiesça, puis rejoignit ses amis. Quelques instants plus tard, Chantal croisa à nouveau son regard et ils échangèrent un sourire.

La dernière heure passa bien trop vite. À minuit et demi, Jean-Philippe rappela à ses convives qu'il était temps de lever le camp. Les sept mille Cendrillons devaient quitter le bal… Des sacs-poubelle blancs furent distribués, et l'on jeta tout ce qui devait l'être. L'argenterie, les vases, les verres, les restes de vin et de nourriture retournèrent dans les chariots. En quelques minutes, tout le matériel fut rangé, les nappes, les tables et les chaises furent repliées, et il ne resta plus aucune trace des longues et élégantes tablées. Les milliers de dîneurs vêtus de blanc quittèrent tranquillement le parvis de Notre-Dame, non sans jeter un dernier regard sur le lieu où la magie s'était produite. Chantal repensa aux lanternes qui s'étaient doucement consumées dans le ciel, et elle constata que leurs jeunes voisins étaient déjà partis. Les boules de papier devaient se trouver bien loin à cette heure-ci, emportées par le vent vers d'autres horizons où les gens s'interrogeraient sans nul doute sur leur provenance.

Jean-Philippe s'assura que ses invités avaient tous une solution pour rentrer chez eux. Chantal prendrait un taxi, et Dharam proposa à Benedetta de la raccompagner, puisqu'ils séjournaient dans le même hôtel. Jean-Philippe promit à Chantal de l'appeler le lendemain matin, et elle le remercia pour cette soirée inoubliable – une de plus. Le Dîner en blanc était son jour préféré de l'année. Et avec le spectacle du lâcher de lanternes, cette année-là avait peut-être été la plus magique de toutes.

Il l'aida à prendre place dans le taxi avec son chariot, sa table et ses chaises, et demanda au chauffeur de lui donner un coup de main lorsqu'ils arriveraient chez elle. Valérie était en train de charger la voiture et salua son amie de loin. Pendant ce temps, Dharam et Benedetta montaient dans un deuxième taxi qui les ramènerait à l'hôtel George-V, tandis que les autres dîneurs se dirigeaient vers leurs propres véhicules ou la station de métro la plus proche. Du premier au dernier instant, l'événement était minutieusement orchestré.

— À demain ! lança Jean-Philippe à Chantal.

Alors que son taxi démarrait, celle-ci se demanda soudain si son vœu se réaliserait. Elle l'espérait, bien sûr, mais même dans le cas contraire, elle aurait au moins passé une soirée inoubliable. Chantal garda le sourire durant tout le trajet.

2

En parfait gentleman, Dharam escorta Benedetta jusqu'à sa chambre, se chargeant de transporter la table et les chaises pliantes pendant qu'elle tirait le chariot de provisions. Benedetta avait apporté d'Italie de quoi décorer la table et emprunté les assiettes et l'argenterie à l'hôtel. Dharam lui proposa de boire un verre au bar, mais elle répondit qu'elle était fatiguée. En réalité, elle préférait attendre le coup de téléphone de Gregorio dans sa chambre, n'ayant aucune envie d'avoir cette conversation en public. Dharam n'insista pas. Il lui confia qu'il avait passé une très agréable soirée et qu'il se ferait un plaisir de lui envoyer les photos et vidéos. Il demanderait son adresse électronique à Jean-Philippe pour ne pas la déranger plus longtemps ce soir. Il voyait bien qu'elle était de nouveau contrariée, maintenant que la fête était finie et qu'il n'y avait plus rien pour la distraire de ses soucis. Il avait dû arriver quelque chose de grave pour que son mari disparaisse de cette façon… Benedetta le remercia pour son aide et sa gentillesse et lui souhaita une bonne nuit.

Une fois seule, elle s'allongea sur le lit et consulta son portable, comme elle l'avait fait plusieurs fois discrètement au cours de la soirée : aucun nouveau message. Elle se retint d'appeler Gregorio, de peur de tomber au mauvais moment. À trois heures du matin, toujours sans nouvelles de son mari, Benedetta s'endormit.

Lorsque Gregorio arriva à l'hôpital peu avant vingt-deux heures, Anya avait été transférée dans une chambre de la maternité et deux médecins étaient en train de l'examiner. Dès qu'il entra dans la pièce, elle tendit les bras vers lui en pleurant. Son col n'avait pas encore commencé à s'ouvrir, mais ses contractions étaient fortes et régulières, et la perfusion de magnésium qu'on lui avait posée une heure plus tôt dans l'espoir de les calmer n'avait pas eu l'effet escompté. Or, les jumeaux n'étaient pas assez développés pour naître maintenant. Les deux spécialistes s'accordaient à dire qu'ils avaient très peu de chances de survivre, étant donné leur âge gestationnel et leur petite taille. En entendant ce pronostic, Anya céda à l'hystérie.

— Nos bébés vont mourir ! sanglota-t-elle tandis que Gregorio la serrait dans ses bras.

Il n'avait pas du tout anticipé un tel scénario. Il avait pensé au contraire que tout se passerait bien, au moment prévu, et qu'il pourrait s'éclipser gracieusement de la vie d'Anya en se contentant de lui apporter un soutien financier. Après tout, il n'avait pas demandé à avoir ces bébés ! Une petite incartade, et voilà qu'il se retrouvait dans une situation impossible… Et celle-ci ne faisait qu'empirer.

L'obstétricien se montra honnête avec eux : à supposer qu'ils vivent, leurs enfants risquaient de présenter de graves séquelles. Gregorio allait donc devoir gérer non pas seulement une naissance non désirée, mais aussi une possible tragédie. En outre, il s'inquiétait pour sa femme, qui devait être dans un drôle d'état. Benedetta avait été très tolérante jusque-là, mais il ne savait pas comment elle réagirait face à cette nouvelle donne : il allait avoir deux enfants d'une fille qu'il connaissait à peine et qui avait eu le culot de lui demander de quitter son épouse ! Gregorio avait toujours été très clair avec ses diverses conquêtes : il aimait sa femme. D'ailleurs, aucune ne lui avait jamais rien réclamé. Or dès qu'elle était tombée enceinte, Anya était devenue complètement dépendante de lui, exerçant une pression qui s'apparentait pour Gregorio à un véritable cauchemar.

Et désormais, les différentes issues que leur prédisaient les médecins lui semblaient proprement terrifiantes. Il avait pitié d'Anya. Même s'il n'était pas amoureux d'elle, ils étaient dans le même bateau, et il devait la soutenir jusqu'au bout. Deux petites vies étaient en jeu, deux vies qui risquaient d'être sérieusement handicapées – encore une lourde responsabilité à assumer. Gregorio n'imaginait pas Anya capable d'affronter cette situation toute seule à vingt-trois ans, alors qu'elle avait la maturité d'une gamine de seize ans. Cette nuit-là, elle s'accrocha à lui comme une enfant, et il ne la quitta pas une seconde.

À minuit, après s'être espacées un moment, les contractions reprirent de plus belle, et le col commença à se dilater. Anya avait reçu une injection de corticoïdes pour augmenter la capacité pulmonaire des bébés s'ils venaient à naître. À quatre heures du matin, il fallut se rendre à l'évidence : l'accouchement ne pouvait plus être évité. On fit venir une équipe du service de néonatalogie, et le travail se poursuivit, inexorablement. Mais au lieu de l'attente joyeuse qui précède d'ordinaire une naissance, c'étaient l'inquiétude et la résignation qui prévalaient dans la pièce. Tout le monde savait que cela finirait mal. Restait à savoir à quel point.

Terrifiée, Anya hurlait à chaque contraction. Dans un premier temps, les médecins ne voulurent rien lui donner, de peur d'accroître les risques pour les bébés ; ils finirent tout de même par lui administrer une péridurale afin de soulager ses douleurs. La scène était violente pour Gregorio ; Anya était entourée de tubes et d'écrans de contrôle. À mesure que le travail progressait, les deux bébés montraient des signes de détresse. Bientôt, le col de l'utérus fut complètement dilaté, et on demanda à la jeune femme de pousser. Gregorio restait auprès d'elle, bouleversé par l'épreuve qu'elle était en train de traverser. Il avait totalement oublié sa femme et ne pensait plus qu'à cette pauvre fille qui s'agrippait à lui et sanglotait entre chaque contraction. Anya n'avait plus rien de la top model sexy et flamboyante avec qui il avait couché pour s'amuser.

Leur fils fut le premier à venir au monde, à six heures du matin. Un petit être bleuâtre qui ne paraissait pas encore entièrement formé, à la peau si fine qu'elle laissait transparaître ses veines. Il lutta pour aspirer sa première bouffée d'air. Sitôt le cordon coupé, on le plaça en couveuse, sous respirateur ; deux médecins et une infirmière l'emmenèrent promptement vers l'unité de soins intensifs du service de néonatalogie. Une heure plus tard, son cœur s'arrêta de battre, mais l'équipe réussit à le réanimer. Gregorio sentit les larmes couler sur ses joues lorsque les médecins lui annoncèrent que son fils avait peu de chances de survivre. Voir naître ce petit être dans des conditions si dramatiques le secouait bien plus qu'il ne l'aurait cru. On eût dit une créature d'un autre monde, avec ses grands yeux qui semblaient les supplier de l'aider. Anya, elle, ne vit rien de tout cela : la douleur la rendait incohérente.

Leur petite fille naquit vingt minutes plus tard. Un peu plus grosse que son frère, elle avait le cœur moins fragile, mais ses poumons étaient tout aussi immatures. Les deux bébés pesaient moins de un kilo chacun. Elle fut placée à son tour sous respirateur et aussitôt emmenée par une équipe de spécialistes. Anya n'était pas au bout de ses peines : elle commença à perdre beaucoup de sang, et il fallut lui faire deux transfusions pour juguler l'hémorragie. Son teint était grisâtre… Au grand soulagement de Gregorio, on lui administra un sédatif, et elle sombra dans un profond sommeil. Les médecins en profitèrent pour s'entretenir avec lui : les deux nouveau-nés étaient dans un état critique, lui expliquèrent-ils, et il faudrait du temps, beaucoup de temps, pour qu'ils soient complètement tirés d'affaire – si toutefois ils survivaient. Les jours à venir seraient déterminants.

Gregorio alla voir les bébés – ses bébés ! – dans leurs couveuses, et il resta un long moment à pleurer devant ces êtres minuscules. La nuit avait été dure pour lui aussi. Qu'allait-il bien pouvoir dire à Benedetta ? Tout était tellement plus intense que ce qu'il avait imaginé ! Il s'était figuré que la situation s'arrangerait d'elle-même, mais cela paraissait peu probable à présent. Ou, du moins, pas avant longtemps. Il ne pouvait plus échapper à la réalité, ni aux conséquences de ses actions.

Quand une infirmière lui expliqua qu'Anya allait dormir plusieurs heures, Gregorio comprit que c'était le moment ou jamais de rentrer à l'hôtel. Il était déjà huit heures du matin, et il n'avait toujours pas appelé sa femme. Une fois qu'Anya serait réveillée, il ne pourrait plus la quitter facilement. Elle n'avait personne d'autre que lui. Sa mère, qui vivait en Russie, était sa seule famille, et Anya ne l'avait pas vue depuis des années. De plus, Gregorio devait penser aux bébés, à présent. Même s'il était le premier à en être surpris, il avait immédiatement ressenti un profond attachement pour eux.

Il pénétra dans le hall de l'hôtel George-V avec la curieuse impression de revenir d'une autre planète. Ici, tout était normal. Rien n'avait changé depuis la veille au soir, quand Benedetta et lui avaient quitté l'hôtel pour se rendre au Dîner en blanc. C'était étrange de se replonger dans la vie ordinaire, de croiser tous ces gens qui partaient en réunion, allaient déjeuner, flânaient dans le hall ou discutaient avec le réceptionniste.

Gregorio trouva Benedetta assise au bureau de leur chambre, la tête dans les mains, les yeux rivés sur le téléphone. Elle était restée éveillée une bonne partie de la nuit, dans l'attente de ses nouvelles. Gregorio s'aperçut alors que ses chaussures blanches étaient tachées de sang. L'accouchement avait été terrible.

— Excuse-moi, Benedetta. Je n'ai pas pu t'appeler cette nuit, dit-il d'une voix éteinte.

Benedetta se tourna vers lui. Dans son regard, la peur se mêla à la colère lorsqu'elle vit l'expression tragique de Gregorio.

— Que s'est-il passé ?

— Ils sont nés il y a deux heures. C'était horrible. Les médecins font ce qu'ils peuvent pour les sauver, mais ce n'est pas gagné à ce niveau de prématurité. Ils n'ont même pas l'air complètement formés… Ils font moins de un kilo chacun.

Gregorio semblait attendre de son épouse qu'elle partage son chagrin. Elle se contenta de le dévisager tristement.

— Qu'est-ce que tu comptes faire ?

Il avait deux enfants, à présent. Avec une autre femme. Et ces bébés étaient visiblement très réels pour lui. Benedetta n'avait pas prévu cela.

— Je dois y retourner, répondit-il. Je ne peux pas les abandonner comme ça. Ils s'accrochent à la vie, mais ils peuvent mourir à tout instant. Il faut que je sois là, pour eux et pour elle.

Gregorio faisait preuve d'une noblesse de cœur surprenante. Benedetta acquiesça, incapable de prononcer le moindre mot. Elle se sentait exclue de sa vie.

— Je t'appellerai pour te tenir au courant, ajouta-t-il tout en sortant des vêtements du placard.

Il se changea devant elle, sans même prendre le temps de se laver. Il ne mangea rien non plus – sa seule préoccupation était de regagner au plus vite l'hôpital.

— Je dois t'attendre ici ? demanda-t-elle d'une voix sourde.

— Je ne sais pas. Je te dirai ça plus tard.

Tout serait peut-être déjà fini le temps qu'il arrive à la maternité… Il glissa son portefeuille dans sa poche et posa sur sa femme un regard douloureux.

— Je suis désolé. Vraiment. On trouvera une solution, je te le promets. Je me rachèterai.

Quant à savoir comment, il n'en avait pas la moindre idée… Et Benedetta non plus. Si les jumeaux s'en sortaient, Gregorio se retrouverait père de deux enfants… Il s'approcha d'elle pour l'embrasser, mais Benedetta détourna le visage. Pourrait-elle lui pardonner un jour ?

— Je t'appellerai, lâcha-t-il en sortant.

À peine avait-il passé la porte que Benedetta fondit en larmes. Elle retourna se coucher et s'endormit en pleurant.

À l'hôpital, Gregorio s'assit entre les deux couveuses et regarda ses enfants, bardés de tuyaux, se battre pour survivre tandis qu'une armée de professionnels leur prodiguaient des soins. Une heure plus tard, on le prévint qu'Anya était réveillée. Il la rejoignit dans sa chambre et passa la journée à la consoler. Chaque fois qu'il pouvait la laisser quelques minutes, il retournait voir les bébés. Il était presque dix-huit heures lorsqu'il se souvint qu'il avait promis à Benedetta de l'appeler, mais elle ne répondit ni sur son portable ni au téléphone de la chambre.

De fait, Benedetta était sortie prendre l'air. Dharam la croisa dans le hall de l'hôtel et eut de la peine pour elle en voyant sa petite mine. Elle portait un jean et des chaussures plates, et avait attaché ses cheveux en queue-de-cheval. Sans ses talons hauts, elle lui semblait subitement toute petite… Benedetta était une femme menue, délicate, et elle paraissait bien fragile aujourd'hui avec ses grands yeux tristes qui lui mangeaient le visage.

— Vous allez bien ? lui demanda-t-il gentiment.

Il se faisait du souci pour elle. Visiblement, il lui était arrivé quelque chose. Cela avait-il un rapport avec le départ précipité de son mari, la veille, au dîner ? En fait, Dharam ignorait tout des rumeurs qui circulaient au sujet de la maîtresse russe de Gregorio.

— Oui, ça va. Enfin… pas vraiment, répondit Benedetta, incapable de mentir.

Des larmes perlèrent au coin de ses paupières.

— Excusez-moi. Je sortais juste faire un tour.

— Voulez-vous que je vous accompagne ?

— Je ne sais pas…

Elle semblait confuse. Et Dharam répugnait à la laisser se promener seule dans cet état.

— Nous ne sommes pas obligés de parler, mais je ne crois pas que vous devriez rester seule.

Benedetta acquiesça.

— Merci, murmura-t-elle tandis qu'il réglait ses pas sur les siens.

Ils marchèrent un long moment en silence. Puis elle tourna vers lui un regard empli de désespoir. Un regard de fin du monde – et, pour elle, c'était réellement la fin d'un monde.

— Il y a quelques mois, mon mari a eu une liaison avec une top model. Cela lui était déjà arrivé avant, malheureusement, mais jusque-là il avait toujours mis fin rapidement à ces relations. Cette fois-ci, en revanche, la fille est tombée enceinte. De jumeaux. Elle a accouché ce matin avec trois mois d'avance.

Et maintenant, mon mari est empêtré dans une histoire dramatique, avec deux bébés qui risquent de mourir et une jeune fille qui a besoin de lui. Ce sont ses premiers enfants, nous n'en avons pas ensemble.

Les paroles s'échappaient de ses lèvres comme les larmes coulaient sur son visage.

— Je ne sais pas comment nous allons réussir à surmonter tout cela, poursuivit-elle. Cela pourrait durer des mois... Qu'est-ce que je vais bien pouvoir faire ? Là, tout de suite, il est à l'hôpital avec elle.

Malgré sa stupeur, Dharam demeura très calme.

— Vous devriez peut-être rentrer chez vous, en Italie, suggéra-t-il d'une voix douce. Ce serait sans doute mieux que d'attendre dans une chambre d'hôtel que votre mari vous appelle. Comme vous l'avez dit vous-même, la situation va mettre du temps à s'apaiser ; vous ne pouvez rien faire pour l'instant.

Il sembla à Benedetta que ce conseil était plutôt sensé. Après tout, c'était à Gregorio de gérer cette crise, pas à elle. Il fallait d'abord attendre de voir si les bébés survivaient. Ensuite seulement, ils s'occuperaient du reste – et de leur mariage.

— Vous avez probablement raison, dit-elle sombrement. Quel cauchemar... En plus, tout le monde est au courant ! Les journaux ne parlent que de ça en Italie. Pas un jour ne passe sans que les paparazzis prennent cette fille en photo depuis qu'elle est venue s'installer à Rome. C'est la première fois que mon mari a une relation aussi sérieuse et aussi publique avec une autre femme.

Benedetta essayait de rester loyale envers Gregorio, même si elle ne savait plus très bien pourquoi.

— Je crois que je vais rentrer à Milan, conclut-elle.

— Avez-vous des gens là-bas sur qui vous pouvez compter ? s'enquit Dharam.

— Oui, ma famille, et celle de Gregorio aussi… Tout le monde lui en veut de s'être mis dans cette pagaille. Presque autant que moi, ajouta-t-elle avec un regard grave.

Dharam acquiesça, rassuré d'apprendre qu'elle ne serait pas seule une fois chez elle.

— Je comprends que vous soyez en colère, Benedetta. Si vous êtes encore ici avec lui, c'est que vous avez été très patiente.

— Je pensais que les choses reviendraient vite à la normale. En fait, elles n'ont fait qu'empirer. Et avec la naissance prématurée des bébés, elles ne risquent pas de s'améliorer de sitôt. Je plains mon mari, mais ce n'est pas facile pour moi non plus.

— Je veux bien vous croire… Pourrai-je vous appeler pour prendre de vos nouvelles ?

— C'est gentil à vous, répondit Benedetta, gênée. Je suis désolée de vous avoir ennuyé avec mes histoires. Tout ça n'est pas très glamour.

— Non, mais c'est la vie, répliqua-t-il avec compassion. Moi aussi, j'ai vécu des situations difficiles, vous savez. Il y a quinze ans, ma femme m'a quitté pour un acteur indien très connu… La presse en a fait ses choux gras. Tout le monde était scandalisé. Ma vie privée s'est trouvée étalée dans les journaux, mais, avec le temps, les gens finissent par oublier. On a tous survécu, finalement. Mes enfants sont restés avec moi et on s'en est bien sortis. Pourtant, à l'époque, j'ai bien cru que je ne m'en remettrais jamais !

Il lui adressa un sourire.

— L'être humain a d'étonnantes capacités de résilience. Tout finira par s'arranger, vous verrez. Est-ce que votre mari a l'intention d'épouser cette fille ?

— Il dit que non.

Benedetta se sentait plus sereine tout à coup. Parler avec Dharam lui faisait du bien. Elle ne regrettait pas de l'avoir rencontré dans le hall de l'hôtel. Certes, c'était un peu humiliant d'exposer ses problèmes à un inconnu, mais il se montrait tellement gentil, tellement rassurant ! Cela l'aidait à prendre du recul.

— Pour mon mari, ce n'était qu'une aventure – c'est ce qu'il dit en tout cas –, mais la situation a échappé à son contrôle. Et maintenant, il se retrouve en bien mauvaise posture.

— C'est le moins qu'on puisse dire.

Benedetta se surprit à sourire : une heure plus tôt, elle ne s'en serait pas crue capable. C'était toujours mieux que de rester enfermée dans sa chambre, à sangloter…

Dharam lui sourit en retour. Pour lui, elle était une victime innocente, comme il l'avait été lors de son propre divorce. Il se demandait d'ailleurs si elle finirait par divorcer elle aussi, ou si elle parviendrait à pardonner à son mari. À l'entendre, elle avait déjà fermé les yeux sur ses précédentes infidélités… Mais la situation actuelle était tout de même extrême.

Alors qu'ils retournaient tranquillement vers l'hôtel, Dharam lui apprit qu'il prenait un vol pour Londres le lendemain matin et qu'il regagnerait New Delhi quelques jours plus tard.

— Tenez-moi au courant si vous décidez de repartir à Milan, lui demanda-t-il.

Une profusion d'orchidées roses et violettes décorait le hall de l'hôtel. Le George-V était réputé pour ses compositions florales spectaculaires, imaginées par son célèbre directeur artistique américain.

Benedetta remercia Dharam pour sa gentillesse, et s'excusa encore de l'avoir ennuyé avec ses soucis.

— C'est à ça que servent les amis, répliqua-t-il avec chaleur. Si vous avez besoin de quoi que ce soit, n'hésitez pas à m'appeler.

Il lui tendit sa carte, qu'elle glissa dans sa poche. S'il n'avait pas été pris ce soir-là, il lui aurait proposé de l'emmener dîner, mais il doutait qu'elle eût été d'humeur à sortir. Après l'avoir brièvement serrée dans ses bras, il rejoignit la voiture qui attendait de le conduire au restaurant. Durant tout le trajet, il ne cessa de penser à Benedetta. Il était très heureux d'avoir fait sa connaissance au Dîner en blanc. C'était une femme bien ; elle ne méritait pas ce qui lui arrivait. Il espérait de tout cœur que sa situation s'arrangerait.

De retour dans sa chambre, Benedetta s'allongea sur le lit. Quelques minutes plus tard, elle reçut un bref appel de Gregorio. Les bébés étaient toujours en grande détresse mais vivants. Il ne pouvait absolument pas rentrer à l'hôtel alors qu'ils risquaient de mourir à tout instant. Benedetta ferma les yeux. Elle ne le reconnaissait plus. Gregorio n'avait plus que ses jumeaux en tête ; elle-même ne comptait plus.

— Je crois que je vais rentrer à Milan demain matin, lui annonça-t-elle. Ça ne sert à rien que j'attende ici.

— Ah, très bien… Comme tu veux…

Malgré la tristesse perceptible dans sa voix, Benedetta réagissait plus posément qu'il ne l'escomptait. Et c'était mieux ainsi, car il n'aurait pas pu gérer deux femmes hystériques à la fois. Son épouse se montrait raisonnable – c'était du moins comme cela qu'il interprétait ses propos. Elle avait bien compris qu'il risquait de rester ici encore longtemps, au vu des circonstances. Les médecins parlaient de garder les jumeaux à l'hôpital au moins trois mois, jusqu'à la date initialement prévue pour l'accouchement. Toutefois, Gregorio ne se doutait pas à quel point Benedetta paniquait intérieurement.

— Je te tiendrai au courant, promit-il.

Elle n'eut même pas envie de lui demander s'il prévoyait de demeurer à Paris tout ce temps.

— Je suis désolé, Benedetta. J'aurais voulu que ça se passe autrement.

Elle aurait voulu, elle, que « ça » n'arrive jamais… Mais maintenant que le mal était fait, ils n'avaient plus qu'à se laisser porter par la vague et voir où celle-ci les mènerait. Elle avait du mal à croire que les choses pourraient un jour redevenir comme avant. Gregorio quant à lui n'avait pas l'air de se poser la question… Pour l'heure, il ne se préoccupait que d'Anya et de leurs bébés.

Lorsqu'ils eurent raccroché, Benedetta fit sa valise et commanda une salade au service de chambre. Elle n'avait rien mangé de la journée. Elle appela ensuite le réceptionniste pour qu'il s'occupe de lui réserver un vol. Il voulut savoir si M. Mariani l'accompagnerait ; elle répondit que non.

Le lendemain matin, Benedetta se leva à six heures et quitta l'hôtel deux heures plus tard. Comme il était encore tôt, elle n'osa pas téléphoner à Dharam pour l'informer de son départ ; elle se contenta de lui envoyer un message en le remerciant encore de s'être montré si gentil avec elle la veille. Dans la voiture avec chauffeur qui la conduisait à l'aéroport, elle songea à Gregorio, à l'hôpital, et se demanda s'il y avait du nouveau. Elle savait qu'elle ne pouvait pas l'appeler.

Au matin, les bébés étaient toujours vivants. Gregorio avait passé la nuit entre les deux couveuses, à somnoler dans un fauteuil. Dès l'instant où il avait posé les yeux sur eux, il s'était épris de ces deux petits êtres ; et maintenant, il priait pour qu'ils survivent. Du jour au lendemain, il s'était retrouvé papa ; son cœur n'avait jamais été aussi rempli d'amour et de tristesse à la fois. Désormais, seul le bien-être de son fils et de sa fille lui importait. Des larmes de joie et de chagrin roulaient sur ses joues tandis qu'il les contemplait. Anya et lui restèrent des heures assis à leur chevet, main dans la main. Et, pour la première fois, Gregorio comprit qu'il était amoureux d'elle. Anya lui avait offert le plus beau cadeau du monde, quelque chose que sa femme et lui n'avaient jamais partagé. Il avait l'impression que Benedetta appartenait à une ancienne vie et que son cœur se trouvait ici, dans cet hôpital. Anya, jusque-là simple aventure extraconjugale, avait accédé à une place sacrée à ses yeux : elle était devenue la mère de ses enfants. Un lien indéfectible s'était formé entre eux ; ils étaient deux parents dévastés qui suppliaient le ciel de sauver leurs bébés.

Ce soir-là, Anya s'endormit à ses côtés, la tête posée sur son épaule, au milieu du bourdonnement des couveuses. Dans cet univers d'amour et de terreur où Gregorio s'était retrouvé catapulté, sa femme avait cessé d'exister.

3

Comme prévu, Jean-Philippe appela Chantal le lendemain du Dîner en blanc. Il n'avait pas vraiment eu le temps de lui parler au cours de la soirée, ayant voulu s'assurer, comme chaque année, que tous ses invités passaient un bon moment. Après le départ pour le moins incorrect de Gregorio, il s'était inquiété pour Benedetta, mais Dharam l'avait prise sous son aile ; elle semblait finalement avoir bien profité de la fête. Quant à Chantal, Jean-Philippe l'avait vue discuter avec plusieurs personnes de sa connaissance. Il avait espéré que Dharam tomberait sous son charme, mais son ami indien avait paru plus attiré par Benedetta. Heureusement, Chantal ne s'en était pas formalisée. Pas plus qu'elle n'avait semblé éprouver le moindre intérêt romantique à l'égard de Dharam, d'ailleurs. L'étincelle ne s'était pas produite. Ces choses-là étaient difficiles à prédire…

— Quelle merveilleuse soirée ! s'exclama Chantal lorsqu'elle entendit la voix de Jean-Philippe au téléphone. Je n'ai jamais vu un Dîner en blanc aussi réussi.

Les lanternes, à la fin… c'était magique. Ces gens sont vraiment sympas de les avoir partagées avec nous.

Jean-Philippe abonda dans son sens. Puis il évoqua le départ prématuré de Gregorio.

— Cela avait sûrement à voir avec cette fille qu'il fréquente. Je n'ai pas voulu poser la question à Benedetta. Elle est folle d'accepter ses frasques ! D'après Valérie, les magazines de mode ne parlent que de ça. On dirait que cette fois-ci il s'est réellement mis dans le pétrin.

— Tu crois qu'il va quitter Benedetta ? demanda Chantal, navrée pour son amie.

— C'est peut-être elle qui va le quitter ! Jusqu'ici elle lui pardonnait parce qu'elle ne résiste pas à son charme, et aussi parce qu'ils ont construit un empire ensemble. Mais un de ces jours, elle risque d'en avoir assez. Elle m'a fait de la peine, hier soir… C'était embarrassant pour elle de se retrouver toute seule alors que le repas avait à peine commencé. Heureusement que Dharam était là.

— C'est un chic type, approuva Chantal.

Elle avait beaucoup aimé bavarder avec lui. Il était à la fois brillant et modeste au vu de ce qu'il avait accompli. Elle savait par Jean-Philippe qu'il avait fait ses études au MIT, une prestigieuse université américaine, avant de devenir une légende dans son pays.

— Mais il n'est pas fait pour toi, si j'ai bien compris ? s'enquit Jean-Philippe sans détour.

Il souhaitait à Chantal de rencontrer un homme qui prenne soin d'elle. Elle exerçait un métier tellement solitaire… Et il aurait aimé être celui qui lui présenterait l'âme sœur.

— Non, ça n'a pas fait tilt entre nous, répondit-elle. Je suis sans doute trop vieille pour lui. Mais je serais ravie de le revoir, en toute amitié.

Dharam n'avait que quelques années de moins qu'elle, et il était aussi beau et élégant qu'intelligent ; simplement, la chimie n'avait pas opéré. Mais elle n'était pas déçue : c'était Jean-Philippe qui avait nourri des espoirs pour eux deux, pas elle. De toute façon, elle ne s'attendait plus vraiment à rencontrer l'amour. Elle était trop vieille pour cela : autour d'elle, tous les hommes bien étaient mariés. Les Français divorçaient rarement, même lorsqu'ils n'étaient pas heureux en couple. Ils préféraient avoir de discrets « arrangements » à côté. Or, si Chantal n'avait pas particulièrement envie d'un époux, elle tenait encore moins à coucher avec celui d'une autre. Voilà une des raisons pour lesquelles les femmes l'appréciaient tant : Chantal était foncièrement honnête.

— Dommage, regretta Jean-Philippe. Dharam est vraiment chouette. Si un jour tu vas en Inde, il te présentera plein de monde. C'est une vraie star, là-bas ! On est allés le voir l'an dernier avec Valérie, et on a passé de super vacances. En plus, il a des enfants très sympas, qui ont le même âge que les tiens.

C'était aussi pour cela qu'il les aurait bien vus ensemble.

— Bon, tu es libre ce midi ? s'enquit-il. J'ai besoin de ton avis.

— Tu cherches une nouvelle couleur de peinture pour le salon, ou bien c'est plus sérieux ? le taquina-t-elle.

Ils se consultaient sur tout ; l'opinion de Chantal comptait beaucoup pour Jean-Philippe. En douze ans d'amitié, il avait sollicité de nombreuses fois ses conseils, y compris à propos de son mariage. Chantal l'avait chaudement encouragé à épouser Valérie et pensait toujours autant de bien de la jeune femme. Aujourd'hui, le couple filait le parfait amour.

— C'est plus sérieux, répondit-il mystérieusement.

— Ça concerne le boulot ou la famille ?

— Je te dirai ça à midi. Même lieu, même heure ?

— Ça me va. À tout à l'heure.

Chantal et Jean-Philippe déjeunaient ensemble au moins une fois par semaine dans un petit bistrot du septième arrondissement, non loin de chez elle, sur la rive gauche. Au fil des ans, ils avaient testé plusieurs restaurants, mais celui-ci avait clairement leur préférence.

Jean-Philippe était déjà installé en terrasse à leur table habituelle quand Chantal arriva. Elle portait un jean, un pull-over rouge et des ballerines. Elle était jolie, et dégageait une impression de fraîcheur avec ses longs cheveux blonds attachés en queue-de-cheval par un ruban rouge. Venu directement du bureau, Jean-Philippe était en costume, mais il avait glissé sa cravate dans sa poche. Il commanda un steak et elle une salade. Lorsqu'il pria le serveur de leur apporter un verre de vin à chacun, Chantal comprit qu'il était tendu.

— Qu'est-ce qui se passe ? demanda-t-elle, incapable de supporter le suspense plus longtemps.

Jean-Philippe avait parfois tendance à se perdre dans des circonvolutions avant d'en venir au fait ; en cela, il était très français. Chantal avait déjeuné avec lui seulement cinq jours plus tôt, et il ne lui avait rien dit.

Son problème devait donc être très récent. Il hésita un long moment avant de répondre.

— J'ai un souci. Du moins, je risque d'en avoir un bientôt. Les affaires ne sont pas bonnes, l'économie piétine. La moitié de l'Europe est dans une situation instable et personne ne veut investir ici. Ça fait des années que les Français ont peur de montrer leur argent, à cause de l'impôt sur le revenu et sur la fortune. Ils investissent le plus possible à l'étranger et cachent leur patrimoine partout où ils le peuvent. La dernière chose dont ils ont envie, c'est d'investir en France et de risquer de payer encore plus de taxes. Ils ne font pas confiance au gouvernement.

— Tu vas te faire virer ? demanda Chantal, inquiète.

Elle savait que Jean-Philippe touchait un bon salaire dans sa société d'investissement, mais il ne possédait pas pour autant une grande fortune personnelle. Il devait subvenir aux besoins de ses trois enfants, lesquels commençaient à fréquenter une école privée. Chantal n'ignorait pas non plus que Jean-Philippe se montrait généreux avec Valérie : il adorait lui offrir de beaux cadeaux, l'emmener en vacances dans des lieux fabuleux. Propriétaires d'un magnifique appartement dans le seizième arrondissement, le quartier le plus chic de Paris, ils vivaient très confortablement. Si Jean-Philippe perdait son emploi maintenant, le choc serait brutal. Bien sûr, Valérie avait une bonne place chez *Vogue*, mais elle gagnait beaucoup moins que lui. Sans le salaire de Jean-Philippe, jamais ils ne pourraient conserver la même qualité de vie.

— Non, je ne vais pas me faire virer, lui assura-t-il. Par contre, si je ne fais rien, je n'ai aucune chance de voir mes revenus augmenter, sauf à compter sur une sérieuse reprise économique – et ça, ça n'arrivera pas avant au moins dix ans. Je ne suis pas à plaindre, je gagne très bien mon existence. Mais tout est si cher ! Avec trois enfants et le train de vie qu'on a, j'ai du mal à mettre de l'argent de côté. Et plus ils vont grandir, plus il y aura de choses à payer. Seulement, je ne vois pas comment je pourrais gagner plus sans opérer un changement radical… Ça fait un an que j'y réfléchis et que je ne trouve pas de solution. Mais tu sais ce qu'on dit : « Méfiez-vous de vos rêves, ils pourraient se réaliser. » Or, il y a trois jours, on m'a proposé un poste incroyable…

— Il est où, le piège ? s'enquit Chantal.

Il y en avait forcément un, sinon Jean-Philippe n'aurait pas l'air si anxieux. Et ils seraient déjà en train de fêter la bonne nouvelle.

— J'ai été contacté par une grosse société de capital-risque, expliqua-t-il. Ils ont des partenaires américains et font des bénéfices énormes. Ils me proposent un salaire prodigieux et une participation encore plus attractive. C'est exactement ce dont j'ai besoin si je veux épargner pour ma famille. En bref, c'est une opportunité en or.

— Alors pourquoi on ne commande pas le champagne tout de suite ? lâcha Chantal.

— Parce que c'est en Chine…

Jean-Philippe attendit sa réaction quelques secondes, puis reprit :

— C'est là-bas qu'il faut aller pour gagner de l'argent, soupira-t-il. Ils veulent que je m'installe à Pékin pendant trois à cinq ans. Ce n'est pas un endroit facile, et je n'imagine pas Valérie acceptant d'y vivre avec les enfants. Elle aime tellement Paris ! Et puis, elle a un boulot ici, qu'elle adore, et une carrière à mener. Elle finira sans doute rédactrice en chef de *Vogue* France un jour. Mais une chance comme celle-ci, même en Chine, ça ne se présente pas tous les jours ; si je ne la saisis pas, il n'y en aura peut-être jamais d'autre. Et il faudra que je travaille d'arrache-pied pendant vingt ans pour essayer d'économiser un peu. Alors que si nous allons à Pékin, je gagnerai largement de quoi assurer notre avenir.

Jean-Philippe regarda intensément son amie, hésitant à poursuivre.

— Pour tout t'avouer, je crois que j'aurais du mal à digérer que Valérie me prive – *nous* prive – de cette opportunité. Mais si elle est obligée de démissionner, c'est elle qui m'en voudra à mort ! C'est une situation impossible.

Chantal resta silencieuse un moment, le temps d'absorber la nouvelle. En effet, la décision n'allait pas être facile à prendre… Jean-Philippe demandait tout de même à Valérie de sacrifier sa carrière pour relancer la sienne ! Ce n'était pas comme si elle pouvait la mettre entre parenthèses pendant trois ou cinq ans : quelqu'un d'autre prendrait sa place. La compétition était rude dans les magazines de mode. D'un autre côté, si Jean-Philippe devait gagner de l'argent, s'il en avait besoin pour sa famille, alors la balance penchait plutôt en faveur de la Chine.

— Est-ce que tu en as parlé à Valérie ? s'enquit-elle d'une voix posée.

— Non. Ils m'ont appelé il y a trois jours, et je les ai rencontrés hier seulement. Leurs partenaires américains étaient à Paris. Du coup, je n'ai pas eu le temps d'annoncer la nouvelle à Valérie avant le Dîner en blanc. Ils veulent une réponse assez rapidement. Je suis censé commencer en septembre.

Lorsqu'il lui précisa le nom de la firme et de ses associés américains, Chantal fut impressionnée. L'offre était sérieuse.

— Quand vas-tu lui en parler ?

— Ce soir ou demain… Qu'est-ce que je dois faire, Chantal ?

Son amie posa sa fourchette et s'appuya contre le dossier de la chaise.

— Ça, c'est une bonne question… D'une manière ou d'une autre, l'un de vous va perdre, dans l'histoire – c'est l'impression que ça va donner, en tout cas.

— Je ne vois pas bien comment je pourrais refuser, observa-t-il sincèrement. Mais si elle ne veut pas partir ? Si elle me quitte ?

L'idée semblait le paniquer. Chantal eut de la peine pour lui. Pourquoi fallait-il absolument qu'il y ait un revers à chaque médaille ? Rien n'était jamais simple quand il s'agissait de gagner gros. Chantal ne voyait pas comment Valérie pourrait accepter facilement de partir pour Pékin – Jean-Philippe serait sans doute obligé de l'y traîner de force. Peut-être refuserait-elle tout bonnement d'abandonner sa carrière, quand bien même celle-ci était moins lucrative que celle de son mari… Valérie tenait énormément à son job. Cela faisait plus de dix ans qu'elle travaillait pour *Vogue*, en France ou aux États-Unis, et c'était beaucoup lui demander que d'y renoncer. Mais la remarque valait aussi pour le poste que Jean-Philippe s'était vu proposer…

— Elle ne va pas te quitter : elle t'aime, le rassura Chantal. Par contre, tu sais comme moi qu'elle risque d'être furieuse. Et ça se comprend. La place qu'elle brigue depuis toujours chez *Vogue* se libère bientôt. Tu ne pourrais pas partir à Pékin moins longtemps ? Un an ou deux, par exemple ? Cinq ans, c'est long.

Jean-Philippe secoua la tête.

— Je peux peut-être demander à rester trois ans, mais pas beaucoup moins. Ils veulent que je dirige l'antenne de Pékin. Leur collaborateur actuel va partir, il est là-bas depuis quatre ans. C'est lui qui a ouvert le bureau sur place.

— Tu sais pourquoi il s'en va ?

— Sa femme déteste Pékin. Elle est retournée vivre aux États-Unis il y a un an, répondit-il d'un air contrit.

Ils se mirent à rire.

— Voilà qui répond à notre question, reprit Chantal. Si tu acceptes, il faut que tu sois conscient que ce ne sera pas facile. Mais ça vaut le coup, à condition que ça ne dure pas trop longtemps. Parfois, il faut savoir consentir des sacrifices pour atteindre ses objectifs. C'est une bonne évolution de carrière pour toi ; Valérie le comprendra.

— Ça, ce n'est pas dit. Tout ce qu'elle va voir, c'est qu'elle sera obligée de quitter *Vogue* pour aller s'installer avec ses trois enfants dans une ville affreuse où tout le monde dit que la vie est difficile. Je ne suis pas sûr qu'elle prenne si bien les choses !

— Fais-lui un peu confiance. C'est une femme intelligente, et les arguments sont imparables, économiquement parlant. Si elle veut conserver son style de vie, elle n'a pas trop le choix. Quoi qu'il en soit, il faut que vous décidiez ça ensemble. Elle finira par se laisser convaincre, à mon avis ; et peut-être trouverez-vous un compromis raisonnable.

Chantal ne voyait pas trop lequel, cependant, et Jean-Philippe non plus. Soit il acceptait cette offre, soit il la refusait. Soit Valérie l'accompagnait, soit elle restait ici. C'était douloureusement simple – « douloureusement » étant le maître mot.

Le sujet les occupa durant tout le déjeuner. Lorsqu'ils se séparèrent devant le restaurant, Chantal demanda à Jean-Philippe de la tenir au courant. Valérie était quelqu'un de sensé, et elle aimait son mari. Chantal était persuadée que leur relation y survivrait, même s'ils devaient connaître quelques turbulences passagères.

— Je serai là la semaine prochaine, précisa-t-elle. Ensuite, je pars voir Éric à Berlin. Je n'y suis pas allée depuis le mois de février : il travaillait sur une nouvelle œuvre et ne voulait pas être dérangé. Il prépare une expo.

Son fils cadet comptait parmi les artistes émergents les plus respectés du moment, et ses installations conceptuelles, quoique un peu trop avant-gardistes pour Chantal, se vendaient plutôt bien. Établi à Berlin depuis trois ans, il avait réussi à se faire une place sur la scène artistique locale. Chantal était fière de lui. Elle aimait beaucoup lui rendre visite : non seulement Éric vivait moins loin que son frère et sa sœur, mais il se montrait également moins distant sur le plan affectif – cette fois-ci, par exemple, il avait prévu de lui présenter sa nouvelle petite amie. Pourtant, malgré cette proximité, Chantal ne le voyait que quelques fois par an. Trop absorbé par son art pour lui accorder plus de temps, Éric ne revenait à Paris que pour Noël, comme Charlotte et Paul.

Chantal avait élevé trois enfants indépendants, dont aucun ne souhaitait vivre en France. Pas de chance pour elle, disait-elle parfois à Jean-Philippe. Comme leur mère, ils avaient une excellente éthique professionnelle et s'en sortaient bien dans la vie, mais c'est sous d'autres cieux qu'ils avaient trouvé leur place. Cinq ans auparavant, après l'obtention de son master à Columbia, Charlotte s'était installée à Hong Kong et parlait maintenant couramment le mandarin. Paul, devenu plus américain que les hot dogs et l'apple pie, vivait depuis sept ans à Los Angeles avec sa petite amie, que Chantal n'appréciait pas particulièrement. Quant à Éric, il avait été le dernier à quitter le nid, trois ans plus tôt. Chantal se sentait bien seule, depuis… Mais elle ne s'en plaignait à personne, hormis à Jean-Philippe. Ses enfants étaient travailleurs et talentueux ; revers de la médaille : ils n'avaient pas de temps à lui consacrer.

Après ce déjeuner, Chantal resta plusieurs jours sans nouvelles de son ami. Cela ne lui ressemblait pas : d'habitude, il l'appelait régulièrement. Jean-Philippe était devenu sa seule famille depuis le départ de ses enfants, Chantal étant fille unique et n'ayant plus aucun parent en vie. C'était entre autres pour cette raison qu'elle se plongeait dans l'écriture de ses scénarios pendant plusieurs semaines d'affilée. Ces temps-ci, elle préparait un documentaire sur un groupe de femmes qui avaient survécu à leur passage dans un camp de concentration durant la Seconde Guerre mondiale. Tout le week-end, elle se concentra sur son travail et fut plutôt satisfaite de sa progression.

Jean-Philippe lui téléphona le lundi après-midi.

— Alors, comment a réagi Valérie ? s'enquit aussitôt Chantal.

— Comme on pouvait s'y attendre.

Ces dernières journées avaient été longues et éprouvantes pour Jean-Philippe, et cela s'entendait à sa voix.

— Elle est choquée et furieuse que je puisse envisager d'accepter. Hier, elle a pleuré tout l'après-midi. La seule bonne nouvelle, c'est qu'elle n'a pas demandé le divorce.

L'annonce avait dû faire l'effet d'une bombe dans leur quotidien bien rodé… Pendant sept ans, la chance leur avait souri de tous les côtés – ils avaient eu la santé, des enfants heureux, de bons amis, une vie professionnelle gratifiante, et un joli chez-eux dans une ville qu'ils adoraient. Du jour au lendemain, ils se voyaient forcés de prendre une décision qui obligerait l'un ou l'autre à se sacrifier. Chantal ne les enviait pas, même si leur mariage était assez solide pour qu'ils surmontent cette épreuve.

— Mais tu crois qu'elle finira par accepter d'aller à Pékin ? demanda-t-elle.

— Disons qu'elle y réfléchit… J'ai trois semaines pour donner ma réponse.

Des semaines qui lui paraîtraient bien longues…

Quand Chantal le retrouva pour déjeuner le mercredi, Jean-Philippe était encore très tendu. Mais il n'y avait rien de plus à dire sur la question tant que Valérie n'aurait pas pris sa décision. Ils discutèrent donc d'autres choses, notamment de la naissance prématurée des jumeaux de Gregorio. D'après Valérie, les journaux ne parlaient que de ça.

— Pauvre Benedetta, soupira Chantal.

Ils savaient à présent que les enfants étaient nés le soir du Dîner en blanc ; c'était pour cela que Gregorio avait dû partir en catastrophe.

— Je me demande comment ça va finir, reprit Chantal. Je ne crois pas que je serais aussi indulgente que Benedetta, à sa place.

— Peut-être qu'elle ne le sera pas non plus, cette fois-ci, répliqua Jean-Philippe. Ça doit faire un sacré choc de se dire que son mari a deux enfants avec une autre femme, alors qu'elle-même ne peut pas en avoir.

Benedetta n'avait jamais caché ses regrets à ce sujet, même si elle avait fini par accepter la fatalité. Aujourd'hui, néanmoins, Gregorio était papa, et l'on pouvait se demander si la mère de ses enfants ne prendrait pas de ce fait plus d'importance à ses yeux. Jusque-là, ses liaisons avaient toujours été brèves et sans conséquence, mais la naissance des jumeaux donnait à son histoire avec Anya une tout autre dimension. Chantal plaignait Benedetta… Quant à Jean-Philippe, il estimait que Gregorio s'était comporté comme un imbécile. Son ami était allé trop loin.

Après le déjeuner, Chantal se rendit à l'épicerie du Bon Marché pour acheter quelques-uns des produits favoris d'Éric : foie gras en conserve et autres mets délicats, gâteaux, café… La cuisine française lui manquait, disait-il, lassé des saucisses et des schnitzel. Ainsi, Chantal arrivait toujours à Berlin avec un sac rempli de bonnes choses – une attention maternelle très appréciée par l'intéressé.

Alors qu'elle déposait dans son panier les cookies préférés de son fils, Chantal remarqua un homme qui l'observait de l'autre côté du rayon, où il était en train de choisir du thé. Il lui sembla l'avoir déjà vu quelque part… Mais elle ne se rappelait pas où.

Au moment de passer en caisse, elle le retrouva dans la file d'attente. Décidément, ce type ne lui était pas étranger. L'avait-elle déjà croisé au Bon Marché ? Avait-il simplement un visage générique qui lui donnait l'impression de le connaître ? Ou bien l'avait-elle réellement rencontré auparavant ? Dans ce cas, elle se souviendrait de lui… Très séduisant avec son jean, son pull noir et ses mocassins en daim, il devait approcher de la quarantaine. Alors qu'elle se décidait à le chasser de ses pensées, Chantal entendit une voix masculine tout près de son oreille :

— Votre vœu s'est-il réalisé ?

Lorsqu'elle se retourna, la mémoire lui revint tout à coup : c'était l'homme qui avait apporté les lanternes de papier au Dîner en blanc et qui l'avait aidée à allumer la sienne. Elle sourit.

— Pas encore, répondit-elle. Cela risque de prendre du temps.

— Ah, c'est un de ces vœux-là… Ça vaut le coup d'attendre, alors.

Il jeta un coup d'œil dans son panier et parut impressionné par l'assortiment de produits fins qu'elle avait sélectionnés. Avec les deux bouteilles de vin rouge ajoutées au reste, le panier pesait lourd sur son bras.

— Vous préparez une belle fête, lâcha-t-il.

— C'est pour mon fils. Il habite à Berlin.

— Ah ! le petit chanceux ! Il a du goût. Et une mère sympa.

— C'est surtout un artiste bohème qui en a marre des saucisses et de la bière.

L'homme se mit à rire, mais Chantal devait payer. Quand elle eut fini, elle se tourna vers lui en souriant.

— Merci encore pour la jolie lanterne. Vous nous avez rendu la soirée encore plus magique.

Alors qu'il la fixait de ses yeux très bruns, Chantal sentit comme un frisson la traverser. Le soir du Dîner en blanc, elle avait déjà été surprise par l'intensité de son regard quand il lui avait enjoint de faire un vœu, juste avant de lâcher la boule de papier dans le ciel. La même ardeur se lisait aujourd'hui sur son beau visage.

— Je suis heureux que cela vous ait plu, répondit-il. J'ai beaucoup aimé ce moment, moi aussi, et j'espère que votre vœu se réalisera… Amusez-vous bien avec votre fils.

— Merci.

En sortant du magasin, Chantal songea pendant quelques instants à ce bel inconnu, puis elle l'oublia. De retour chez elle, elle rangea ses courses dans sa valise. Elle avait tellement hâte de voir Éric ! Les quatre mois qui s'étaient écoulés depuis son dernier séjour à Berlin lui avaient paru une éternité. Heureusement, elle avait son travail, et les personnages qu'elle créait peuplaient son quotidien. Elle s'impliquait avec le même dévouement dans tous les domaines de son existence : l'écriture, l'amitié, et ses enfants, quand ils le lui permettaient.

4

À présent, quand Valérie rentrait du travail, la tension était palpable dans l'appartement. Elle n'avait presque pas adressé la parole à Jean-Philippe depuis qu'il lui avait parlé de Pékin. Certes, ils continuaient de dîner ensemble après avoir couché les enfants mais, au lieu de bavarder comme d'ordinaire, ils mangeaient en silence. Jean-Philippe avait l'impression qu'elle le punissait. Mais Valérie avait besoin de temps pour réfléchir, et elle ne voulait pas discuter de tout cela avec lui : elle avait déjà tous les éléments en main pour prendre sa décision. En attendant, ils ne parlaient plus de rien.

Si leurs enfants étaient trop jeunes pour comprendre les raisons de cette atmosphère pesante, ils n'en ressentaient pas moins les effets. Le choix qu'allaient faire leurs parents aurait des conséquences directes sur leur bien-être. Aux yeux de Valérie, grandir à Pékin était loin d'être l'idéal : la pollution y était terrible, les conditions de vie difficiles. D'ailleurs, la plupart des Occidentaux ne s'y installaient pas en famille... Damien, Isabelle et Jean-Louis avaient deux, trois et cinq ans, et elle s'inquiétait pour leur suivi médical, les maladies qu'ils risquaient de contracter et leur éducation en général. Jean-Philippe, lui, arguait qu'une expérience comme celle-ci leur ouvrirait des horizons nouveaux ; en outre, d'autres familles avaient sauté le pas avant eux sans le regretter.

Surtout, Valérie pensait à son travail. Le milieu de la mode était impitoyable, elle aurait beaucoup de mal à y refaire sa place après une parenthèse de trois ou cinq ans. Si jamais elle y parvenait… Or elle n'était pas prête à tirer un trait sur sa carrière. Elle se demandait même comment Jean-Philippe pouvait y songer sérieusement. Malgré elle, elle lui en voulait d'envisager de chambouler ainsi leur vie de famille.

Jean-Philippe tenta plusieurs fois d'aborder le sujet avec elle, mais Valérie demeurait inflexible.

— Pourquoi on ne peut pas en parler ? lui demanda-t-il à nouveau un soir, alors qu'ils dînaient.

— Parce que je ne veux pas. Je n'ai pas envie que tu me mettes la pression ou que tu essaies de m'influencer. J'ai besoin d'y réfléchir toute seule.

Valérie s'emportait facilement depuis qu'il lui avait fait part de ce projet. Cela ne lui ressemblait pas.

— Je ne vais pas te forcer à y aller, lui assura-t-il. C'est aussi ta décision.

Elle posa sa fourchette et le fusilla du regard.

— C'est aussi ma décision, Jean-Philippe ? Tu crois vraiment qu'il y a une *bonne* décision à prendre ? Ou tu veux juste m'entendre dire que tout va bien, que je ne t'en voudrai pas de détruire ma carrière ? Tu m'as mise devant un choix impossible : renoncer à mon boulot et te suivre dans une ville qu'on détestera tous, ou rester ici et te priver d'une super opportunité. Ce que tu ne me pardonnerais jamais. Tu gagnes plus que moi, alors j'imagine qu'au final la décision te revient... Mais je trouve ça totalement injuste que tu rejettes la responsabilité de ce choix sur moi. Et qu'est-ce qu'on fera quand on se rendra compte qu'on est malheureux, là-bas ? Ou si les enfants tombent malades, si je n'arrive pas à retrouver du boulot, si tu n'es pas payé autant que tu le pensais ? Qu'est-ce qu'on fera, hein ?

— On rentrera à la maison, répondit-il calmement.

— Ce sera sans doute trop tard pour moi. J'ai mis presque treize ans pour en arriver là où je suis chez *Vogue*. Pourquoi devrais-je abandonner cela ? Parce que tu gagnes plus que moi, ou simplement parce que tu es un homme ?

— Si on le fait, ce sera pour toute la famille, Valérie. Pour notre avenir. Je n'obtiendrai jamais un tel salaire ici ; c'est une belle promotion pour moi.

C'était vrai, et elle le savait autant que lui.

— C'est maintenant ou jamais, ajouta-t-il. Le marché est au top, là-bas. Il y a des fortunes à se faire.

— On n'a pas besoin d'une fortune. L'argent qu'on a nous suffit.

— C'est peut-être ce qu'on décidera finalement. Mais j'aimerais avoir la possibilité de mettre quelques sous de côté. On pourrait en avoir besoin un jour. Et ce n'est pas en France que je gagnerai cet argent, ni aux États-Unis.

Jean-Philippe n'avait jamais envisagé de travailler de l'autre côté de l'Atlantique : ses racines étaient en France, et Valérie s'y plaisait.

— Pourquoi l'argent devrait-il gouverner notre vie ? répliqua-t-elle. Tu n'étais pas comme ça, avant. C'est ce que j'aime ici, en France : ce qui importe, ce n'est pas tant l'argent que la qualité de vie. Et quelle qualité de vie aurait-on à Pékin ? On n'est pas chinois. C'est une culture complètement différente, et tout le monde dit que cette ville n'est pas facile. Tu es prêt à tout sacrifier pour une histoire de fric ? Moi, je ne suis pas sûre.

— Dans ce cas, on n'ira pas, lâcha-t-il d'un air abattu.

Leurs disputes le démoralisaient. Il était bien conscient des aspects négatifs de cette proposition, surtout vis-à-vis des enfants. Loin de lui l'idée de mentir à sa femme : le risque était grand qu'ils détestent la Chine. Et trois ou cinq ans, c'était long.

Lorsqu'il alla se coucher, Valérie travaillait encore sur son ordinateur ; elle lui souhaita bonne nuit du bout des lèvres. Cela faisait une éternité qu'elle ne l'avait pas embrassé. Du jour au lendemain, elle était devenue froide et agressive, prête à lui reprocher n'importe quoi. Pour sa défense, Valérie avait le sentiment que leur vie tout entière était menacée, y compris leur mariage. Que se passerait-il s'ils étaient malheureux, là-bas, et qu'ils ne cessaient de se quereller ? Rien dans ce projet ne la séduisait. Cette offre d'emploi avait déclenché une guerre entre eux qui leur empoisonnait l'existence. Ils se retrouvaient soudain en position d'ennemis, après sept années d'une heureuse amitié… Et, quelle que soit leur décision, l'un d'eux en sortirait perdant – sinon toute la famille.

En montant dans l'avion pour Berlin le vendredi après-midi, Chantal était tout excitée à l'idée de revoir son fils cadet. Outre le panier de victuailles, elle lui apportait quelques livres, ainsi que deux pull-overs neufs dont elle était sûre qu'ils lui seraient utiles, puisque tous ses vêtements étaient troués la dernière fois qu'elle l'avait vu. Elle repérait toujours chez lui des choses qui avaient besoin d'être remplacées ou réparées et, en véritable mère « multiservice », elle voyageait avec sa boîte à outils. Ses enfants ne manquaient pas de la taquiner à ce sujet, mais seul Éric appréciait réellement ses efforts : il adorait se laisser dorloter.

Ses relations avec Charlotte avaient toujours été plus compliquées. Ce n'était pas pour rien que sa fille était partie vivre à l'autre bout du monde. Paul, l'aîné, était tombé amoureux des États-Unis depuis qu'il avait fait l'école de cinéma à l'université de Californie du Sud, treize ans plus tôt. Chantal n'avait pas été surprise qu'il décide d'y rester. À trente et un ans, Paul était aujourd'hui beaucoup plus américain que français. Quant à Éric, son « bébé » de vingt-six ans, c'était un garçon exquis qui avait gardé sa douceur d'enfant. Il aimait passer du temps en sa compagnie et se montrait totalement ouvert avec elle. Ensemble, ils ne s'ennuyaient jamais. Éric n'avait que trois ans lorsque son père était mort, et Chantal l'avait élevé seule. C'était lui qui lui manquait le plus.

Au retrait des bagages, où ils s'étaient donné rendez-vous, Éric l'accueillit en la serrant fort dans ses bras. Il avait emprunté le camion d'un ami pour la conduire jusque chez lui, où il tenait à ce qu'elle séjourne à chacune de ses visites. Cela lui faisait plaisir de prendre le petit déjeuner avec elle le matin. Il habitait dans le quartier de Friedrichshain, où il louait pour presque rien un taudis dont il raffolait. Il n'avait pas de gros besoins. Et bien que Chantal l'aidât à l'occasion, il arrivait à peu près à vivre de son art. Il était également locataire d'un petit studio dans le même immeuble, où il montait ses installations. Il était représenté par une des galeries les plus novatrices de Berlin, et Chantal n'avait pas besoin de comprendre ses œuvres pour être fière de lui. Elle admirait son engagement, l'importance qu'il accordait à son travail. Et elle adorait rencontrer ses amis, se plonger dans son milieu le temps de quelques jours. C'était toujours une aventure que de lui rendre visite.

À l'appartement, Éric ouvrit avec gourmandise la boîte de foie gras qu'elle avait apportée, et Chantal lui prépara des toasts dans le four délabré qu'il n'utilisait jamais. D'être avec lui, d'écouter ses histoires, de rire en sa compagnie, elle se sentait à nouveau maman. Ils parlèrent aussi du scénario qu'elle écrivait sur la Seconde Guerre mondiale – Éric s'intéressait toujours à ses projets en cours. Ces retrouvailles rappelèrent à Chantal, s'il en était besoin, combien il lui manquait, et comme elle se sentait seule depuis que ses enfants étaient partis. Mais elle ne pouvait pas remonter le temps. À présent, elle devait profiter d'eux chaque fois qu'ils voulaient bien la voir, même si ce n'était pas souvent, et même s'ils vivaient loin.

C'était tout un art d'avoir des enfants adultes. Cela ne s'était pas fait sans peine pour Chantal. Ils avaient laissé un vide immense dans son existence en partant vivre la leur. Mais elle ne leur en parlait jamais ; elle n'avait pas à leur reprocher de grandir, si difficile cela fût-il pour elle. C'était à elle d'accepter cette réalité, et elle avait plus ou moins réussi. Aujourd'hui, passer du temps avec Éric lui redonnait de l'énergie pour plusieurs semaines. Elle se sentait tellement bien accueillie chez lui, et il semblait si heureux de la voir !

Ce soir-là, elle invita son fils et sa nouvelle petite amie au restaurant. Originaire de Stuttgart, Annaliese était étudiante aux Beaux-Arts et vouait un véritable culte à Éric, qu'elle considérait de toute évidence comme un génie. Ce dernier paraissait un peu gêné par l'admiration sans bornes qu'elle lui témoignait. Mais Chantal la trouva très gentille, et il fut soulagé qu'elle l'apprécie malgré ses nombreux tatouages et piercings. Chantal était habituée à ce look qu'arboraient la plupart des amis de son fils. Tant qu'il n'adoptait pas le même…

Cela l'amusait de voir à quel point ses enfants étaient différents. Charlotte, la plus conservatrice des trois, avait toujours désapprouvé le style de vie et les fréquentations peu recommandables de son frère cadet. Même sa mère, elle l'accusait d'être une bohémienne et exigeait d'elle qu'elle se change pour dîner lors de ses visites à Hong Kong. De son côté, Paul avait adopté des habitudes très américaines : musculation et régime vegan. Il était toujours en train de sermonner sa mère sur son alimentation et la traînait à la salle de sport pour lui faire faire du cardio et du Pilates chaque fois qu'elle venait le voir à Los Angeles. Un jour, Chantal avait cru mourir. Elle avait prévenu Jean-Philippe que ses propres enfants risquaient de développer des lubies extravagantes en grandissant. Elle prenait tout cela avec bonne humeur, mais elle n'en poussait pas moins un soupir de soulagement lorsqu'elle rentrait chez elle. Enfin, elle pouvait vivre comme elle l'entendait, manger ce qui lui faisait envie, s'habiller à sa guise et même fumer une cigarette de temps en temps si cela lui chantait. Il fallait bien qu'il y ait quelques avantages à vivre seule – et c'était une bien maigre consolation au fait de voir si peu ses enfants.

Lorsqu'elle quitta Éric le dimanche soir, elle lui avait rempli son réfrigérateur, avait changé les ampoules grillées, fait le maximum de ménage, réparé deux étagères dans son studio, et remplacé une lampe cassée. Elle l'avait aussi emmené manger de copieux repas dans ses restaurants favoris et avait passé assez de temps avec sa nouvelle petite amie pour la connaître au moins superficiellement. Le samedi, ils étaient allés ensemble au musée Hamburger Bahnhof, un des préférés de Chantal ; Éric et Annaliese avaient été séduits.

À l'aéroport, Chantal serra son fils dans ses bras en retenant ses larmes. Elle ne voulait pas lui montrer combien il allait lui manquer dans les jours à venir. Comme d'habitude, ils avaient passé un week-end fabuleux, et c'est le cœur lourd qu'elle embarqua dans l'avion.

Elle regarda avec mélancolie Berlin qui rétrécissait derrière elle. Une heure et demie plus tard, elle atterrissait à Paris. Elle se dirigea vers le retrait des bagages avec un peu d'appréhension, car sa valise pesait une tonne à cause de la boîte à outils. Heureusement, elle en avait fait bon usage dans l'appartement d'Éric. Comme toujours… Elle avait aussi pris des dizaines de photos de lui avec son téléphone portable, qu'elle imprimerait et encadrerait en arrivant chez elle pour les disposer un peu partout dans le salon. C'est ce qu'elle faisait systématiquement après avoir rendu visite à l'un ou l'autre de ses enfants. Comme pour se prouver qu'ils existaient encore…

Alors qu'elle tirait son bagage hors du tapis roulant, Chantal bouscula quelqu'un derrière elle. En se retournant pour s'excuser, elle tomba nez à nez avec l'homme qui avait distribué les lanternes au Dîner en blanc et qu'elle avait revu au Bon Marché. Aussi surpris qu'elle, il lui proposa de porter sa valise, au moins le temps qu'elle trouve un chariot.

— C'est très gentil, mais je peux me débrouiller, répondit-elle.

La valise était si lourde qu'il parvenait à peine à la soulever. Mais Chantal ne tenait pas spécialement à lui avouer qu'elle contenait une boîte à outils.

— Non, laissez-moi faire, insista-t-il. Je vous la porte jusqu'au trottoir. Je ne suis pas chargé.

Il n'avait en effet qu'une serviette en cuir à la main. Il paraissait d'ailleurs très respectable dans son costume. Chantal, elle, voyageait en jean et en pull – elle n'avait besoin de rien d'autre lorsqu'elle se rendait chez Éric.

— Avez-vous vu votre fils ? demanda-t-il sur le ton de la conversation.

— Oui. Je reviens juste de Berlin.

L'homme sourit en repensant au foie gras qu'il avait aperçu dans son panier.

— Vos cadeaux ont dû lui faire plaisir. Moi, ma mère ne m'en a jamais apporté des comme ça. Il a de la chance.

Chantal lui semblait encore jeune : il imaginait que son fils était étudiant.

— Dites donc, qu'est-ce que vous transportez dans cette valise ? s'enquit-il avec une lueur de malice dans le regard. Des boules de bowling ?

Chantal éclata de rire.

— Non, juste ma boîte à outils. Il y a toujours des choses à réparer chez mon fils.

L'homme fut touché par cette réponse qui lui laissait entrevoir quel genre de mère elle était.

— Vous pouvez passer chez moi quand vous voulez, plaisanta-t-il. J'en conclus que vous êtes douée en bricolage ?

— Très douée, oui.

Comme ils étaient arrivés dehors, il posa le bagage sur le trottoir.

— Je m'appelle Xavier Thomas, au fait.

— Chantal Giverny, répondit-elle en serrant la main qu'il lui tendait.

— Où habitez-vous ?

— Rue Bonaparte, dans le sixième.

— Je vis dans le même quartier. Que diriez-vous de partager un taxi ?

Chantal hésita une seconde, puis acquiesça. C'était étrange, cette façon qu'ils avaient de se croiser partout. Xavier Thomas avait cependant une explication, qu'il lui livra pendant le trajet :

— Je crois que c'est un coup du destin. Quand on rencontre quelqu'un trois fois de suite par hasard, ça veut dire quelque chose, non ? D'abord, au Dîner en blanc : il y avait sept mille quatre cents personnes ce soir-là. Vous auriez pu être assise à n'importe quelle autre table et on ne se serait jamais adressé la parole. Au lieu de ça, vous étiez à la table juste derrière !

Ensuite, on se recroise au Bon Marché. Et aujourd'hui, à l'aéroport ! En plus, je reviens de Madrid, et mon vol avait deux heures de retard. S'il avait été à l'heure, on se serait ratés. Mais on est là, tous les deux, et c'est une chance pour vous, sinon je ne sais pas comment vous auriez réussi à transporter cette valise.

Chantal ne put s'empêcher de rire.

— Donc, on était destinés à se rencontrer, conclut-il. Par respect pour les forces qui nous ont réunis, accepteriez-vous de dîner avec moi ce soir ? Il y a un bistrot que j'aime bien dans le quartier, c'est un peu ma cantine.

Et il cita le nom du restaurant où Chantal et Jean-Philippe déjeunaient régulièrement... Que de coïncidences ! Chantal s'apprêtait à répondre qu'elle était fatiguée, qu'elle préférait rentrer chez elle, puis elle se dit : et pourquoi pas ? Cet homme avait l'air très sympathique. Et étant donné son âge, il n'essayait certainement pas de la séduire, il se montrait juste amical. De toute façon, elle déprimait toujours lorsqu'elle retrouvait son appartement vide et silencieux après avoir vu ses enfants.

— D'accord, avec plaisir, dit-elle.

Xavier arbora un sourire satisfait.

— Allons d'abord déposer votre valise chez vous. Je n'ai aucune envie de devoir la traîner après le repas – quoique ça me ferait faire de l'exercice... J'espère que votre fils vous a aidée à la porter à Berlin.

— Bien sûr qu'il m'a aidée. C'est un bon garçon, répondit fièrement Chantal.

Quelques instants plus tard, ils arrivèrent devant son immeuble. Xavier attendit dehors pendant qu'elle montait chez elle, où elle prit le temps de se recoiffer et de mettre un peu de rouge à lèvres. Elle avait l'impression d'être à peine présentable, comparée à lui qui portait un costume-cravate. Sur le chemin du bistrot, il lui expliqua qu'il était avocat spécialisé dans le droit d'auteur et la propriété intellectuelle, et qu'il travaillait à l'international. Il avait fait l'aller-retour à Madrid sur la journée pour rencontrer un client de longue date, un auteur français installé en Espagne. Chantal lui confia qu'elle écrivait des scénarios pour des documentaires et des films de fiction.

— Je me disais bien que votre nom m'était familier, répondit-il.

Au restaurant, ils demandèrent une table en terrasse, et on les installa juste à côté de celle que Chantal occupait habituellement avec Jean-Philippe. Le propriétaire les reconnut tous les deux.

— Vous venez souvent ici ? demanda Xavier tandis qu'ils s'asseyaient.

— Oui, régulièrement.

— Moi aussi. On s'est peut-être déjà vus, alors.

C'était fort possible. Chantal se demanda s'il avait raison, si leurs chemins étaient destinés à se croiser comme ça, pendant longtemps… Pour elle, il s'agissait à tout le moins d'une plaisante coïncidence.

Xavier lui posa des questions sur ses enfants, sur son travail. Il avait vu plusieurs de ses films, dont les deux documentaires pour lesquels elle avait été primée. Il était très admiratif. À son tour, elle voulut en savoir plus sur ce qu'il faisait. Il lui apparut comme quelqu'un d'intéressant, de décontracté et très peu imbu de lui-même. Xavier lui demanda ensuite si elle était mariée ;

elle lui raconta qu'elle avait perdu son mari alors que ses enfants étaient petits et qu'elle était restée seule depuis. De son côté, il n'avait jamais été marié. Il avait vécu pendant sept ans avec une femme, jusqu'à l'année passée.

— Il n'est rien arrivé de dramatique, précisa-t-il. Elle n'est pas partie avec mon meilleur ami, par exemple. Mais on travaillait trop tous les deux, et on a fini par s'éloigner. Quand on s'est rendu compte qu'on s'ennuyait ensemble, on s'est dit qu'il était temps d'arrêter. On est restés en très bons termes. C'est juste que notre relation s'était étiolée.

— Au moins, vous avez eu l'intelligence de le reconnaître, observa Chantal. Beaucoup de gens restent ensemble par habitude et se détestent pendant des années.

— Oui, je ne voulais pas en arriver là. Tout s'est bien fini, et aujourd'hui on est amis. En ce moment, elle est folle amoureuse d'un type qu'elle a rencontré il y a six mois – je crois même qu'ils vont se marier. Elle a trente-sept ans et veut à tout prix faire des bébés. Ça a toujours été une grosse différence entre nous : je ne suis pas sûr de croire au mariage, et je suis absolument certain de ne pas vouloir d'enfants.

— Cela pourrait changer, fit remarquer Chantal d'un ton maternel.

Xavier sourit.

— J'ai trente-huit ans : si je n'en ai pas voulu jusque-là, je ne vois pas bien ce qui pourrait me faire changer d'avis. J'ai été clair avec elle dès le départ, mais elle s'est sûrement dit qu'elle arriverait à me convaincre… Quand on s'est quittés, son horloge biologique commençait sérieusement à s'affoler. Il valait mieux qu'on se sépare. Je n'aurais pas voulu qu'elle rate le coche à cause de moi.

Chantal songea que Xavier Thomas était un homme juste et raisonnable.

— Je n'ai jamais eu envie d'être père, reprit-il. Je préfère consacrer ce temps et ces efforts à une femme que j'aime. Les enfants, en plus, ça ne reste pas. On se met en quatre pour eux, on les couvre d'amour, et ils finissent quand même par partir… Avec un peu de chance, si je rencontre l'âme sœur, elle ne m'abandonnera pas.

— C'est une façon très sage de voir les choses. Moi, personne ne m'a jamais expliqué ça, et je me retrouve avec des enfants qui vivent aux quatre coins du monde. Berlin, Hong Kong, Los Angeles… Ils s'amusent bien, eux, mais pour moi ce n'est pas si drôle. Je ne les vois pas souvent.

— Vous avez dû faire du bon boulot, pour qu'ils osent déployer leurs ailes comme ça.

Jean-Philippe lui disait souvent la même chose.

— Oui, ou alors je les ai fait fuir ! répliqua-t-elle en riant.

Xavier en doutait. Chantal semblait être quelqu'un de bien. À en croire la manière qu'elle avait de parler de ses enfants, elle les aimait tels qu'ils étaient, et non tels qu'elle aurait voulu qu'ils soient. Cela forçait le respect.

— Mon père et mon grand-père étaient avocats, enchaîna-t-il. La voie était donc toute tracée pour mon frère et moi. Cependant, lui est devenu musicien. Du coup, je me suis senti encore plus obligé de perpétuer la tradition. Et c'est comme ça que je me retrouve à aller voir un client à Madrid un dimanche... Ça ne me dérange pas, j'aime mon travail. Au départ, je voulais être avocat pénaliste. Mais en dehors de quelques rares affaires importantes, c'est fastidieux et pas si passionnant que cela. Je me suis donc tourné vers la propriété intellectuelle. Je ne regrette pas mon choix : j'apprécie beaucoup mes clients. Au final, je n'ai jamais rejoint le cabinet de mon père, qui a fermé quand il est parti à la retraite. Ils étaient spécialisés dans le droit fiscal... Je m'y serais ennuyé à mourir. Vos enfants semblent avoir embrassé des carrières intéressantes, eux aussi.

— En effet. Je leur ai toujours dit de suivre leurs rêves, et c'est ce qu'ils ont fait. Banquière, cinéaste et artiste.

La fierté se lisait dans son sourire.

— Vous leur avez fait un beau cadeau en leur donnant ce conseil. Certains parents obligent leurs enfants à se lancer dans des métiers qui ne leur plaisent pas.

— Je pense qu'il faut aimer ce qu'on fait, sinon la vie paraît bien longue. De mon côté, j'ai commencé par être journaliste, et j'ai détesté ça. J'ai mis du temps à trouver ce que j'aimais écrire. Ensuite, ç'a été dur quand j'ai perdu mon mari et que j'ai dû gagner ma vie avec mes scénarios. Ce n'était pas très rassurant au début, mais je m'en suis bien sortie. Je prends beaucoup de plaisir à écrire.

— Et en plus, vous êtes douée, renchérit-il.

Ils bavardèrent avec animation pendant tout le repas. Il était plus de vingt-trois heures quand Xavier la raccompagna à pied chez elle.

— Si vous n'y voyez pas d'inconvénient, j'aimerais beaucoup renouveler l'expérience un jour à midi ou le soir, lui dit-il, plein d'espoir.

Chantal se demanda s'il avait des vues sur elle. Cela lui paraissait improbable, étant donné leur différence d'âge. Xavier ne connaissait pas exactement le sien, mais il pouvait facilement le deviner à partir de l'âge de ses enfants... Pas moins de dix-sept ans les séparaient. Rien ne leur interdisait cependant de devenir amis : bien que ce ne fût pas dans les habitudes de Chantal de dîner avec des inconnus, leurs chemins s'étaient croisés suffisamment de fois pour qu'elle se sente en confiance avec lui – surtout après l'avoir rencontré au Dîner en blanc.

— J'en serais ravie, répondit-elle en souriant.

Il lui tendit sa carte.

— Vous n'aurez qu'à m'appeler ou m'envoyer un texto ; ainsi j'aurai votre numéro. Revoyons-nous vite, avant de nous croiser dans je ne sais quel magasin ou aéroport.

Chantal se mit à rire.

— Et je vous préviens, je ne veux pas attendre le prochain Dîner en blanc, ajouta-t-il.

— Moi non plus. Même si j'espère vous y revoir un jour avec vos lanternes... Vous avez illuminé notre soirée l'autre fois.

— Et vous avez illuminé la mienne, répondit-il en plongeant son regard brun dans le sien.

Chantal se sentit rougir. Xavier avait des yeux très expressifs, une attitude très masculine. Et la façon dont il la fixait n'avait rien à voir avec les regards fraternels ou amicaux que Jean-Philippe lui réservait.

Xavier Thomas s'adressait à elle comme un homme s'adresse à une femme, peu importe son âge. Avait-elle affaire à un séducteur ? Elle en doutait fortement. Il n'avait pas les manières frivoles de Gregorio. Xavier était quelqu'un de direct, et il lui montrait clairement qu'elle lui plaisait – une franchise tout à fait séduisante. Chantal était certaine que Jean-Philippe l'apprécierait. Peut-être pourraient-ils déjeuner ensemble, tous les trois…

Devant la porte de son immeuble, elle le remercia encore pour le dîner. Xavier repartit chez lui avec un grand sourire aux lèvres.

5

Les jours qui suivirent le retour de Benedetta en Italie furent encore plus pénibles qu'elle ne l'avait craint. À Paris, les paparazzis campaient devant l'hôpital dans l'espoir d'apercevoir Gregorio, Anya ou leurs jumeaux prématurés. Mais comme les médecins refusaient de leur livrer la moindre information, ils se mirent à harceler Benedetta à Milan, la mitraillant chaque fois qu'elle sortait de chez elle pour aller au travail ou qu'elle en repartait le soir. Jusque-là, les photographes n'avaient réussi à prendre qu'un seul cliché de Gregorio alors qu'il pénétrait dans l'hôtel George-V, la mine sombre, pour récupérer quelques vêtements. Le reste du temps, il n'avait pas quitté Anya. L'hôpital leur avait donné une chambre à la maternité, et ils passaient leurs journées au service de néonatalogie à observer les interventions pratiquées sur leurs bébés, à regarder leurs petites mains s'ouvrir et se refermer. Du fait de leur immaturité pulmonaire et cardiaque, les deux nouveau-nés couraient toujours un grave danger. Confrontée au risque de les perdre, Anya avait beaucoup mûri en l'espace de quelques jours : elle les veillait avec abnégation et le soir, après les heures de visite, elle allait dans la chapelle de l'hôpital pour prier. Gregorio restait constamment à ses côtés. Il était devenu le compagnon fidèle qu'il aurait dû être pour Benedetta, en même temps qu'un père aimant. L'angoisse extrême qu'Anya et lui partageaient les rapprochait un peu plus à chaque instant. S'il prévoyait toujours de retourner vivre auprès de sa femme, il ignorait quand, et n'évoquait surtout pas le sujet avec Anya.

Gregorio s'efforçait d'appeler Benedetta régulièrement, mais chaque jour voyait surgir un nouvel obstacle à surmonter pour les bébés. Ils les avaient prénommés Claudia et Antonio, et Gregorio avait insisté pour les faire baptiser par le prêtre de l'hôpital. Cela aussi, la presse l'avait appris. Benedetta avait eu la nausée en lisant la nouvelle dans le journal. Son mari vivait une autre vie loin d'elle, avec deux enfants et une femme qui n'auraient jamais dû exister. À présent, chaque fois qu'il lui téléphonait, il ne parlait que d'Anya et des bébés, préoccupé uniquement par la survie de ces derniers. Tout son univers se réduisait à cet hôpital parisien… Benedetta en était venue à redouter ses appels. Et pourtant, Gregorio lui promettait qu'il la rejoindrait dès qu'il en aurait la possibilité – ce qui ne risquait pas de se produire avant plusieurs mois. Bien sûr, on pouvait lui reconnaître une certaine noblesse dans l'attitude responsable qu'il adoptait vis-à-vis d'Anya et de leurs enfants ; seulement, il avait aussi une épouse à Milan, qu'il prétendait aimer…

Pendant ce temps, Benedetta se retrouvait seule à gérer à la fois leurs affaires, leurs proches et les paparazzis. Ces derniers ne lui laissaient aucun répit. Plusieurs semaines après la naissance des jumeaux, la presse la pourchassait encore et publiait des photos d'elle et de son visage défait. À croire qu'ils n'avaient rien d'autre à se mettre sous la dent.

La famille de Gregorio était horrifiée, tout comme celle de Benedetta. Son père était furieux contre lui, et sa mère appelait Benedetta tous les jours pour lui demander quand il reviendrait. Cette dernière n'en avait aucune idée. Les bébés allaient un peu mieux, mais il était encore trop tôt pour savoir s'ils survivraient, et avec quelles séquelles. Systématiquement, la mère de Gregorio pleurait au téléphone, se lamentant sur la honte et la disgrâce qui s'abattaient sur eux ; et c'est Benedetta qui la consolait. Quant à sa propre mère, elle disait ne plus jamais vouloir poser les yeux sur son gendre. Il les avait tous trahis.

Sollicitée de toutes parts, Benedetta n'avait pas le temps de s'attarder sur ses propres sentiments. Pour ne rien arranger, les crises s'enchaînaient au travail. Un rouleau de soie défectueux avait impacté la production de centaines de vêtements. En Chine, un violent incendie avait ravagé trois usines chez leur principal fournisseur, si bien qu'ils étaient dans l'incapacité d'honorer une grosse commande pour les États-Unis. Enfin, des marchandises étaient restées bloquées en mer à cause d'une grève des dockers en Italie…

Benedetta se voyait également obligée d'assumer la charge de travail de Gregorio et de prendre toutes les décisions difficiles à sa place. Un des frères de son mari essayait de l'aider, mais il gérait avant tout la crise dans les filatures. Malgré la légèreté dont l'époux de Benedetta faisait preuve dans sa vie privée, il avait un sens aigu des affaires et savait renverser les situations potentiellement désastreuses. L'ennui, c'est qu'il n'était plus là pour le faire.

Quand Valérie l'appela à la fin du mois de juin, elle constata à quel point Benedetta était au bout du rouleau. Son amie avait l'impression d'avoir été emportée par un tsunami.

— Je voulais juste te dire qu'on t'aime et qu'on pense à toi, lui dit-elle. Un jour, tout ça ne sera plus qu'un mauvais souvenir.

— Je l'espère… Pour le moment, c'est un vrai cauchemar, lâcha Benedetta d'une voix brisée.

La journée avait été particulièrement rude. Un porte-conteneurs avait sombré dans une tempête au large de la Chine, avec à son bord une cargaison de fournitures dont ils avaient désespérément besoin.

— Toutes les tuiles imaginables me tombent dessus, et pendant ce temps-là Gregorio est à Paris avec cette fille et leurs bébés. On ne peut même pas le joindre, il ne veut pas être dérangé. C'est de la folie.

La situation était surréaliste. Benedetta était au bord de craquer. Pour la première fois en vingt ans, elle n'avait plus de mari. Certes, il l'avait déjà trompée auparavant et leur couple avait survécu, mais les choses n'avaient jamais atteint de telles proportions. La naissance des jumeaux avait tout changé.

— Est-ce qu'il t'a dit quand il revenait ? demanda prudemment Valérie.

Elle ne concevait pas que Gregorio puisse quitter sa femme pour une top model russe de vingt-trois ans, avec ou sans bébés. Il n'était pas stupide au point de rompre les liens qui unissaient les deux entreprises familiales depuis plus de cent ans. Un divorce aurait des conséquences catastrophiques tant pour leurs affaires que pour leurs proches, et ce n'était évidemment pas ce qu'ils recherchaient, d'un côté comme de l'autre.

— Non. Tout ce qu'il dit, c'est qu'il ne peut pas laisser Anya toute seule à Paris. En plus, ils ne sont pas sûrs que les bébés s'en sortent : ils ont des problèmes au cœur et aux poumons à cause de leur prématurité. Gregorio ne me parle que de ça quand il m'appelle. Comme s'il s'agissait de nos propres enfants ! Il se fiche éperdument de l'entreprise.

— Si seulement je pouvais faire quelque chose pour toi, ma chérie… Il faut que tu tiennes bon. Il finira bien par revenir à la raison, et alors vous pourrez régler vos problèmes.

— C'est ce que je me répète sans arrêt. Mais j'ai vraiment l'impression que cette histoire lui monte à la tête.

Benedetta semblait accablée.

— Essaie de rester zen, insista Valérie.

— C'est plus facile à dire qu'à faire… Ça fait des semaines que je ne dors pas.

La gestion de l'entreprise la préoccupait beaucoup, et elle nourrissait les mêmes inquiétudes que toutes les femmes dont le mari avait un enfant avec une fille âgée de vingt ans de moins : en somme, elle commençait à craindre que Gregorio ne décide de rester avec Anya…

— Et toi ? demanda-t-elle à Valérie. Tout va bien à Paris ?

Elle n'imaginait pas un seul instant qu'il puisse en être autrement. Valérie et Jean-Philippe avaient une vie tellement parfaite ! Tout le monde les enviait – Benedetta la première. La réponse de son amie ne manqua pas de la surprendre.

— Pas vraiment. Nous aussi, on traverse une sorte de crise. Jean-Philippe doit prendre une décision professionnelle qui va avoir un impact sur ma carrière. Ou sur notre mariage – je ne sais pas encore. Peut-être les deux.

— Je suis navrée de l'apprendre, murmura Benedetta. Si je peux faire quelque chose…

— Non, il faut qu'on trouve une solution nous-mêmes. C'est la première grosse difficulté à laquelle on est confrontés.

Ayant traversé bon nombre de mauvaises passes avec son mari, Benedetta comprenait et était désolée pour Valérie. Mais elle était certaine que Jean-Philippe saurait garder la tête froide.

— Ton homme est un mec bien, il fera le bon choix. J'ai confiance en vous deux, affirma-t-elle avec chaleur.

— J'aimerais pouvoir en dire autant, répliqua Valérie. Je ne sais pas de quel côté le vent va tourner, ce coup-ci. Nos relations en pâtissent déjà… Mais je ne t'appelais pas pour me plaindre. Je voulais juste que tu saches qu'on pense bien fort à toi.

— C'est tellement humiliant de se dire que le monde entier est au courant. Je passe pour une grosse imbécile.

Benedetta avait des sanglots dans la voix.

— Ce n'est pas toi, l'imbécile, protesta Valérie. C'est lui, pour s'être mis dans ce pétrin.

— Peut-être, mais je suis sûre que les gens me jugent et me trouvent stupide d'accepter cette situation. Je voudrais tellement que les choses redeviennent comme avant… Je ne sais même pas quand je vais le revoir !

— Ça finira par se tasser. Tu verras, un jour tout le monde aura oublié cette histoire.

Valérie tentait de rassurer son amie, mais elle n'était pas certaine qu'un tel scandale serait si facilement effacé des mémoires…

— Merci d'avoir appelé, soupira Benedetta. Ça me touche beaucoup. Et je suis vraiment navrée que vous ayez des problèmes, vous aussi. Je ferai une petite prière pour vous deux.

— Merci à toi, Benedetta.

Quand elles raccrochèrent, les deux femmes avaient les larmes aux yeux. Les hommes avec qui elles partageaient leur vie leur causaient bien des tourments. Même Jean-Philippe, qui avait toujours été un père et un mari exemplaires, s'était mis en tête de chambouler l'existence de sa petite famille.

Benedetta et Gregorio avaient prévu, avant la naissance des jumeaux bien sûr, de passer des vacances en Sardaigne avec des amis au cours du mois de juillet. Une semaine avant le départ, Benedetta songea qu'elle devrait peut-être annuler et posa la question à son mari au téléphone.

— Tu crois vraiment que je pense à ça, en ce moment ? répondit-il, excédé. Comment peux-tu me demander une chose pareille ? Le cœur de mon fils s'est arrêté de battre pendant plusieurs secondes aujourd'hui, ils ont dû lui faire un massage cardiaque pour le réanimer. Alors, nos vacances en Sardaigne sur le bateau de Flavia et Francesco, autant te dire que c'est le cadet de mes soucis !

À l'autre bout du fil, Benedetta éclata en sanglots.

— Tu plaisantes, j'espère, Gregorio ? Ce cauchemar, je le vis aussi ! Je me retrouve à diriger notre entreprise toute seule, à gérer les grèves des dockers, les catastrophes dans les filatures, l'incendie dans les usines chinoises, sans compter ces foutus paparazzis qui ne me lâchent pas d'une semelle à cause de toi et de ta bimbo, et tu me fais le coup du père indigné quand j'ose te parler de nos vacances ? Tu sais quoi ? Tu n'as qu'à rester à Paris. De toute façon, c'est ce que tu avais prévu. Ne t'en fais pas pour la Sardaigne, je me débrouillerai.

Sur ces mots, elle raccrocha. Gregorio la rappela aussitôt pour s'excuser de s'être emporté.

— C'est l'enfer, ici, se défendit-il. Si tu les voyais… Ils sont tellement petits qu'on se demande comment ils vont pouvoir survivre. Anya n'est pas capable de supporter ça toute seule, il faut que je sois là avec elle.

Et il comptait sur sa femme pour compatir…

— Bien sûr, dit-elle d'une voix éteinte.

Benedetta n'avait plus envie de l'écouter. Du jour au lendemain, il était devenu un père responsable et dévoué, et il lui demandait de partager son inquiétude vis-à-vis des bébés et de leur mère alors que Benedetta n'avait rien à voir avec eux – hormis le fait qu'ils lui pourrissaient la vie.

— Tu devrais aller à Porto Cervo avec Flavia et Francesco, lui conseilla Gregorio. Essaie de te détendre. Et avec un peu de chance, je pourrai rentrer à la maison à ton retour. Au moins quelque temps.

— Tu comptes faire la navette entre chez elle et chez nous, maintenant ? s'enquit-elle d'un ton glacial.

— Bien sûr que non, Benedetta. De toute façon, Anya est coincée à Paris pour plusieurs mois. Les bébés ne pourront pas quitter l'hôpital avant septembre ou octobre.

— Et tu vas habiter où, en attendant ?

— Je ne sais pas, répondit Gregorio comme chaque fois qu'elle lui posait la question. Pour l'instant, je vis au jour le jour.

— Oui, moi aussi, figure-toi. Mais je ne peux pas gérer une entreprise, ni ma vie, de cette façon. Il va falloir que tu prennes une décision très vite.

Elle en avait assez de l'entendre répéter que les bébés étaient aux portes de la mort, comme si cela justifiait ce qu'il lui faisait subir. S'il avait l'intention de rester avec Anya, elle voulait le savoir.

C'était la première fois qu'elle lui posait un tel ultimatum. Gregorio en fut choqué.

— C'est une menace ? demanda-t-il.

— Non, une réalité. On ne peut pas continuer comme ça longtemps. Ce n'est juste pour personne. Cette histoire était censée s'arrêter avec la naissance des bébés – tu devais lui faire un gros chèque et rentrer à la maison. Mais aujourd'hui, la donne a changé. Tes enfants vont peut-être garder des séquelles et avoir besoin de toi pendant de longues années. En plus, tu n'as pas l'air de vouloir quitter cette fille, que tu as élevée au rang sacré de mère. Je ne vois pas de place pour moi dans ce tableau.

Ni Benedetta ni Gregorio ne s'étaient imaginé que les événements prendraient une telle tournure. Gregorio n'avait pas anticipé la possibilité que les jumeaux naissent prématurément, ou qu'un lien si fort se noue entre Anya et lui. Au fil des semaines passées à veiller leurs bébés, les sentiments qu'il éprouvait pour elle avaient grandi. Il était tombé amoureux. Mais il aimait aussi Benedetta, avec qui il partageait tant d'années de vie commune… En vérité, il ne voulait quitter aucune des deux femmes – Benedetta l'avait bien compris, même s'il ne lui en avait rien dit. Pendant qu'il assurait à Anya que tout irait bien, il répétait à son épouse qu'il allait revenir à la maison, que leur mariage survivrait… Il leur faisait à chacune des promesses qu'il ne pourrait pas tenir. Un jour ou l'autre, il lui faudrait choisir.

— Bien sûr qu'il y a de la place pour toi, dit-il faiblement. Tu es ma femme.

— Ça, ça peut changer. Je ne vais pas supporter cette situation éternellement.

— Tu n'auras pas à la supporter très longtemps. Je te demande juste de faire preuve d'un peu de compassion tant qu'on ne sait pas si les jumeaux vont s'en sortir.

— Ça prendra des mois, répliqua-t-elle.

Benedetta s'était renseignée sur Internet : elle avait appris beaucoup de choses sur les risques que les bébés prématurés encouraient à la naissance, et sur les séquelles qu'ils gardaient très souvent. Comment Gregorio imaginait-il les abandonner dans un tel cas ?

— Je te promets de rentrer au plus tôt, dit-il, refroidi par ses propos. Va en Sardaigne. Je viendrai te voir à ton retour, même si je ne peux pas rester longtemps.

Benedetta se surprit elle-même en répondant :

— Si tu ne peux pas rester, ou que tu n'en as pas l'intention, ne rentre pas.

Sur ce, elle raccrocha. Le sursis qu'elle lui avait accordé jusque-là venait de prendre fin. Il était temps que son époux se ressaisisse.

À Paris, ce dernier fixa un moment son téléphone, puis rejoignit Anya dans l'unité de soins intensifs. La jeune femme se retourna en l'entendant entrer dans la pièce.

— Alors, tu l'as appelée ?

Gregorio acquiesça.

— Comment ça s'est passé ?

Pour Anya, Benedetta était une ennemie. Non seulement elle avait beaucoup trop d'emprise sur Gregorio, mais elle représentait aussi une menace pour l'avenir qu'Anya désirait construire avec lui.

— Comme d'habitude, répondit-il. Elle est très en colère. Et elle est seule pour gérer l'entreprise.

Anya n'avait aucune notion de l'étendue de leur empire, mais Gregorio n'avait pas l'intention de l'éclairer sur cette question. Parler de Benedetta le rendait nerveux, et entendre Anya parler d'elle encore plus. Les deux femmes toléraient de moins en moins la présence de leur concurrente ; Gregorio se retrouvait pris en tenaille entre les deux.

— Tu lui as dit ? s'enquit Anya en le fixant d'un regard dur.

— Pas encore. Je ne peux pas lui annoncer par téléphone que je la quitte. Pour ça, il faut que je rentre à Milan.

Mais Anya refusait de le laisser partir plus de cinq minutes, terrifiée à l'idée qu'une tragédie survienne en son absence… Et comme le danger était bien réel, Gregorio restait.

— Dès que les bébés iront mieux, il faudra que tu ailles la voir, décréta-t-elle. Je veux qu'elle sache que tu ne lui appartiens plus. Ta place est avec nous, maintenant.

Gregorio ne répondit pas. Il avait beau s'attacher chaque jour un peu plus à elle, il n'avait pas pour autant envie de lui « appartenir ». Il ne se sentait pas prêt à s'engager à ce point avec elle, ni à quitter Benedetta. Persuadées chacune de leur bon droit, les deux femmes le mettaient face à un choix impossible... En réalité, les seuls êtres auxquels il était prêt à se vouer corps et âme, c'étaient les deux nouveau-nés qui luttaient à cet instant contre la mort. Ce qu'il ressentait pour eux éclipsait tout le reste.

Le lendemain matin, Benedetta appela leurs amis de Rome pour leur annoncer qu'elle viendrait seule à Porto Cervo.

— Gregorio ne peut pas venir ? demanda Flavia d'un ton grave.

— Non.

Flavia savait pourquoi. Elle n'insista pas.

— Mais si vous préférez qu'on annule, c'est possible, ajouta Benedetta.

Elle ne voulait surtout pas que ses amis se sentent obligés de la recueillir.

— Arrête tes bêtises, on sera très contents de te voir. Je suis juste embêtée pour vous... Ça ne doit pas être facile. Et pour Gregorio non plus.

Flavia les plaignait autant l'un que l'autre. Ils étaient amis depuis vingt ans.

— Sans doute, répondit froidement Benedetta, agacée que son mari puisse inspirer de la compassion alors qu'il causait tant de peine autour de lui – et à elle en particulier.

Ensemble, elles fixèrent les modalités de son séjour à Porto Cervo. Benedetta arriverait la semaine suivante et resterait dix jours. Flavia et son époux possédaient un yacht splendide et une maison ravissante dont Gregorio et Benedetta profitaient chaque été. Pour la première fois, elle s'y rendrait seule.

Dharam l'appela deux jours plus tard pour la prévenir qu'il serait bientôt en déplacement professionnel à Rome et qu'il espérait venir la voir à Milan. Il fut déçu d'apprendre qu'elle partait en Sardaigne au même moment.

— Pourrais-je vous rendre visite là-bas deux ou trois jours ? demanda-t-il après une hésitation. Ce serait tellement dommage d'être si près de vous et de ne pas vous voir… Je prendrai une chambre d'hôtel, bien sûr.

Benedetta trouva l'idée excellente. Du moment que Dharam séjournait à l'hôtel, cela ne dérangerait pas Flavia et Francesco de l'accueillir sur leur bateau dans la journée.

— Ce serait avec plaisir, répondit-elle. Mes amis sont très gentils. Ils ont un superbe voilier, vous pourrez sortir en mer avec nous. Et le soir, nous irons nous balader sur le port.

Issu d'une puissante famille de banquiers, Francesco avait à peu près le même âge que Dharam ; Benedetta était sûre qu'ils s'entendraient bien. Quant à Flavia, c'était une bijoutière réputée. Ils avaient tous deux beaucoup de style.

Le lendemain, Dharam envoya un e-mail à Benedetta pour l'informer qu'il avait réservé une chambre à l'hôtel Cala di Volpe. Au téléphone, il lui avait demandé où elle en était avec Gregorio. Benedetta avait répondu que rien n'avait changé. Pour dire vrai, elle n'avait pas envie d'en parler. La situation était bien trop déprimante, et sans solution pour l'instant.

Son séjour en Sardaigne lui fit beaucoup de bien. Flavia et Francesco se montrèrent adorables, et elle profita avec délice de la maison et du bateau. Elle n'en oublia pas pour autant ses problèmes avec Gregorio, mais ces vacances lui offrirent un peu de répit tout en lui permettant de prendre du recul. Les quelques journées passées en compagnie de Dharam furent fantastiques – comme elle l'avait prédit, il s'entendit à merveille avec Francesco.

La veille de son départ, alors qu'ils étaient seuls sur la terrasse (Flavia et Francesco étaient allés se coucher), Dharam lui demanda ce qu'elle pensait faire vis-à-vis de Gregorio. Elle devinait l'attirance qui le poussait vers elle, mais il n'avait eu aucun geste qui aurait pu l'embarrasser ou mettre en péril leur amitié. Il avait bien conscience de sa fragilité.

— Je ne sais pas, répondit-elle honnêtement. Je n'ai pas vu mon mari depuis plus d'un mois. Je ne sais même pas ce qu'il ressent pour cette fille – sans doute plus de choses qu'au début, ça se devine à sa voix. Il a l'air de prendre son rôle de père très au sérieux. Peut-être va-t-il rester avec elle. Peut-être est-ce son devoir, ajouta-t-elle tristement.

— Et vous, Benedetta, qu'est-ce que vous voulez ?

— J'aimerais que rien de tout ça ne soit jamais arrivé… Je ne suis pas sûre que notre couple s'en remettra, cette fois-ci, ni même qu'on en aura envie. J'espère que j'y verrai plus clair quand il rentrera à la maison. Je ne sais même pas si je l'aime comme je l'aimais avant. Tout a changé.

— Ma femme a voulu se remettre avec moi quand elle s'est séparée de son acteur, mais elle arrivait un peu tard, confia Dharam. Vous seule pouvez savoir ce que vous ressentez. Peut-être qu'il est encore trop tôt : vous venez de subir un sacré choc.

— Oui, on peut le dire.

Leurs regards se croisèrent, et il lui prit la main.

— J'aimerais beaucoup passer du temps avec vous dans le cas où les choses ne s'arrangeraient pas avec votre mari. Ce n'est pas ce que je vous souhaite, bien sûr, mais je veux que vous sachiez que j'éprouve pour vous des sentiments très forts. Et que, quoi qu'il arrive, je serai heureux d'être votre ami.

Dharam n'esquissa aucun mouvement, se contentant de la fixer intensément.

— Merci, murmura-t-elle.

Ils restèrent un moment silencieux, main dans la main, à contempler le clair de lune. Puis Dharam se leva pour regagner son hôtel.

— N'hésitez pas à m'appeler si vous avez besoin de moi, dit-il.

Benedetta pensa à lui toute la nuit. Le lendemain, ils prirent une dernière fois le petit déjeuner ensemble, avec Flavia et Francesco. Dharam les remercia de l'avoir accueilli si chaleureusement sur leur bateau, puis il déposa un chaste baiser sur la joue de Benedetta. Après son départ, Flavia et Francesco ne tarirent pas d'éloges à son sujet. Ils l'avaient trouvé formidable. Même s'il était évident qu'il éprouvait plus que de l'amitié pour Benedetta, il s'était comporté en véritable gentleman et n'avait jamais dépassé les limites. Il ne voulait pas rendre les choses encore plus compliquées qu'elles ne l'étaient déjà. Benedetta lui en était reconnaissante.

Quand Gregorio la rejoignit à Milan, deux jours après son retour de Sardaigne, il lui promit de quitter Anya au plus vite. Il espérait que l'état des jumeaux se serait stabilisé d'ici un mois et qu'il pourrait revenir chez lui à la fin de l'été.

— Et elle est d'accord avec ça ? s'enquit Benedetta, méfiante. Je ne veux pas d'autres drames une fois que tu seras rentré à la maison.

— Elle sera bien obligée d'accepter, répondit Gregorio.

Ce n'était pourtant pas du tout ce qu'il avait promis à Anya avant de partir… Mais revoir Benedetta chez eux lui avait remis les idées en place. Malgré les sentiments qu'il éprouvait pour Anya et les liens très forts qui les unissaient à présent l'un à l'autre, il désirait retourner vivre auprès de sa femme. Quand ses enfants seraient plus grands, il demanderait un droit de visite, mais sa relation avec Anya ne pouvait pas durer, quelle que soit l'épreuve qu'ils traversaient ensemble actuellement. Elle était trop jeune. Face à Benedetta, elle manquait d'épaisseur. En retrouvant son épouse dans toute sa grâce et sa dignité, Gregorio avait compris que sa place était à ses côtés.

Il resta deux jours à Milan, puis repartit pour Paris. Le soir de son retour à l'hôpital, ce qu'Anya et lui avaient tant redouté arriva : leur petit garçon, qui s'était si vaillamment battu contre la mort, fit une hémorragie cérébrale. Les médecins ne purent rien pour lui.

Complètement démunis, Anya et Gregorio regardèrent en sanglotant la vie quitter son petit corps. Les infirmières leur permirent de le tenir une dernière fois dans leurs bras avant de l'emmener. À présent, il leur fallait organiser des funérailles… C'était horrible. Gregorio envoya un texto à sa femme pour la prévenir ; il aurait été incapable de parler au téléphone. En apprenant la nouvelle, Benedetta ferma les yeux et se mit à pleurer. Quand ce cauchemar allait-il enfin s'arrêter ?

Gregorio s'occupa des démarches au crématorium du Père-Lachaise. La cérémonie fut le moment le plus douloureux qu'il eût jamais vécu. Le petit cercueil renfermant le corps d'Antonio, Anya qui sanglotait hystériquement dans ses bras… Elle lui fit jurer de ne jamais la quitter, et il n'eut pas le cœur de lui avouer qu'il avait promis à Benedetta de revenir. Il ne pouvait pas lui faire ça. Il devait attendre le bon moment… Ils restèrent toute la nuit à côté de leur fille, à prier pour qu'elle ne meure pas, elle. La petite Claudia était aussi fragile que son frère, et Gregorio doutait qu'elle survive.

Les jours suivants, Anya s'accrocha à lui plus que jamais. Gregorio comprit qu'elle ne serait pas assez forte pour supporter son départ. Elle parlait de se suicider si jamais leur fille mourait… L'aventure frivole de l'année passée se transformait en tragédie, et il n'était plus question pour Gregorio d'échapper à ses responsabilités : il devait demeurer avec Anya. Benedetta serait bien obligée de comprendre. Peut-être se remettrait-il un jour avec elle, mais certainement pas tout de suite. Il ne tenait pas à avoir le sang d'Anya sur les mains. Comme beaucoup de ses compatriotes, la jeune femme avait le sens du mélodrame, en plus d'un côté sombre bien à elle. Elle avait besoin de lui plus que Benedetta, qui était plus forte et suffisamment équilibrée pour survivre à leur séparation.

C'est le cœur lourd que Gregorio reprit l'avion pour Milan. Si folle que puisse lui paraître sa décision de quitter son épouse, il estimait ne pas avoir le choix.

Benedetta l'écouta parler, puis le dévisagea, choquée. Gregorio était pâle comme la mort. Quand il tenta de l'attirer dans ses bras, elle le repoussa comme un animal monstrueux. Et c'est bien ce qu'il était. Elle avait attendu tout ce temps pour l'entendre dire au final qu'il ne pourrait pas revenir, alors qu'il lui avait promis le contraire deux semaines plus tôt. Cet homme n'avait pas de parole. Il hésitait entre deux femmes, changeait d'avis deux fois par jour… Mais c'était fini.

— Je resterai impliqué dans l'entreprise, bien sûr, dit-il avec bienveillance. Tu ne peux pas tout gérer.

— C'est ce que je fais depuis que tu es parti, répliqua-t-elle froidement. Et désolée de te contredire, mais non, tu ne resteras pas impliqué. J'ai examiné soigneusement la question au cas où tu prendrais cette décision : je veux dissoudre notre société. Je rachèterai tes parts, mais il est hors de question que tu gardes un intérêt dans cette entreprise. En me quittant, tu la quittes elle aussi, conclut-elle d'un ton ferme.

Gregorio resta bouche bée.

— C'est ridicule, Benedetta ! Nos familles travaillent ensemble depuis plusieurs générations. Tu ne peux pas couper des liens aussi forts comme ça. Pourquoi les punir de cette erreur malheureuse ?

— Cette « erreur » ? Cette catastrophe, tu veux dire ! Pourquoi c'est moi qui devrais être punie ? J'ai parlé à nos avocats : une société peut être dissoute dans le cadre d'un divorce.

Son visage était resté de marbre tandis qu'elle prononçait ces mots. Gregorio parut horrifié.

— Quel divorce ? J'ai dit que je te quittais, pas que je demandais le divorce ! On n'a pas besoin de divorcer !

— Toi, peut-être pas, mais moi si. Je ne veux pas d'un mariage où tu partirais vivre avec ta maîtresse et son enfant, en me laissant toute seule pour gérer les affaires par-dessus le marché. Quel genre de vie ce serait pour moi ? Et une fois que tu te serais débarrassé d'elle, tu reviendrais vivre avec moi un moment, avant de t'en trouver une autre ? Non merci.

Elle lui offrit un sourire glacial. Contrairement à lui, elle s'était préparée à ce qui allait suivre.

— Si tu veux me quitter, on ne fait pas les choses à moitié : on divorce, et tu renonces à tes parts dans l'entreprise. C'est fini, Gregorio. Tu as pris ta décision. Maintenant, retourne auprès d'elle. Je te souhaite tout le bonheur du monde avec elle et votre petite fille.

Elle se leva pour lui faire comprendre qu'il devait partir. Gregorio resta immobile, sous le choc.

— Tu ne penses pas ce que tu dis, souffla-t-il.

— Si, je le pense.

Et pour le prouver, elle ouvrit la porte de son bureau et lui montra la sortie.

— Qu'est-ce que je vais dire à ma famille ?

— Ça, c'est ton problème. Ça va prendre du temps de défaire tous les liens professionnels qui s'étaient tissés entre les deux maisons, mais les avocats vont y travailler. Je leur demanderai d'établir rapidement les papiers instituant ta radiation immédiate de la société.

— Tu ne peux pas me faire ça ! s'indigna-t-il.

— Si, et je ne vais pas me gêner. J'ai été stupide d'attendre si longtemps. Je l'ai fait par amour pour toi, pour te donner une chance de revenir au cas où tu en aurais envie. Mais là, j'ai eu ma réponse.

— Benedetta, je t'en prie… on n'a pas besoin de divorcer, insista-t-il. On peut s'arranger à l'amiable.

— Certainement pas. Moi, j'ai besoin d'un divorce. Je veux que tout soit clair entre nous. Et comme ça, le jour où tu voudras épouser cette fille, rien ne t'en empêchera. Tu es libre.

Gregorio sortit du bureau, le visage défait, écoutant à peine Benedetta lui préciser qu'elle ferait envoyer ses affaires à l'adresse d'Anya, à Rome. Alors qu'elle s'apprêtait à refermer la porte, il se retourna une dernière fois.

— Je croyais que tu m'aimais, dit-il, les yeux embués. C'est pour ça que j'avais choisi de rester avec toi, au départ.

— Mais je t'aime, répliqua-t-elle d'une voix posée. Je t'aime encore beaucoup. Suffisamment pour avoir été prête à te pardonner. Maintenant, tout ce que je souhaite, c'est de ne plus t'aimer un jour.

Sur ces mots, elle referma doucement la porte. Gregorio s'éloigna, en larmes. Jamais il n'aurait pensé qu'elle se montrerait si cruelle.

6

Gregorio repartit pour Paris le soir même. Il appela Anya depuis l'aéroport pour lui demander des nouvelles de leur fille. Selon la jeune femme, l'état de Claudia n'avait pas évolué.

— Peux-tu me retrouver à l'hôtel ? dit-il d'une voix éraillée.

Il venait de passer une des pires journées de son existence après celle qui avait vu mourir son fils. Il avait l'impression d'avoir tout perdu en l'espace de quelques heures : son travail, son histoire, son épouse… Certes, c'était lui qui avait voulu la quitter pour Anya, mais il avait été choqué qu'elle demande le divorce. Il s'était imaginé qu'ils vivraient séparés, comme beaucoup de gens autour d'eux, en Italie et même en France. Étrangement, l'idée du divorce le révoltait plus que celle d'avoir des enfants avec une autre femme que la sienne.

— Qu'est-ce qu'il y a ? s'enquit Anya, surprise par son ton lugubre. Comment ça s'est passé ? Tu lui as dit ?

Elle avait attendu son appel toute la journée, mais Gregorio n'avait pas eu le temps de lui téléphoner : il était allé voir son frère aîné pour lui annoncer la mauvaise nouvelle. Ce dernier l'avait traité d'imbécile et accusé de mener la famille à sa ruine. Benedetta ne lui ferait aucun cadeau ; ce divorce leur coûterait à tous une fortune. Cependant, il n'en voulait pas spécialement à sa belle-sœur : sa propre femme l'aurait tué s'il lui avait fait la même chose.

— Je lui ai dit que je la quittais, répondit Gregorio à Anya.

— Comment a-t-elle réagi ?

La jeune femme jubilait.

— C'est trop compliqué pour que je te l'explique au téléphone. J'ai besoin de souffler ; ça te dit de dormir une nuit à l'hôtel ? Claudia n'en souffrira pas.

Gregorio se sentait vidé de son énergie. Il devait recharger ses batteries, prendre un bain chaud et dormir dans un lit confortable.

— C'est vrai, tu as raison ; il faut fêter ça ! s'exclama Anya.

On aurait dit une gamine de quinze ans… Elle n'avait même pas perçu à quel point il était abattu. Gregorio se demanda soudain si son frère n'avait pas raison. S'il n'était pas devenu fou. Il avait tout plaqué pour cette fille, et elle ne se rendait pas compte du sacrifice qu'il venait de faire. Nul doute qu'elle serait ravie d'apprendre qu'il allait divorcer… Mais rien ne pressait pour le lui annoncer. Un divorce pouvait prendre deux ans en Italie : Gregorio avait un long chemin devant lui avant que Benedetta ait fini de détruire ce qui restait de sa vie.

— On se retrouve à l'hôtel, soupira-t-il.

Il prit un taxi jusqu'au George-V. Anya l'y rejoignit peu après, fraîche et jolie dans son jean et son tee-shirt, la tenue la plus appropriée quand on devait passer ses journées et ses nuits dans un service de réanimation néonatale… Une éternité semblait s'être écoulée depuis le Dîner en blanc, il y avait de cela cinq semaines.

Anya commanda du champagne tandis que Gregorio s'éclipsait pour aller prendre une douche. Il lui avait à peine dit bonjour. Il ressortit de la salle de bains, vêtu du peignoir épais et luxueux de l'hôtel, et s'allongea à côté d'elle sur le lit, d'où elle regardait la télévision. Il ne savait pas quoi dire. La journée avait été tellement affreuse ! Jamais il n'oublierait le regard implacable de Benedetta lorsqu'elle avait prononcé le mot « divorce ». Elle qui s'était montrée si compréhensive jusque-là…

— Alors, qu'est-ce qu'elle a dit ? demanda Anya en se lovant contre lui.

Ils n'avaient pas fait l'amour depuis plusieurs mois, mais Gregorio en aurait été bien incapable à cet instant. C'était comme si Benedetta l'avait anéanti. C'était lui la victime, dans l'histoire. Divorcer, dissoudre leur société… Comment pouvait-elle être aussi méchante ? La punition était vraiment disproportionnée.

— Elle me vire de l'entreprise, se contenta-t-il de répondre. Nos familles travaillent ensemble depuis plus d'un siècle, et elle veut mettre fin à cette tradition.

La jeune femme ne sembla pas saisir la portée de cette décision. L'espace d'un moment, elle parut inquiète.

— Est-ce que ça veut dire qu'elle va prendre tout l'argent ?

— Non, mais elle cherchera sans doute à en récupérer un maximum.

Gregorio se sentait profondément déprimé. Mais quand Anya l'embrassa, il se dit que tout finirait peut-être par s'arranger, que sa femme recouvrerait la raison et qu'elle oublierait cette histoire de divorce. Il ne pouvait pas croire qu'elle lui infligerait un tel camouflet. De voir Anya allongée près de lui rendait l'horreur de sa situation moins réelle, moins immédiate. D'autant plus que la jeune femme venait de l'attirer contre elle et glissait une main entre les pans de son peignoir… Malgré tous les soucis qui lui rongeaient l'esprit, Gregorio sentit son désir s'éveiller. Quelques instants plus tard, ils s'étreignaient avec passion, et les événements de la journée et du mois précédent s'effacèrent peu à peu. Ils retombèrent sur leurs oreillers, épuisés. Il avait oublié à quel point c'était bon de faire l'amour avec elle. Anya lui appartenait, à présent, et il avait besoin d'elle autant qu'elle avait besoin de lui.

Il était minuit lorsqu'ils terminèrent la bouteille de champagne et commandèrent de quoi manger. Pour lui comme pour elle, ce fut une nuit de répit.

Le lendemain matin, alors qu'ils se préparaient à repartir à l'hôpital – non sans avoir fait l'amour une nouvelle fois –, Gregorio s'efforça de ne pas penser à Benedetta. C'était rassurant de savoir que leur bébé, leur avenir, les attendait. Et avec un peu de chance, Benedetta redeviendrait la femme raisonnable qu'elle avait toujours été.

D'ordinaire, Jean-Philippe adorait prendre le petit déjeuner en famille en attendant l'arrivée de la nourrice. Lorsqu'il avait le temps, il déposait Valérie chez *Vogue* avant d'aller travailler. Mais depuis qu'il lui avait parlé de Pékin, elle était toujours en retard, les enfants pleuraient constamment, elle laissait brûler leurs tartines et mettait une éternité à se préparer, si bien qu'il partait sans elle et qu'elle finissait par se rendre au bureau en taxi. Tout allait à vau-l'eau.

Ce matin-là, même la nourrice tardait. Pour ne rien arranger, Damien, leur petit garçon de deux ans, hurlait depuis quatre heures du matin à cause d'une otite. Valérie avait prévu de l'emmener chez le pédiatre après le petit déjeuner.

— C'est devenu infernal, dans cette maison ! s'exclama Jean-Philippe d'un ton exaspéré.

Jean-Louis venait de taper sa sœur, qui s'était mise à pleurer à son tour.

— Et gérer ce genre de crise à Pékin, ça te fait envie ? rétorqua Valérie. Tu te vois emmener les enfants chez un médecin qui ne cause pas un mot de français ni d'anglais ?

Elle avait discuté avec des amies qui connaissaient la capitale chinoise : toutes lui avaient dit qu'on n'y parlait presque pas l'anglais. À moins de pratiquer le mandarin, il fallait être accompagné d'un traducteur pour s'en sortir. La firme qui voulait engager Jean-Philippe lui avait d'ailleurs dit qu'il disposerait de son propre interprète.

— Je suis sûr qu'il y a des médecins occidentaux là-bas, objecta-t-il. On peut en trouver en passant par l'ambassade. Ce n'est quand même pas le tiers-monde.

— Non, c'est la Chine.

— C'est ça, ta réponse, alors ?

Depuis plusieurs jours, Jean-Philippe la pressait de prendre une décision. Il avait déjà obtenu un délai supplémentaire auprès de ses employeurs potentiels, en leur expliquant que déménager en Chine aurait aussi un impact majeur sur la carrière de sa femme. Ils comprenaient parfaitement.

— Si tu veux une réponse tout de suite, alors c'est non, aboya Valérie.

Ses enfants la dévisagèrent, surpris par sa véhémence.

— Je ne suis pas prête à démissionner de *Vogue* aujourd'hui, reprit-elle en baissant d'un ton. J'ai besoin de plus de temps pour réfléchir.

— Je ne fais pas ça pour moi, lui rappela Jean-Philippe d'une voix où perçait la frustration. Je le fais pour nous. Pour notre avenir.

Tous deux commençaient cependant à se demander s'ils en auraient un ensemble... En sept ans de mariage, ils n'avaient jamais été confrontés à un tel conflit. Chacun reprochait à l'autre la tension insupportable qui s'accumulait jour après jour dans leur foyer. Alors que Damien se remettait à pleurer en se tirant l'oreille, la jeune baby-sitter arriva enfin et l'emmena dans sa chambre pour l'habiller. Au même moment, Jean-Louis renversa son verre de jus d'orange.

— Tu les rends nerveux, pesta Valérie en attrapant une éponge.

Jean-Philippe secoua la tête, agacé, et partit sans dire au revoir. C'était la première fois.

— Où il va, papa ? s'enquit Isabelle, trois ans, d'un air inquiet. Il ne m'a pas fait de bisou.

— Il était en retard pour son travail, chérie.

Valérie embrassa les joues rebondies de sa fille. Si Jean-Philippe décidait de partir sans eux à Pékin, elle se retrouverait seule à gérer trois enfants...

Elle aida Jean-Louis à quitter son pyjama et à revêtir un jean et une chemise rouge à carreaux.

— C'est quoi, Pékin ? lui demanda-t-il.

— C'est une ville en Chine, répondit Valérie tout en lui enfilant des sandales rouges assorties.

— Pourquoi ils ne parlent pas français ni anglais ?

Son fils n'avait rien raté de leur conversation… Il entendait sans doute aussi leurs disputes le soir, percevait la tension qui régnait entre ses parents. Pas étonnant qu'il fût nerveux.

— Parce qu'ils parlent chinois, gros bêta. Maintenant, écoute-moi : je veux que tu sois gentil avec ta sœur, aujourd'hui. Ce n'était pas bien de la taper comme tu l'as fait au petit déjeuner. Elle est plus petite que toi.

— Elle a dit que j'étais bête. C'est méchant.

— Oui, c'est vrai, convint Valérie. Mais ce n'est pas une raison.

Elle alla voir où en était la baby-sitter avec son plus jeune fils. Il fallait encore qu'elle passe chez le pédiatre, où l'attente était toujours interminable…

Finalement, il était presque onze heures quand elle ramena Damien à la maison et fila au travail.

— Sale matinée ? lui demanda son assistante avec compassion.

Valérie n'eut pas envie de s'appesantir, de lui expliquer que toutes les matinées se ressemblaient, à présent, et qu'elle risquait de perdre son boulot parce que son idiot de mari s'était mis en tête de déménager à Pékin. Elle parcourut ses messages et ses e-mails. Une conférence de rédaction était programmée à midi sur Skype avec le bureau de New York, pour parler du numéro de septembre, le plus gros de l'année.

Elle savait pertinemment qu'à la fin de cette journée qui s'annonçait chargée elle ne serait pas plus avancée sur la décision à prendre. Tout en elle lui criait de rester à Paris, où leur vie fonctionnait à merveille. Pourquoi Jean-Philippe voulait-il les traîner à l'autre bout du monde ? Aucune somme d'argent, aucune évolution de carrière ne justifiait un tel bouleversement. Et pourquoi le travail de son mari aurait-il été plus important que le sien ?

Valérie passa une grande partie de la réunion la tête ailleurs et termina la journée avec un puissant mal de crâne. Au moins, quand elle rentra chez elle, les enfants avaient dîné et pris leur bain, et Damien ne pleurait plus. Les antibiotiques prescrits par le pédiatre avaient fait effet. Jean-Philippe fit son apparition alors qu'elle était en train de leur lire une histoire ; les trois bambins étaient vêtus de pyjamas imprimés de petits ours en peluche.

— Papa, tu as oublié mon bisou, ce matin, souligna Isabelle.

Ses cheveux, longs et bruns comme ceux de sa mère, étaient encore humides.

— Alors je vais être obligé de t'en faire deux fois plus ce soir, répliqua Jean-Philippe.

Valérie le regarda en souriant. Si seulement leur vie pouvait redevenir comme avant !

— Tu as passé une bonne journée ? lui demanda-t-il par-dessus la tête des enfants.

Elle se contenta de hausser les épaules. Que pouvait-elle répondre ? Elle avait l'impression d'entendre en permanence le roulement de tambour précédant l'annonce de sa décision. Jean-Philippe la laissa terminer sa lecture, puis vint dire bonsoir aux enfants.

Quelques minutes plus tard, ils se retrouvèrent dans la cuisine. Ils n'avaient faim ni l'un ni l'autre. Valérie composa néanmoins une salade avec des restes de poulet, qu'ils mangèrent sans échanger un mot. Ils avaient trop peur de se disputer à nouveau… Valérie fit la vaisselle tandis que Jean-Philippe s'isolait dans son bureau pour relire deux ou trois dossiers. Lorsqu'il la rejoignit dans leur chambre, Valérie était déjà couchée. Son mal de tête avait empiré.

Leurs relations s'étaient dégradées à une vitesse incroyable. Subitement, ils n'avaient plus rien à se dire, si ce n'est pour se quereller à propos de Pékin. Jean-Philippe se glissa sous les draps, éteignit la lumière ; Valérie, qui lui tournait le dos, murmura un simple « bonne nuit ». Allongés côte à côte dans le noir, ils se sentaient plus seuls que jamais. Comme si une autre personne avait pris la place de celle qu'ils aimaient et était en train de détruire leur couple…

Xavier appela Chantal une semaine après leur rencontre à l'aéroport et le dîner qui avait suivi. Elle lui avait envoyé un texto pour le remercier et lui communiquer son numéro de téléphone. Puis elle s'était replongée avec une énergie décuplée dans l'écriture de son scénario. Voir Éric la regonflait toujours à bloc.

— Je voulais vous appeler plus tôt, expliqua Xavier, mais j'étais à Zurich toute la semaine. Je suis rentré hier soir.

— Vous voyagez beaucoup, j'ai l'impression.

— Oui, j'ai des clients un peu partout en Europe. Dites-moi, Chantal, vous êtes libre demain ? Je vous aurais bien proposé un petit restaurant dès ce soir, mais il est déjà huit heures et je suis encore au bureau.

— Demain, ce sera parfait pour moi, lui assura-t-elle avec un sourire dans la voix.

— Super. Que voulez-vous manger ?

— N'importe, je ne suis pas difficile. Je n'aime pas la nourriture trop épicée, c'est tout.

— Ça tombe bien, moi non plus. Je vais nous trouver quelque chose de sympa. Je passerai vous chercher à vingt heures trente – et ne vous habillez pas trop chic, j'adore les bistrots.

— Moi aussi !

Chantal était rassurée : les robes sophistiquées et les talons aiguilles, très peu pour elle. Sa préférence allait vers les soirées décontractées entre amis.

Lorsque Xavier sonna à sa porte le lendemain soir, Chantal était parvenue à un compromis : jean, talons hauts et pull en cachemire assorti à ses yeux. Sans oublier une veste au cas où la nuit serait fraîche. Xavier portait un jean lui aussi, et des chaussures en daim marron – une association que Chantal avait toujours trouvée sexy chez les hommes.

Ils montèrent dans la vieille décapotable de Xavier, une MG avec le volant à droite. Tandis qu'ils roulaient cheveux au vent dans l'air tiède de l'été, Chantal s'extasia sur la voiture, pour le plus grand plaisir de Xavier. Il s'arrêta devant un restaurant qu'elle ne connaissait pas, sur la rive droite, flanqué d'une terrasse et d'un joli jardin. L'ambiance y était conviviale et détendue, et les plats, typiques des bistrots parisiens, se révélèrent délicieux.

Xavier lui expliqua ce qu'il était allé faire à Zurich, tout en prenant soin de respecter le secret professionnel auquel il était tenu. Lorsqu'il apprit qu'elle n'avait jamais mis les pieds à Art Basel, la foire d'art contemporain de Bâle, il lui promit de l'y emmener un jour.

— C'est un événement incroyable, qui rassemble les plus grands artistes. Mais on y voit aussi des inconnus. J'ai plusieurs clients qui exposent là-bas. L'un d'eux conçoit des jeux vidéo.

Xavier avait l'air de faire un métier passionnant. Il lui posa à son tour des questions sur le scénario qu'elle écrivait. Tandis qu'elle lui racontait l'histoire en détail, Chantal songea qu'il était fort agréable de pouvoir parler de son travail à quelqu'un autour d'un dîner. Xavier était impressionné par les sujets qu'elle traitait, tant pour le cinéma que dans ses documentaires. Celui qu'elle préparait actuellement sur les femmes ayant survécu à un camp de la mort s'annonçait captivant. Elle y travaillait depuis plusieurs mois et n'en était encore qu'à la moitié.

Sur ce, Xavier suggéra qu'ils se rendent ensemble à la FIAC, la Foire internationale d'art contemporain qui avait lieu chaque automne à Paris. Chantal, surprise, ne put taire sa perplexité.

— Mais, Xavier… que faites-vous avec une vieille comme moi ?

Ce mystère la taraudait. Comment un homme aussi séduisant et aussi intéressant que lui pouvait avoir envie de traîner avec une femme de dix-sept ans son aînée ? Certes, Chantal avait aussi seize ans de différence avec Jean-Philippe, mais Xavier n'avait pas du tout la même attitude avec elle. Il semblait voir en elle une femme désirable, et non pas seulement une « copine ».

— Qu'est-ce que l'âge vient faire là-dedans ? répliqua-t-il, étonné. Vous êtes belle, drôle et intelligente. C'est tout ce qui m'importe. Et puis, a priori, vous ne devriez pas me tanner pour que je vous fasse un enfant, vu que vous en avez déjà trois.

— Ah oui, l'âge est un avantage si on voit les choses sous cet aspect ! s'exclama-t-elle en riant. En plus, ils sont déjà partis, vous n'aurez donc pas à les supporter.

— Pas plus que vous… Du coup, je me dis que vous aurez peut-être un peu de temps pour moi, lança-t-il, plein d'espoir…

Du temps, elle en avait à revendre, certes : elle pouvait facilement trouver une place dans sa vie pour un homme. Mais elle avait cessé d'espérer. Et elle n'avait jamais fréquenté quelqu'un d'aussi jeune.

— Vous voulez vraiment sortir avec moi, Xavier ? reprit-elle. Mon âge ne vous arrête pas ?

— Vous n'êtes pas vieille, enfin ! L'âge, ce n'est qu'un chiffre. Vous pourriez avoir trente ans ou même vingt-cinq et me barber à mort. Vous êtes une femme sexy et talentueuse, Chantal. J'ai de la chance que vous acceptiez de dîner avec moi.

Et il semblait sincère, ce qui flattait infiniment l'amour-propre de Chantal.

Le samedi suivant, ils se promenèrent au jardin des Tuileries, dînèrent au Costes en terrasse et terminèrent par une séance de cinéma. Une fois de plus, la soirée fut des plus agréables.

Lorsqu'elle retrouva Jean-Philippe pour déjeuner, quelques jours plus tard, Chantal se décida à lui parler de Xavier.

— Ah oui, je me souviens de lui, au Dîner en blanc, répondit son ami. Il avait l'air sympa. Quelle petite cachottière tu fais, Chantal ! Ça a commencé quand ? Dès ce soir-là ? Tu ne m'as rien dit quand on s'est vus le lendemain.

— Non, il ne s'est rien passé ce soir-là. Mais je l'ai recroisé plusieurs fois après, au Bon Marché puis à l'aéroport en revenant de Berlin. Il m'a aidée à porter ma valise. Et il m'a dit qu'on était destinés à se revoir, puisque le hasard nous avait réunis déjà trois fois.

— Qui sait ? C'est peut-être le début d'une belle histoire…

Jean-Philippe était heureux pour son amie. Elle semblait prendre du bon temps avec ce garçon.

— Il y a quelque chose qui me met mal à l'aise, toutefois, lui confia-t-elle. Xavier a dix-sept ans de moins que moi, ça fait beaucoup. Il n'a pas l'air de s'en soucier, mais imagine que je m'attache… Un jour ou l'autre, il finira par rencontrer une fille plus jeune, et je resterai sur le carreau.

— Ce n'est pas dit que ça finisse comme ça, objecta Jean-Philippe. Qui peut savoir à l'avance comment une relation va évoluer ? Regarde-moi : mon mariage est en train de se casser la figure… Et tu as vu le gâchis que Gregorio a fait de sa vie au bout de vingt ans ? Benedetta demande le divorce.

— Je la comprends, lança Chantal. Il est allé trop loin, cette fois.

— Il paraît qu'elle le vire aussi de leur société. À mon avis, elle a raison. Comment veux-tu diriger une entreprise avec un type qui est parti avec une autre femme et dont tu divorces ? Il y aurait de quoi perdre la tête.

Jean-Philippe considéra son amie, songeur.

— Pour en revenir aux histoires d'amour, reprit-il en souriant, personne ne peut prédire la façon dont elles vont finir. Tu as peut-être trouvé le bon, Chantal. Qui sait ?

— Je ne peux pas rivaliser avec les femmes de son âge…

— Tu n'en as pas besoin, tu as d'autres atouts. Visiblement, c'est avec toi qu'il a décidé de sortir.

— Pour l'instant, nuança-t-elle. Et toi, au fait ? Est-ce que Valérie a pris une décision concernant Pékin ?

Jean-Philippe poussa un soupir. Chantal avait bien vu qu'il avait l'air fatigué et malheureux et qu'il avait perdu du poids depuis leur dernier déjeuner.

— Elle dit que, si j'ai besoin d'une réponse tout de suite, c'est non. Mais elle n'est pas sûre. Moi, je pense qu'elle n'acceptera pas. Je vais peut-être devoir partir tout seul.

Chantal parut choquée.

— Et tu laisserais Valérie et les enfants ici ?

Il acquiesça, la mine résignée.

— Vraiment ? Tu crois que c'est une bonne idée ? Il me semble que vous êtes trop jeunes pour rester séparés si longtemps. L'un comme l'autre, vous pourriez faire une bêtise dans un moment de solitude.

Jean-Philippe y avait pensé, mais il faisait confiance à Valérie. Et lui ne l'avait jamais trompée non plus.

— Je reviendrais tous les deux mois. Et on pourrait essayer pendant un an, voir ce que ça donne. Je n'ai pas envie de laisser passer cette chance. Des opportunités comme celle-là, on n'en rencontre qu'une fois dans sa carrière.

— Valérie va sacrément en baver, toute seule avec trois enfants en bas âge, protesta Chantal. Crois-moi, j'ai connu ça…

— Oui, je sais. J'ai l'impression qu'elle ne réalise pas à quel point ce sera dur si elle ne m'accompagne pas. Surtout, je doute fortement qu'elle soit prête à renoncer à sa carrière chez *Vogue*.

— C'est votre mariage qu'elle risque de fiche en l'air…

— Ça montre où se situent ses priorités, répondit-il tristement. Pour tout te dire, je ne pense pas être en haut de la liste. Je suis l'ennemi public numéro un, en ce moment. Mais je ne peux pas non plus sacrifier ma carrière pour la sienne.

Chantal était bien désolée pour eux, et elle espérait de tout cœur que leur couple surmonterait cette épreuve. Pour l'heure, cela ne semblait pas gagné…

Ils bavardèrent de choses et d'autres, puis Jean-Philippe repartit au bureau tandis que Chantal rentrait chez elle. Le lendemain, elle devait remettre plusieurs scènes au producteur et souhaitait les relire une dernière fois avant de les imprimer.

Ce soir-là, alors qu'elle dînait avec Xavier, Chantal repensa à ce que Jean-Philippe lui avait dit à propos de leur différence d'âge. Peut-être avait-il raison, peut-être devrait-elle moins s'en soucier… Au cours du repas, Xavier lui fit une proposition qui ne manqua pas de la surprendre :

— Je pars en Corse chez mon frère la semaine prochaine. Il a une maison très agréable, avec plusieurs chambres d'amis. Ça vous dirait de m'accompagner ? Les vacances là-bas sont toujours relaxantes, on passe notre temps à nager, pêcher, manger et lézarder au soleil. Il a deux gamins super et une femme formidable. Vous auriez votre propre chambre, bien sûr, précisa-t-il.

Chantal sourit. Ils ne s'étaient même pas encore embrassés – elle n'était pas certaine, d'ailleurs, que cela arriverait un jour. Deviendraient-ils amants, ou resteraient-ils simplement amis ? Pour l'instant, elle n'en savait absolument rien. C'était trop tôt. À cet égard, l'idée qu'ils puissent faire chambre à part lui convenait tout à fait.

— Vous êtes sûr que ça ne dérangerait pas votre frère et votre belle-sœur de recevoir une parfaite inconnue ?

— Sûr et certain. Ce sont des gens très accueillants. J'ai déjà amené des amis là-bas, ça n'a jamais posé de problème. Je crois que vous les apprécierez, et je ne doute pas un seul instant qu'ils vous adoreront. Alors, c'est oui ?

Chantal réfléchit quelques secondes, songea aux conseils de Jean-Philippe, et décida de jeter son bonnet par-dessus les moulins. Après tout, elle avait pris de l'avance dans son travail et pouvait s'accorder quelques vacances.

— C'est oui, répondit-elle en souriant.

À sa grande surprise, Xavier se pencha alors au-dessus de la table et l'embrassa. Elle en fut toute chamboulée. Le côté imprévisible de Xavier lui plaisait, tout autant que son esprit brillant. Le moins que l'on puisse dire, c'est qu'elle ne s'ennuyait pas avec lui.

— Merci, murmura-t-il en lui prenant la main.

— De quoi ?

— De me faire confiance. Vous verrez, on va bien s'amuser.

Chantal n'en doutait pas. Soudain, elle avait hâte de partir en vacances avec lui. Finalement, être seule et disponible avait quelques avantages : on pouvait accepter l'invitation d'un homme sans y réfléchir à plusieurs fois… L'espace d'un instant, elle se demanda ce que ses enfants auraient pensé de sa décision. Mais pour une fois, elle s'en fichait. Elle était libre, et Xavier aussi.

7

À l'aéroport d'Ajaccio, ils louèrent une voiture. Chantal proposa à Xavier de participer aux frais, mais il refusa tout net. Il mettait un point d'honneur à l'inviter à chacune de leurs sorties. Cette galanterie la touchait. Elle regarda Xavier mettre leurs valises dans le coffre de la petite Peugeot, songeuse. Voilà bien longtemps qu'elle n'avait pas passé de vacances avec un homme… Sa dernière relation sérieuse remontait à dix ans. Depuis, le temps avait filé et personne n'avait conquis son cœur. Le plus surprenant, c'était qu'elle connaissait à peine Xavier. Certes, elle avait pu constater qu'ils partageaient peu ou prou la même philosophie de vie, mais de là à partir en vacances ensemble ? C'était une décision qui supposait déjà un certain engagement. Autrefois, cela aurait été synonyme d'amour pour elle, mais aujourd'hui elle prenait cela plus à la légère, n'y voyant qu'une occasion de passer du bon temps avec quelqu'un. Chantal se sentait très insouciante tandis qu'ils roulaient en direction du village où habitait le frère de Xavier.

— Qu'est-ce qui vous fait sourire ? demanda ce dernier, intrigué.

— Rien… Tout ça, nous. Ça fait des années que je ne suis pas partie avec un homme. J'ai toujours passé les vacances avec mes enfants, sans jamais inviter mon compagnon du moment – quand il y en avait un. Il ne me semblait pas sain de mêler ma famille à mes histoires d'amour. Ma fille et mes fils étaient habitués à me voir seule, et je n'ai jamais eu de relation assez sérieuse pour vouloir en faire un sujet de dispute avec eux.

— Et maintenant ?

Xavier était curieux d'entendre sa réponse. Il avait déjà compris qu'elle aimait beaucoup ses enfants et qu'elle leur était encore profondément dévouée, même s'ils vivaient loin d'elle. Quant à savoir si elle était aussi importante pour eux qu'ils l'étaient pour elle, il préférait s'abstenir de poser la question.

— Oh, maintenant, ils me voient comme une petite vieille, lâcha-t-elle. Ça ne leur viendrait pas à l'esprit qu'il puisse y avoir un homme dans ma vie, ou même que je puisse en avoir envie.

Il profita d'un feu rouge pour se tourner vers elle.

— Et vous en avez envie, Chantal ?

— Je ne sais pas… J'ai cessé de me poser la question depuis longtemps. Et depuis longtemps je me dis que je finirai ma vie toute seule. Ce n'est pas spécialement ce que je désire, mais j'en avais accepté l'idée. Cela fait belle lurette que je n'attends plus le prince charmant. Mon travail m'occupe bien, et je vois mes enfants quand c'est possible. Deux ou trois fois par an chacun : ce n'est pas beaucoup, mais ils ont des vies bien remplies. Je n'ai pas envie de m'imposer.

— Et là-dessus, je débarque dans votre existence, conclut Xavier.

Chantal se mit à rire. Lui non plus ne s'attendait pas à la rencontrer ; c'était le destin qui en avait décidé. Si surprenante que leur relation puisse paraître, elle leur plaisait à tous les deux et semblait plutôt bien marcher jusqu'ici.

— Je commence à me demander ce que vous avez pu faire comme vœu, ce soir-là, pour que je croise votre chemin deux fois de suite après, ajouta-t-il.

Chantal baissa les yeux en rougissant.

— Ah ah ! J'ai donc raison. C'était peut-être bien moi, votre vœu !

— Ne racontez pas de bêtises, dit-elle, gênée.

Xavier était bien plus proche de la vérité qu'il ne l'imaginait... Chantal avait fait le souhait de rencontrer un homme qu'elle aimerait et qui l'aimerait en retour, quelqu'un avec qui elle pourrait partager sa vie. Cela lui avait semblé idiot sur le moment, mais elle s'était dit que ça ne coûtait rien d'essayer. Et Xavier était apparu... De fait, il était même présent à ses côtés lorsqu'elle avait formulé ce vœu !

— Méfiez-vous de vos rêves, Chantal, ils pourraient se réaliser, la taquina-t-il.

La campagne corse défilait sous leurs yeux, magnifique, avec ses paysages sauvages parsemés de maisons et la mer visible à l'horizon. Au bout d'une heure de route, ils longèrent des vergers, dépassèrent une ferme, puis s'arrêtèrent enfin devant une vieille bâtisse. Celle-ci avait manifestement connu plusieurs agrandissements et aurait eu bien besoin d'un coup de peinture, mais l'impression qui s'en dégageait était celle d'un nid accueillant et chaleureux. Des chevaux paissaient dans un pré, juste à côté ; Xavier lui apprit qu'ils appartenaient au voisin. C'était un endroit charmant, idéal pour des vacances reposantes.

Ils entrèrent par la porte de derrière et trouvèrent Mathieu et sa femme Annick dans la cuisine, en short et tee-shirt. Les enfants étant sortis, ils profitaient d'un moment de calme avant de partir à la plage. Les reliefs d'un déjeuner copieux étaient visibles sur la table. Le visage de Mathieu s'éclaira d'un large sourire et il se leva pour embrasser son frère, avant de serrer la main de Chantal. Il semblait avoir dix bonnes années de plus que Xavier, tandis qu'Annick approchait de la cinquantaine. Musicien de jazz dans sa jeunesse, Mathieu s'était reconverti dans l'immobilier et gagnait plutôt bien sa vie. Annick, elle, faisait des traductions pour une maison d'édition. Si leur propriété n'était plus de première fraîcheur, elle était spacieuse et agréable – le genre d'endroit d'où l'on n'avait plus envie de repartir. Xavier avait prévenu Chantal que les enfants de son frère invitaient toujours une foule d'amis. Mathieu et Annick aimaient avoir du monde chez eux. Ils convièrent les nouveaux venus à prendre place autour de la table pour se restaurer, et Xavier et Chantal se régalèrent de poulet froid, de salade méditerranéenne, de pain et de fromage, le tout accompagné d'un verre de vin. Le séjour commençait bien.

— Je vais aller pêcher. Tu veux venir avec moi ? demanda Mathieu à son frère.

— Non, pas tout de suite. J'aimerais d'abord faire visiter le coin à Chantal.

— Vous connaissez un peu la Corse ? s'enquit Mathieu tandis qu'Annick entreprenait de débarrasser la longue table.

— J'y suis venue en vacances avec mes enfants quand ils étaient petits, répondit Chantal. On avait loué un voilier. On s'est bien amusés.

— Vous savez piloter ?

Xavier grogna en la voyant acquiescer.

— Ne lui dites surtout pas ça, il va vous garder sur son bateau toute la journée ! Mon frère se sert de ses invités comme esclaves. Pour chaque heure que vous passez à bord, vous lui devez cinq heures de nettoyage des ponts. Ce bateau, c'est sa maîtresse.

— C'est un vieux voilier en bois des années quarante. Les ponts sont en teck, précisa fièrement Mathieu.

Annick leva les yeux au ciel, et tout le monde se mit à rire.

Lorsqu'ils eurent terminé leur repas, Annick les conduisit à l'étage. À la demande de Xavier, elle les avait installés dans des chambres voisines. Elle ignorait la nature exacte de leurs relations et ne posa pas de questions. Son beau-frère avait amené un certain nombre de femmes au fil des ans, des amoureuses comme des amies. Ni Annick ni Mathieu n'étaient choqués par la différence d'âge entre Xavier et Chantal : ils étaient juste heureux de faire la connaissance de cette dernière et de l'accueillir parmi eux. Annick connaissait d'ailleurs ses films et en était très fan.

Xavier laissa à Chantal la plus grande chambre, qui jouissait également de la plus belle vue. Puis il l'emmena visiter les environs en voiture. Lorsqu'ils revinrent vers dix-huit heures, la nièce et le neveu de Xavier rentraient tout juste de la plage avec leurs amis. Un peu plus jeunes que les enfants de Chantal, ils débordaient d'énergie. À dix-neuf ans, la fille de Mathieu et Annick étudiait le droit à Lille pour devenir avocate comme son oncle, tandis que leur fils, âgé de vingt-deux ans, préparait médecine à Grenoble.

La soirée s'annonçait très agréable. L'ambiance était détendue ; ils préparèrent le dîner tous ensemble, plaisantant et riant… Les enfants échangeaient librement avec leurs parents et taquinaient sans relâche leur oncle, qui se défendait bien. Une atmosphère joyeuse, qui rendit Chantal quelque peu nostalgique de sa propre progéniture.

Lorsqu'ils s'assirent autour de la table de la cuisine, ils étaient presque vingt, avec le fils du voisin qui les avait rejoints.

— Ça va ? chuchota Xavier à l'oreille de Chantal.

À la regarder bavarder avec son neveu, elle n'avait pas l'air malheureuse, mais il préférait s'en assurer. Il savait que ces repas animés et bruyants pouvaient être un peu oppressants, pour les étrangers.

— J'adore, répondit-elle avec un sourire radieux. Ça, c'est une vraie famille.

Elle avait vécu exactement la même chose quand ses enfants étaient plus jeunes. Elle louait des gîtes en Normandie, en Bretagne et dans le Var, près de Ramatuelle, et ils y passaient de superbes vacances. Hélas, cette époque était révolue. À présent, ses fils et sa fille menaient leur propre vie, poursuivaient leurs propres rêves, à des milliers de kilomètres de Paris. Chantal enviait Mathieu et Annick d'avoir encore leurs enfants à portée de main. Comme ils étaient étudiants, ils restaient avec eux tout l'été...

— C'est pour ça que je ne veux pas d'enfants, lui confia Xavier à voix basse. Je peux profiter de ma nièce et de mon neveu, et rentrer chez moi ensuite.

Ces derniers adoraient leur oncle : Xavier avait beaucoup de succès auprès des jeunes. En fin de soirée, Chantal et lui s'installèrent dehors pour contempler le ciel étoilé, savourant un moment de calme après l'animation des dernières heures.

— J'aime beaucoup cet endroit, murmura Chantal, heureuse. Ça me donne l'impression de rajeunir.

La vie était tellement simple, ici ! Elle avait eu le sentiment d'être accueillie au sein d'une petite communauté très soudée.

Xavier sourit.

— Moi aussi, j'adore. D'ailleurs, je reviens toujours deux ou trois semaines au mois d'août, et les week-ends quand c'est possible. Si ça vous dit, vous êtes la bienvenue.

Chantal s'était parfaitement intégrée au groupe, comme il l'avait pressenti. C'était une qualité qu'il appréciait beaucoup chez elle : malgré ses succès professionnels, elle n'était pas du style à jouer les grandes dames. Elle avait du talent, mais savait rester modeste – et sur ce point, Xavier lui ressemblait. Il ne supportait pas les gens qui cherchaient à impressionner leur monde.

— C'est dommage, je ne vais pas pouvoir, répondit-elle. Au mois d'août, je dois aller voir ma fille à Hong Kong. J'y vais chaque année pendant une semaine... Il faut dire qu'elle ne me supporterait pas plus longtemps. On est si différentes, toutes les deux ! Charlotte est beaucoup plus conformiste que moi, plus attachée aux traditions. Elle pense que je suis une irrécupérable bohémienne. Je l'aime, évidemment. Mais, comme disent les Anglais, on est comme la craie et le fromage. De fait, elle est très british : elle a vécu en Angleterre plusieurs années après son école de commerce. Aujourd'hui, elle parle couramment le mandarin.

La fierté et le regret se mêlaient dans sa voix. Xavier devinait que les deux femmes étaient comme deux navires se croisant dans la nuit.

— Et ensuite, je pars pour Los Angeles rendre visite à mon fils aîné, le cinéaste, poursuivit Chantal. Lui, c'est encore autre chose… Il est devenu très américain, ce qui ne nous empêche pas de bien nous entendre. Je ne sais pas ce que j'ai fait de mal, mais visiblement aucun de mes enfants n'a envie d'être français – ou, en ce qui concerne Éric, de vivre en France. Il dit que la scène artistique parisienne est morte, et il a peut-être bien raison.

Si Chantal ne portait aucun jugement sur ses enfants, il semblait clair qu'ils vivaient tous une vie très différente de la sienne, et que leurs choix et leurs personnalités n'avaient rien de commun. Pour autant, elle les respectait. Xavier trouvait cela admirable.

— J'aimerais bien les rencontrer, un jour. Ils ont l'air intéressants.

Chantal eut un petit rire.

— Ils le sont, c'est certain. Chacun à leur manière.

— Est-ce qu'ils sont proches ?

Xavier prenait beaucoup de plaisir à bavarder avec Chantal, à découvrir peu à peu qui elle était. Du fait de son métier et des circonstances de la vie, elle était une femme très solitaire. Parfois, il percevait cette solitude, cette tristesse, dans son regard, et il en avait le cœur serré. Elle n'était pas brouillée avec ses enfants, et pourtant ils ne lui accordaient que très peu de temps. Toute la soirée, elle avait absorbé l'énergie des jeunes gens autour d'elle et s'était amusée avec eux comme elle l'aurait certainement fait avec ses propres enfants.

Elle prit le temps de réfléchir à sa question avant de répondre.

— Ils sont proches quand ils se retrouvent, mais ils ont des intérêts très divergents. Charlotte est la plus conservatrice des trois. Paul est très pris par sa vie à Los Angeles avec sa petite amie américaine. Et Éric, c'est l'excentrique de la famille. Quand on le voit à côté de sa sœur, on a du mal à croire qu'ils sont du même sang.

L'idée la fit sourire.

— En fait, les choses se sont compliquées à partir du moment où ils se sont mis en couple. Les amoureux ou amoureuses de chacun ont accentué leurs différences et créé parfois des tensions. Moi, j'essaie d'être tolérante vis-à-vis des partenaires qu'ils se choisissent. Ils sont grands et ont bien le droit d'aimer qui ils veulent. Mais ils sont moins cool entre eux. Ils se montrent parfois même très critiques.

— Et avec vous, ils sont compréhensifs ? s'enquit Xavier.

Chantal sourit.

— Pas vraiment. Ils ont été plutôt horribles avec les rares hommes que je leur ai présentés. Et aujourd'hui, ils pensent que ça me convient d'être seule.

— C'est le cas ?

— Pas autant qu'ils le croient, répondit-elle avec franchise. Ça fait bien longtemps que j'ai arrêté de les mêler à ma vie sentimentale. De toute façon, ça ne valait pas le coup : je n'ai pas eu d'histoire sérieuse après la mort de mon mari. C'est sûrement pour ça que mes enfants ne m'imaginent pas avec quelqu'un. Ils étaient tellement jeunes quand ils ont perdu leur père ! Ils me voient uniquement comme une mère, un fournisseur de services, et non comme une femme qui a des besoins et qui peut parfois se sentir seule, malade ou triste. Mais c'est ma faute. C'est moi qui ai accepté d'être leur esclave pendant toutes ces années.

Xavier se souvint de la boîte à outils qu'elle avait transportée dans sa valise pour aller voir son fils. Il visualisait sans peine le genre de « mère à tout faire » qu'elle était pour ses enfants.

— S'ils n'ont même pas conscience que vous avez des désirs comme tout le monde, ce n'est pas sain, observa-t-il. Pourquoi resteriez-vous seule ? Vous êtes jeune.

— Je suis d'accord, ce n'est pas sain. J'ai un travail à faire là-dessus. En fait, je ne voulais pas qu'ils voient mes faiblesses quand ils étaient petits. Du coup, aujourd'hui, ils pensent que je n'en ai pas.

— Il est temps que vous ayez votre propre vie. Ils ont bien la leur.

Encore fallait-il que la vie en question vaille la peine de bousculer leurs convictions… Chantal n'avait aucune envie de se lancer dans cette bataille pour rien, même si elle y avait souvent songé – notamment vis-à-vis de Charlotte, qui ne s'intéressait absolument pas à elle et ne l'appelait que quand elle avait besoin de quelque chose. Jamais elle ne lui passait un coup de fil pour prendre de ses nouvelles ou pour bavarder. Éric était bien le seul à le faire. Mais c'était un garçon gentil et sensible, qui avait toujours été proche de Chantal… Charlotte était d'un naturel beaucoup plus froid.

Après avoir devisé un moment, les deux amis montèrent à l'étage. Xavier s'arrêta devant la chambre de Chantal. Il brûlait d'y entrer avec elle, mais n'osa pas lui en faire la demande. À la place, il l'embrassa. D'abord tendrement, puis avec passion. Au même moment, une porte s'ouvrit dans le couloir et le neveu de Xavier apparut sur le seuil.

— Bien joué, oncle Xavier ! chuchota-t-il en passant à côté d'eux.

Alors qu'il s'enfermait dans la salle de bains, les deux adultes se mirent à rire.

— Bienvenue dans ma famille, Chantal. Ils sont très fins, comme tu peux voir, lâcha Xavier.

— Je les adore ! répondit-elle, tout sourires.

Et ils s'embrassèrent de nouveau.

Malgré la présence des nombreux jeunes qui circulaient dans la maison, malgré les demandes insistantes de Mathieu qui tenait à emmener son frère pêcher tous les matins à l'aube, et malgré la minceur des cloisons, Chantal et Xavier se retrouvèrent dans le même lit dès le troisième soir. C'était l'endroit rêvé pour entamer une idylle, dans une ambiance à la fois aimante et détendue, chaleureuse et rassurante. Dès lors, ils passèrent toutes leurs nuits ensemble, faisant semblant de croire que personne n'avait rien remarqué. À la fin de la semaine, leur secret était connu de tous, et ils cédèrent la chambre de Xavier à un ami des enfants pour les deux dernières nuits.

Chantal avait l'impression de faire partie de la famille. Elle contribua même au nettoyage du voilier de Mathieu, au retour d'un après-midi passé en mer. Le dernier soir, alors qu'ils contemplaient, main dans la main, les étoiles filantes, confortablement installés dans des fauteuils de jardin, elle tourna vers Xavier un regard empli de reconnaissance. Jamais elle n'avait été aussi heureuse.

— Tout est si parfait, murmura-t-elle en l'embrassant.

Xavier semblait comblé, lui aussi.

— Tu reviendras ? lui demanda-t-il.

— Si tu veux bien de moi.

Il lui répondit par un baiser.

— C'est dommage que je parte à Hong Kong la semaine prochaine, se désola-t-elle. Je n'ai pas envie de te quitter.

En sept jours, ils avaient déjà noué des liens forts. Chantal n'avait pas songé une seule fois à leur différence d'âge… Xavier avait raison : personne ne s'en souciait. Ils n'avaient eu droit à aucune remarque sur ce sujet.

Elle eut soudain une idée. Certes, elle ne pouvait pas inviter Xavier à Hong Kong : Charlotte était bien trop protocolaire (pour ne pas dire coincée) pour qu'elle se présente chez elle avec un homme, qui plus est un homme plus jeune, sans avoir préparé le terrain auparavant. Sa fille ne comprendrait pas, et Chantal n'avait pas envie de se justifier auprès d'elle. En revanche, Paul était bien plus ouvert que sa sœur, plus détendu aussi. Xavier pourrait peut-être venir avec elle à Los

Angeles ? Quand ils se couchèrent ce soir-là, elle lui fit part de son idée.

— J'avais prévu de revenir ici, mais c'est vrai que ça fait quelques années que je ne suis pas allé aux États-Unis, répondit-il. On pourrait même longer la côte en voiture avant de s'arrêter chez ton fils… Tu es sûre que ma présence ne va pas l'ennuyer ?

— Ça va l'étonner, c'est certain, mais je pense que vous vous entendrez bien. Paul est plutôt tolérant, d'une manière générale – quoique un peu moins quand ça me concerne. Il aura peut-être besoin qu'on l'aide un peu, mais il s'y fera. J'aimerais beaucoup que tu viennes.

— Dans ce cas, je viendrai. Deux semaines en Corse, ça suffira bien.

Chantal était ravie… Elle informerait son fils qu'elle serait accompagnée ; connaissant Paul, il ne lui poserait aucune question et n'imaginerait même pas qu'il puisse s'agir d'un homme. Il risquait d'être surpris… En tout état de cause, la présence de Xavier ne les dérangerait pas outre mesure, lui et sa petite amie, puisque Chantal logeait toujours à l'hôtel lorsqu'elle leur rendait visite. Éric était le seul à insister pour qu'elle campe chez lui, au milieu de son bazar. Quant à Charlotte, elle détestait recevoir, mais tolérait sa mère.

Le lendemain, au moment du départ, Mathieu et Annick embrassèrent Chantal avec effusion et la pressèrent de revenir vite les voir. Dans l'avion pour Paris, Xavier et Chantal ne cessèrent de se sourire. Voilà bien longtemps qu'elle n'avait passé de si belles vacances, et, l'un comme l'autre, ils avaient hâte de repartir ensemble pour la Californie.

8

Xavier dormit chez Chantal tous les soirs jusqu'au départ de cette dernière pour Hong Kong. Dans la semaine, elle appela Jean-Philippe, qui lui confia que rien n'avait changé entre sa femme et lui. Ils s'adressaient à peine la parole. Il espérait toutefois que leurs relations s'arrangeraient pendant leurs vacances dans la maison de famille de Valérie, aux États-Unis. Chantal lui raconta son séjour en Corse ; Jean-Philippe était heureux pour elle, et comptait bien rencontrer Xavier avant la rentrée. Dans l'intervalle, il lui souhaita un bon voyage à Hong Kong.

Xavier accompagna Chantal à l'aéroport. Cette fois-ci, elle partait avec deux valises : Charlotte attendait d'elle qu'elle s'habille correctement quand elle venait la voir. Pas question de porter des jeans ou des tenues décontractées, celles qu'elle qualifiait sévèrement de « hippies ». La vie de bohème, très peu pour elle. Il fallait qu'elle soit conforme à l'image de la jeune cadre qui monte.

Après avoir embrassé Chantal, Xavier regagna son appartement. Il allait être bien occupé pendant l'absence de Chantal : il partait à Londres le lendemain pour rencontrer des clients, s'envolerait ensuite pour Genève, avant de retourner chez son frère à la fin de la semaine. Chantal l'enviait, mais elle n'en était pas moins heureuse de retrouver Charlotte, qu'elle n'avait pas vue depuis Noël. Elle regrettait tellement de ne pas la voir plus souvent… Malgré leurs différences, elle l'aimait profondément. Charlotte n'avait jamais été démonstrative, même étant enfant. Son caractère froid et réservé lui rappelait sa grand-mère maternelle : une femme de peu de mots, forte et austère. Voilà qui prouvait, s'il en était besoin, que les gènes étaient capables de sauter des générations…

Chantal atterrit à l'aéroport international de Hong Kong après un vol de douze heures trente pendant lequel elle dormit une bonne partie du temps. Sa fille l'avait prévenue qu'elle serait en réunion et qu'elle laisserait les clés de son appartement au concierge. Sa domestique viendrait l'aider à s'installer.

Charlotte avait déménagé depuis la dernière visite de Chantal ; celle-ci fut impressionnée par son nouveau logement, perché au quarantième étage d'un immeuble neuf dans le secteur très moderne du pic Victoria, à quelques minutes en voiture du quartier des affaires. L'appartement avait coûté cher, mais Charlotte en avait les moyens. Et comme elle l'avait rempli d'antiquités anglaises, on avait l'impression de se trouver à Londres ou à New York, et non à Hong Kong. Pas très douillet ni chaleureux, il était plutôt austère et traditionnel, à l'image de sa propriétaire.

Lorsque Charlotte rentra en fin d'après-midi, elle parut sincèrement heureuse de la présence de sa mère.

Tout en lui servant un verre de vin, elle lui confia qu'elle était sur le point d'obtenir une promotion qui s'accompagnerait d'une belle augmentation de salaire. Elle rêvait de prendre la direction de la banque un jour. Des trois enfants de Chantal, Charlotte était la plus ambitieuse. Elle travaillait dur pour atteindre ses objectifs.

Physiquement, elle ressemblait beaucoup à sa mère, dont elle avait hérité les yeux bleus et les cheveux blonds. Mais l'énergie qu'elle dégageait était en tout point différente de celle de Chantal.

Alors qu'elles préparaient le dîner, Charlotte lança :

— J'ai une grande nouvelle à t'annoncer, maman : je vais me marier.

Chantal sentit son cœur se serrer dans sa poitrine. Si sa fille se mariait à Hong Kong, elle ne reviendrait sans doute jamais vivre en France.

— Il s'appelle Rupert MacDonald. Il est originaire de Londres, mais il vit ici depuis plus longtemps que moi, expliqua-t-elle. Il est banquier d'affaires dans une firme concurrente. Il a trente-quatre ans et a fait ses études à Eton et à Oxford – c'est un vrai British ! On prévoit de se marier ici au mois de mai.

Chantal l'imaginait déjà : anglais jusqu'au bout des ongles… Charlotte lui avait dit qu'elle fréquentait quelqu'un depuis un an, mais ne lui avait pas parlé de lui plus précisément.

— J'aimerais que tu t'occupes d'organiser le mariage, maman. On voudrait quelque chose d'assez modeste – pas comme ce qui se fait ici… Une centaine d'invités maximum et une réception au Hong Kong Club. Il faudra aussi que je trouve une robe… Rupert m'a fait sa demande il y a deux semaines, mais je voulais attendre que tu sois là pour t'annoncer la nouvelle.

Elle tendit la main, laissant sa mère admirer le joli saphir cerclé de diamants qu'elle portait à l'annulaire – une bague digne de la famille royale britannique, qui lui allait parfaitement.

— Et sur le long terme, vous prévoyez de rester ici, ou vous pensez rentrer en Europe ? s'enquit Chantal.

S'ils décidaient de fonder une famille, au moins, ils seraient plus près de Paris… Mais Charlotte secoua la tête.

— On aime trop cette ville pour la quitter. Ni lui ni moi ne nous imaginons vivre à nouveau en Angleterre ou en France. Shanghai, pourquoi pas… Mais on est heureux ici, et on n'a aucune raison d'aller ailleurs. Surtout si j'obtiens cette promotion. En plus, Rupert est associé dans sa boîte.

— Ah… très bien. Et quand aurai-je l'honneur de rencontrer ce charmant jeune homme ?

— Demain soir. Il nous emmène dîner au Caprice, à l'hôtel Four Seasons. C'est un restaurant trois étoiles, un des meilleurs de Hong Kong. Il voulait nous laisser entre mère et fille le premier soir.

Une expression de tendresse inhabituelle illumina le visage de Charlotte.

— Je l'aime vraiment, maman. Il est si bon avec moi !

— C'est ce qu'il faut, répondit Chantal en la prenant dans ses bras. Je suis très contente pour toi.

En cet instant, elle eut le sentiment d'avoir perdu sa fille pour toujours. Mais si celle-ci était heureuse avec l'homme qu'elle aimait, alors elle n'avait aucun argument à lui opposer…

Charlotte lui parla pendant un bon moment du mariage et de ses projets. Jamais elle ne s'était montrée aussi expansive. Elle espérait trouver une robe à Paris quand elle reviendrait pour Noël et voulait que sa mère l'aide à la choisir. Chantal répondit que rien ne lui ferait plus plaisir.

Ce soir-là, elle se retira assez tôt dans sa chambre et appela Xavier pour partager la nouvelle. Seraient-ils encore ensemble au mois de mai ? Si oui, Chantal l'inviterait au mariage, à condition bien sûr que sa fille n'y voie pas d'objection. Et peut-être même si elle en voyait, d'ailleurs. Mais tout cela était encore loin. Il pouvait se passer tellement de choses en presque un an !

Le lendemain matin, Charlotte était déjà partie au travail quand Chantal se réveilla. Elle alla visiter le musée d'Art de Hong Kong, avant de se promener dans le quartier commerçant de Causeway Bay, où l'on retrouvait toutes les grandes enseignes européennes – Prada, Gucci, Burberry, Hermès, Chanel… Certaines rues regorgeaient de bijoutiers et de petites boutiques spécialisées dans la contrefaçon de marques de luxe : ils proposaient, pour le plus grand plaisir des touristes, des articles à des prix défiant toute concurrence. Le marché nocturne de Temple Street, ouvert à partir de seize heures, comptait parmi les lieux favoris de Chantal. À tout point de vue, Hong Kong était la Mecque du shopping. Lors de sa première visite, elle était tombée dans le piège, mais aujourd'hui elle tentait de se montrer plus raisonnable. Lorsqu'elle regagna l'appartement de sa fille en fin de journée, il faisait encore une chaleur écrasante – comme toujours au mois d'août.

Charlotte rentra du travail à dix-neuf heures et trouva sa mère prête pour le dîner. La robe en soie noire que cette dernière avait revêtue lui donnait l'impression d'avoir l'âge de sa grand-mère. Mais elle savait que c'était ce que sa fille attendait d'elle, et elle ne voulait pas lui faire honte devant son futur mari. Celui-ci se révéla tellement classique, tellement « british », que Chantal eut du mal à se retenir de rire. Avec ses airs d'aristocrate guindé, Rupert était la quintessence du banquier anglais. Il semblait n'avoir ni légèreté ni imagination et faisait déjà plus vieux que son âge… Toutefois, Charlotte rayonnait de bonheur et le regardait avec adoration. Rupert possédait toutes les qualités qu'elle recherchait chez un homme. Il correspondait parfaitement à la vision qu'elle se faisait du prince charmant. Pourtant, son humour était si plat, si étriqué, que ses blagues en devenaient pénibles à entendre… Chantal fut soulagée quand vint le moment de quitter le restaurant.

Plus tard, Charlotte se glissa dans sa chambre, en chemise de nuit.

— Il est génial, hein, maman ? dit-elle, des étoiles plein les yeux. Il est si… parfait.

Chantal acquiesça. Tout ce qu'elle voulait, c'était que sa fille soit heureuse. Celle-ci passa une demi-heure à s'extasier sur son amoureux, avant de retourner dans sa chambre se coucher. Dès qu'elle fut seule, Chantal appela Xavier et lui raconta en termes plus francs ce qu'elle avait pensé de son futur gendre.

— Les goûts et les couleurs, ça ne se discute pas, conclut-elle en soupirant.

— Tu as dit à ta fille ce que tu pensais ?

— Bien sûr que non. Ce n'est ni un voleur, ni un toxico, ni un pédophile. Il n'est jamais allé en prison, n'a pas l'air du genre à battre sa femme, et n'a pas non plus une dizaine d'enfants illégitimes. Qu'est-ce que j'aurais à lui reprocher ? D'être ennuyeux, vieux jeu, trop conservateur ? C'est ce que ma fille recherche chez un homme ; de quel droit lui imposerais-je mes propres valeurs, mes propres rêves ? À chacune son idée du prince charmant. Après tout, ce n'est pas moi qui vais l'épouser !

— Tu es une mère formidable, Chantal. J'aurais bien aimé que la mienne te ressemble. À force de l'entendre me dire qui je devais épouser, j'ai fini par décider de ne jamais me marier. Elle voulait que ma femme soit comme elle, mais moi, je n'avais aucune envie d'épouser ma mère ! Les parents devraient tous suivre ton exemple et accepter les choix de leurs enfants. Les miens étaient très rigides, très froids, et ils attendaient de mon frère et de moi qu'on se fiance avec des jeunes filles à leur image. Mathieu a suivi son cœur en épousant Annick, qui est drôle, chaleureuse et parfaite pour lui. Moi, j'ai considéré que le mariage n'était pas fait pour moi.

— Je veux juste que Charlotte soit comblée, répondit Chantal. Peu importe par quels chemins passe son bonheur. Ce qui est sûr, c'est que je ne vais pas beaucoup m'amuser à ce mariage ! J'espère que tu seras là.

— Moi aussi, dit-il, sincère.

Les jours suivants, mère et fille discutèrent tous les soirs de la cérémonie et commencèrent à en régler les détails. Elles dînèrent à nouveau avec Rupert chez

Amber, le restaurant haut de gamme de l'hôtel Mandarin Oriental. Chantal leur offrit un magnifique cadeau de fiançailles, dégoté par hasard dans un magasin : deux adorables cygnes en argent, comme ceux que l'on trouve chez Asprey. Le symbole était fort, puisque ces animaux se choisissent un partenaire pour la vie. Charlotte en fut très touchée et plaça le cadeau bien en évidence sur une étagère chez elle. Rupert emménagerait dans son appartement l'année suivante. Pour l'heure, ils passaient presque toutes leurs nuits ensemble, mais Rupert jugeait qu'il était plus convenable qu'il garde son logement, et Charlotte partageait son avis.

La semaine fila à la vitesse de l'éclair. Quand Charlotte raccompagna sa mère à l'aéroport, elle semblait réellement triste de la quitter. En chemin, elles avaient encore parlé de la robe de mariée, et Chantal lui avait promis de regarder chez Dior et Nina Ricci. À aucun moment, elle n'avait évoqué l'existence de Xavier. Les noces avaient occupé toutes leurs conversations, et Charlotte ne lui avait posé aucune question personnelle. Chantal ne se voyait pas lui annoncer la nouvelle à brûle-pourpoint : « Au fait, j'ai un petit ami ; il a presque vingt ans de moins que moi. Je suis sûre que tu vas l'adorer… » Elle avait donc gardé l'information pour elle, ne tenant pas à lui donner plus d'importance que nécessaire. De toute façon, Paul allait bientôt rencontrer Xavier, et Chantal était certaine qu'il parlerait de lui à sa sœur. Quand bien même, elle trouvait cela surprenant que Charlotte s'intéresse si peu à elle… Celle-ci était assez égocentrique de nature et, avec le mariage en perspective, cela ne risquait pas de s'arranger…

Mère et fille s'embrassèrent avec une affection sincère. Malheureusement, Charlotte aimait Chantal non pas pour la personne qu'elle était, mais pour la mère qu'elle recherchait en elle. Et Chantal était censée épouser le profil de l'emploi, lequel ne lui laissait aucune marge pour être elle-même. Qui elle était vraiment, sa fille ne l'avait jamais su et ne voulait pas le savoir.

Xavier rejoignit Chantal chez elle le soir de son retour. Elle lui avait manqué, pendant toute cette semaine, et il était impatient de la revoir. Rentré de Corse la veille, il avait le teint bronzé et les traits reposés – Chantal le trouva encore plus beau que d'habitude. De son côté, elle s'était empressée de prendre une douche et de se changer en arrivant, et c'est en jean qu'elle accueillit Xavier. Chantal adorait sa fille, son séjour à Hong Kong s'était très bien passé, mais elle n'en était pas moins ravie d'en être revenue. C'était épuisant de jouer le rôle de la mère parfaite qui ne se détache jamais les cheveux, ne fait jamais de bêtises, porte toujours des tenues appropriées, et reste célibataire à vie. Après des années à se montrer à la hauteur des exigences de Charlotte, elle estimait avoir gagné le droit d'être la femme qu'elle voulait être, et même de faire des erreurs, comme eux. La relation mère-enfants était trop souvent à sens unique. Tomber amoureuse de Xavier l'avait libérée : elle se sentait plus détendue, plus à l'aise, et enfin comblée.

Xavier et Chantal consacrèrent la semaine suivante à rattraper le retard qu'ils avaient pris dans leur travail et à profiter l'un de l'autre. Chantal avait quelques recherches à mener pour boucler son scénario, tandis que Xavier devait rencontrer plusieurs clients à son cabinet. Le vendredi, ils s'envolèrent pour San Francisco.

Ils passèrent deux jours dans le parc national de Yosemite à faire de longues balades et à admirer les cascades, puis ils regagnèrent San Francisco et roulèrent plein sud en suivant la côte. Ils s'arrêtèrent une nuit à l'hôtel Post Ranch de Big Sur, puis une autre au Biltmore de Santa Barbara. Après avoir traversé Malibu et assisté au coucher du soleil, ils atteignirent Los Angeles. Chantal avait réservé un bungalow au Beverly Hills Hotel, un établissement de luxe connu pour son glamour hollywoodien des années cinquante. Xavier plongea avec délectation dans leur piscine privée pendant qu'elle appelait son fils. En plein tournage dans la vallée de San Fernando, Paul confirma à sa mère qu'il la retrouverait avec Rachel au Polo Lounge, le restaurant de l'hôtel, à vingt et une heures. C'était là que les plus grandes personnalités de Hollywood – acteurs, producteurs et directeurs de studio – se donnaient rendez-vous pour se montrer et signer des contrats.

Lorsque Chantal rappela à son fils qu'elle viendrait accompagnée, Paul sembla surpris. Il ne prêtait jamais attention à ce que lui disait sa mère.

— J'avais oublié. C'est qui, déjà ?

— Quelqu'un que j'ai rencontré à Paris. On a fait un peu de tourisme en Californie avant d'arriver ici.

Il sembla étrange à Paul que sa mère ait amené une amie – car, pour lui, il s'agissait forcément d'une femme –, mais il ne posa pas davantage de questions.

Xavier et Chantal se prélassèrent un moment dans la piscine, avant d'aller se promener dans les rues de Beverly Hills. Xavier adorait cette ville.

— Je rêve d'habiter ici, lui confia-t-il. C'est tellement décadent et innocent à la fois. Comme un Disneyland pour adultes.

Chantal s'y plaisait aussi, mais elle avait toujours pensé que vivre là à plein temps serait insupportable. Son fils, toutefois, ne s'en lassait pas. Au bout de treize ans, il aimait toujours autant Los Angeles. Sa petite amie, Rachel, y était née : elle avait grandi dans la vallée de San Fernando, puis déménagé à Beverly Hills, où elle avait passé ses années de lycée et d'université. La parfaite « Valley girl[1] »... Chantal ne comprenait pas que son fils se soit entiché d'une fille aussi peu sophistiquée. Mais cela faisait maintenant sept ans qu'ils vivaient ensemble – depuis que Rachel avait vingt et un ans et Paul vingt-quatre. La jeune femme correspondait tout à fait à l'homme qu'il était devenu en s'installant à Los Angeles. Personne n'aurait pu deviner qu'il avait grandi à Paris tant il était bien intégré dans le paysage.

Au Polo Lounge, Xavier et Chantal furent conduits à une table en terrasse. Chantal avait enfilé un jean, un débardeur brillant et des talons hauts, une tenue idéale pour Los Angeles. Charlotte aurait fait une syncope si elle avait vu sa mère accoutrée de la sorte à Hong Kong. Pourtant, Chantal était très sexy dans son jean bien coupé. Elle avait conservé sa silhouette de jeune fille et pouvait même se permettre de se montrer en bikini à la plage. De son côté, Xavier avait opté pour une chemise et un jean blancs, ainsi que des mocassins

---

1. Jeune fille de famille aisée originaire de la vallée de San Fernando et reconnaissable à ses goûts superficiels.

qu'il portait pieds nus – c'était la règle, ici. De toute façon, quelle que soit la manière dont il s'habillait, Chantal lui trouvait toujours un look très parisien.

Quand le jeune couple arriva, Chantal faillit éclater de rire en voyant l'air étonné de son fils. Elle fit les présentations, et Rachel baragouina un « Bonjour » en français tandis qu'elles s'embrassaient. Après avoir serré Paul dans ses bras, Chantal l'inspecta de la tête aux pieds. Il avait l'air heureux et en pleine forme. Ses cheveux avaient poussé depuis la dernière fois qu'elle l'avait vu, six mois plus tôt.

Dans un premier temps, la présence de Xavier occasionna une certaine gêne. Paul voulut comprendre qui il était pour sa mère.

— Vous travaillez sur un film ensemble ? demanda-t-il, songeant que Xavier avait bien une tête de réalisateur ou de cameraman.

Chantal se mit à rire.

— Non, Xavier est avocat, spécialisé dans le droit d'auteur international. On s'est rencontrés en juin à un dîner.

À peine deux mois s'étaient écoulés depuis, et pourtant on les devinait très proches.

— Vous êtes amis ? insista Paul.

— Oui, on est amis, intervint Xavier. Le dîner dont parle ta mère, c'est le Dîner en blanc. Vous connaissez ?

Les deux jeunes gens secouèrent la tête. Chantal réalisa à cet instant que Xavier n'avait que sept ans de plus que son fils… Mais il était tellement plus mûr ! À côté de lui, Paul avait l'air d'un gamin avec son visage poupin, ses Converse hautes, ses cheveux longs, et son tee-shirt à l'effigie d'un groupe de musique célèbre. Quant à Rachel, à vingt-huit ans, elle en faisait seize avec son petit haut baby-doll qui laissait voir son ventre, ses babies à paillettes et ses longs cheveux blonds. On aurait dit Alice au pays des merveilles.

Tous deux furent fascinés par la description que Xavier leur fit du Dîner en blanc. Chantal leur parla des lanternes chinoises qu'il avait apportées et grâce auxquelles ils s'étaient connus.

— Ils devraient en organiser un ici, dit Rachel.

— D'autres villes ont tenté l'expérience, mais elles ont un peu modifié le principe, et du coup le dîner perd de sa magie, expliqua Chantal.

— Je ne savais pas que tu participais à ce genre de fêtes, commenta Paul.

Au moment de passer la commande, le serveur demanda leurs cartes d'identité à Paul et à Rachel pour vérifier qu'ils avaient bien l'âge de boire du vin... Des trois enfants de Chantal, Paul était indéniablement celui qui paraissait le plus jeune – même à côté de son petit frère. Lorsque le serveur fut parti, Chantal apprit à son fils que sa sœur allait se marier au mois de mai.

— En mai ? répéta-t-il.

Et il échangea un sourire avec Rachel.

Chantal se demanda s'ils avaient décidé de se fiancer, eux aussi... Il fallut attendre le dessert pour en savoir plus.

— On va avoir un bébé, annonça alors Paul fièrement.

Rachel était enceinte de deux mois. Ils venaient tout juste de l'apprendre. Le bébé devait naître en mars et ils avaient déjà prévu que Rachel accoucherait dans l'eau, à domicile, juste avec une sage-femme. Chantal crut s'étrangler en entendant cela. Les naissances ne se déroulaient pas toujours aussi bien qu'on l'espérait... Elle-même avait eu sa dose de frayeurs.

— À votre place, j'y réfléchirais à deux fois, dit-elle. Rachel et le bébé seraient plus en sécurité à la maternité, ce qui n'empêche pas d'opter pour une naissance naturelle. Toi, Paul, tu es né avec le cordon enroulé autour du cou. C'est assez fréquent, et ça peut finir en tragédie quand on accouche loin d'un l'hôpital. Cela dit, vous avez toutes mes félicitations.

La surprise était rude, toutefois, pour Chantal. Elle allait devenir grand-mère... C'était tellement embarrassant vis-à-vis de Xavier ! Soudain, pour se consoler, Chantal aurait bien vidé la bouteille qui se trouvait sur la table et à laquelle Rachel avait à peine touché. Sa réaction n'échappa pas à Xavier, qui dut se retenir de rire tandis qu'il congratulait les futurs parents.

— Vous prévoyez de vous marier ? demanda Chantal au bout de quelques secondes.

— Ce n'est pas la peine, maman, répondit Paul. C'est tellement vieux jeu ! Plus personne ne se marie aujourd'hui.

Sauf ta sœur, songea Chantal. Mais Charlotte était vieux jeu, en effet, et son futur époux tout autant qu'elle.

— Le mariage, c'est de la poudre aux yeux, ajouta Paul avec dédain.

— J'espère que tu iras quand même à celui de Charlotte, répliqua Chantal. Je crois qu'elle aimerait bien que tu la conduises à l'autel.

— Bien sûr qu'on ira. Le bébé aura deux mois, on pourra l'emmener à Hong Kong. Ce sera marrant.

« Marrant » n'était peut-être pas le mot que Chantal aurait choisi pour qualifier un voyage aussi long avec un nouveau-né… En outre, elle n'était pas certaine que Charlotte et sa belle-famille ultra-conservatrice approuveraient leur choix de faire un enfant hors des liens du mariage. Mais elle mit de côté ses inquiétudes et demanda à Rachel comment elle se sentait. La jeune femme répondit qu'elle était en pleine forme, qu'elle suivait toujours ses cours de Pilates et de biking et qu'elle comptait bien continuer tout au long de sa grossesse. Plus tard, elle commencerait la préparation à l'accouchement sans douleur. Les futurs parents avaient également l'intention de parler au fœtus et de lui faire écouter leur musique préférée. Dans deux mois, ils verraient son visage grâce à une échographie 3D en couleurs, et ils connaîtraient son sexe.

En l'écoutant énumérer tout ce qu'il fallait faire et ne pas faire quand on était enceinte, Chantal eut l'impression de vieillir de vingt ans… Elle avait la tête qui tournait lorsqu'elle rentra au bungalow avec Xavier.

— Mon Dieu, souffla-t-elle en se laissant tomber dans un fauteuil. Comment mes enfants peuvent-ils être aussi timbrés ? Ils vont me rendre schizophrène ! Charlotte va épouser un type qui a le profil d'un directeur de pensionnat anglais, et Paul va avoir un bébé hors mariage avec une fille qui veut accoucher chez eux dans une baignoire ! C'est moi qui déraille, ou quoi ? Et si tu es toujours dans les parages au mois de mars, tu auras une relation amoureuse avec une grand-mère…

— Je crois que je survivrai, répliqua Xavier en riant. Quant à tes enfants, ce sont des libres-penseurs, ils sont juste eux-mêmes.

— Je leur ai peut-être appris à être un peu trop indépendants, suggéra-t-elle, perplexe.

— Pourquoi tu dis ça ? Ça te dérange qu'ils ne soient pas mariés ?

— Pas vraiment. Je n'ai jamais apprécié Rachel au point d'avoir envie que mon fils l'épouse absolument. Mais maintenant, elle va devenir la mère de mon premier petit-enfant ! S'ils ne le noient pas pendant l'accouchement… Ce n'est pas ridicule, ça ? Moi, quand j'étais enceinte, j'ai continué à fumer et à boire du vin en quantité raisonnable, et ils ont tous survécu. Je sais bien que les choses ont changé, mais ils me paraissent tellement extrêmes, avec leurs idées modernes ! J'espère qu'ils ne vont pas faire écouter du rap à ce pauvre bébé.

L'idée fit rire Xavier. Au moins, les deux jeunes gens n'avaient pas posé trop de questions à son sujet… Paul se rattrapa toutefois le lendemain matin, lorsqu'il appela sa mère pour organiser le dîner.

— Alors, c'est qui, Xavier ? Ton petit copain, ou juste un ami ?

Chantal décida de jouer la carte de l'honnêteté.

— Un peu les deux, répondit-elle avec désinvolture. On passe de bons moments ensemble.

— Mais il a presque mon âge ! s'exclama Paul.

— Non, il est plus vieux. Il a trente-huit ans.

— Tu pourrais être sa mère.

Chantal ne s'attendait pas à une réaction aussi peu amène de sa part. Venant de Charlotte, peut-être, mais de Paul…

— C'est vrai que je pourrais être sa mère, mais ce n'est pas le cas, objecta-t-elle. Et ça n'a pas l'air de lui poser de problème.

— Qu'est-ce qu'il cherche, exactement ?

Par chance, Xavier était dans la piscine et n'entendait pas leur conversation.

— Il ne cherche rien. On est heureux ensemble, c'est tout. Je suis surprise et déçue que ça te contrarie, Paul… Rachel et toi, vous allez avoir un bébé alors que vous n'êtes pas mariés ; tu n'es pas très bien placé pour me reprocher de sortir avec un homme plus jeune que moi. Qu'est-ce que ça peut te faire ? Ça ne le dérange pas, lui, alors pourquoi ça te dérangerait ?

Chantal se montrait franche. Après tout, il l'avait bien cherché.

— Je ne suis pas contrarié, répondit Paul, un brin vexé. Je suis juste étonné. Tu comptes l'épouser ?

— Bien sûr que non. Je ne suis pas enceinte.

— Attends… Tu… Je veux dire, tu pourrais encore…

Cette idée l'horrifiait.

— Ça ne te regarde pas, le coupa Chantal. Et quoi qu'il en soit, à mon âge, je suis assez intelligente pour ne pas commettre cette erreur.

— Tu n'es pas contente que je sois bientôt papa ?

Subitement, Paul semblait inquiet. Chantal poussa un soupir. Son fils et sa copine étaient de vrais enfants catapultés dans une vie d'adultes.

— Faire un bébé, c'est sérieux, Paul. C'est pour toute la vie. Et puis, un bébé ne reste pas éternellement petit, il grandit, et alors les choses peuvent se compliquer. C'est une grosse responsabilité. Tu te sens prêt à l'assumer ?

— Bien sûr que je me sens prêt.

— Les jeunes d'aujourd'hui ne veulent pas s'engager, mais ils n'hésitent pas une seconde à faire des enfants. Pourtant, c'est beaucoup plus simple de se marier : on peut toujours se séparer si on se rend compte qu'on s'est trompés. Les enfants, par contre, c'est un engagement à vie. Tu vas être lié à Rachel pour le restant de tes jours par ce biais. Toutes vos décisions de parents devront être prises d'un commun accord. Tu as intérêt à bien t'entendre avec elle, sans quoi ta vie sera un enfer.

— En ce qui concerne notre enfant, on est d'accord sur tout, répliqua Paul.

Il essayait de paraître adulte aux yeux de sa mère, mais elle n'était pas convaincue.

— Vous ne serez pas toujours d'accord, et c'est bien normal. Vous devrez être capables de faire des compromis pour le bien de votre enfant.

— Je sais, maman. Mais revenons-en à Xavier : tu n'as donc pas l'intention de l'épouser ?

— Non.

— Pourquoi tu ne m'as pas parlé de lui ?

— Mais c'est tout nouveau… Notre histoire vient juste de commencer. On sort, on s'amuse, sans trop se préoccuper de l'avenir… Si jamais ça devenait sérieux, je te préviendrais. Vous êtes grands, maintenant. Tu vas avoir un bébé, Charlotte va se marier… Je peux bien mener ma vie, moi aussi.

— Pourquoi as-tu besoin d'un mec ?

Pour Paul, cela n'avait aucun sens. Il n'avait jamais vu sa mère sous cet angle.

— Et toi, pourquoi as-tu besoin de Rachel ? rétorqua-t-elle.

— Ce n'est pas pareil, maman. J'ai besoin de Rachel pour tout un tas de raisons… Pour ne pas être seul, déjà.

— Exactement. Comme Charlotte a besoin de Rupert, et Éric d'Annaliese. Pourquoi, moi, je devrais rester seule ? Je ne me mêle pas de vos choix, qu'il soit question de mariage, des enfants ou de la personne avec qui vous partagez votre vie. Pourquoi les mêmes règles ne s'appliqueraient-elles pas à moi ?

— Parce que tu es notre mère.

— Vraiment ? Il serait peut-être bon que tu réfléchisses à ce que cela implique, d'être parent, quand les enfants ont l'âge que vous avez. Je suis encore disponible pour vous, je vous aime et je serai toujours là pour vous aider. Mais pourquoi devrais-je demeurer seule pendant que vous menez vos vies aux quatre coins du monde ? Que suis-je censée faire de mon temps ?

Toutes ces questions étaient parfaitement légitimes, mais Paul ne se les était jamais posées. L'idée que sa mère puisse avoir une vie amoureuse le choquait tellement qu'il téléphona à sa sœur pour lui parler de Xavier. Charlotte appela Chantal aussitôt après.

— J'apprends que tu as un petit copain ? s'écria-t-elle sans préambule.

— Les nouvelles vont vite, répondit calmement sa mère. Oui, je vois quelqu'un. Mais je ne vais pas me marier, ne t'affole pas.

— Paul dit qu'il est assez jeune pour être ton fils.

— Presque, oui. Cela te pose un problème ?

Elle était décidée à argumenter ; elle ne se laisserait pas intimider par ses enfants.

— En quoi cela vous regarde, ton frère et toi, avec qui je sors et quel âge il a ? ajouta-t-elle. Il est intelligent, il a un travail et il est gentil avec moi. Je ne vois pas où est le problème.

— Tu aurais au moins pu nous le dire, protesta Charlotte, blessée.

— Qui sait si je serai toujours avec lui dans un mois ? Ça ne sert à rien de se monter la tête.

— Tu aurais dû m'en parler quand tu es venue me voir.

— Tu ne m'as posé aucune question. On n'a parlé que de ton mariage.

— Pourquoi ne t'a-t-il pas accompagnée à Hong Kong ?

— Je voulais être seule avec toi.

— Et tu comptes l'inviter à mon mariage ?

— Je ne sais pas où on en sera dans neuf mois. C'est encore loin, la question ne se pose pas pour l'instant. Mais si jamais j'ai envie de venir avec lui, je t'en parlerai d'abord, et je ne ferai rien qui te contrarie ou t'embarrasse.

Charlotte fut soulagée. À ses yeux, Xavier était trop jeune pour être présenté comme le compagnon de sa mère.

— Paul m'a parlé de lui comme s'il avait quatorze ans, confia-t-elle, un sourire dans la voix.

Chantal se mit à rire.

— C'est plutôt ton frère et sa copine qui ont l'air de gamins ! On dirait des ados en colonie de vacances. Xavier est beaucoup plus mûr. Il est avocat. J'espère qu'il te plaira, si tu le rencontres un jour.

Chantal appréciait d'avoir une conversation d'adultes avec sa fille, de pouvoir jouer cartes sur table avec elle.

— J'ai été choquée quand Paul m'a appelée tout à l'heure, reconnut Charlotte.

— Je comprends, mais tu n'as vraiment pas à t'inquiéter.

La nouvelle avait fait l'effet d'une bombe. Comme Paul, Charlotte devait s'habituer à l'idée que sa mère puisse avoir des relations sentimentales. À l'avenir, ils ne manqueraient pas de lui poser des questions sur sa vie privée, ne serait-ce que pour éviter les surprises de ce genre.

— Qu'est-ce que tu penses de Paul et de Rachel qui vont avoir un bébé ? demanda Charlotte à sa mère.

— C'est bien, à condition qu'ils puissent assumer. Ton frère ne touche pas un salaire régulier, je l'aide encore. Et Rachel dépend aussi de ses parents financièrement. Ça ne me paraît pas être une situation idéale pour élever un enfant… Je ne suis pas sûre qu'ils aient réfléchi à tout ça.

Chantal, elle, avait été préoccupée toute la nuit. Paul comptait-il sur elle pour subvenir aux besoins de son enfant ? Si oui, cela ne témoignait pas d'une grande maturité… Elle n'avait pas osé lui poser la question devant Rachel, mais ils seraient bien obligés d'aborder le sujet avant la naissance du bébé. Deux gamins qui allaient être parents… Chantal trouvait cela un peu étrange, et surtout irresponsable, de se lancer dans cette aventure quand on n'était même pas autonome soi-même.

— Je suis sûre que les parents de Rachel les aideront, fit remarquer Charlotte. Ils sont super riches.

Rachel était leur unique enfant, et ils la gâtaient plus que de raison. Mais Chantal n'avait pas envie qu'ils prennent aussi son fils et son futur petit-enfant sous leur aile. Elle allait devoir convaincre Paul de trouver un travail en dehors de ses films indépendants – encore un changement qui risquait de lui faire un choc…

Charlotte lui confia que Rupert et elle n'avaient pas l'intention de faire un bébé avant plusieurs années. Cela parut à Chantal autrement plus raisonnable que de démarrer une grossesse sans avoir d'emploi stable et d'accoucher dans l'eau à la maison. Éric, de son côté, avait envoyé un message à Chantal pour lui faire part de son incrédulité à ce sujet.

À la fin de leur conversation téléphonique, Charlotte ne semblait plus considérer la relation amoureuse de sa mère comme un problème. Après tout, elle n'envisageait pas de se marier et gardait la tête froide. Quant à Paul, il décida finalement qu'il appréciait le nouvel ami de sa mère. Avec Rachel, ils dînèrent presque tous les soirs au restaurant en leur compagnie, et les invitèrent une fois chez eux à West Hollywood pour un barbecue. Ils devaient trouver un logement plus grand avant la naissance du bébé. Rachel rêvait de s'installer dans la vallée où elle avait grandi, mais Paul préférait rester en ville. Ils n'imaginaient pas le nombre de décisions de ce genre qu'ils allaient devoir prendre…

Au moment de rentrer à Paris avec Xavier, Chantal avait presque accepté l'idée qu'elle serait bientôt grand-mère. Presque, mais pas tout à fait. Paul et Rachel l'avaient invitée à assister à la naissance du bébé, une proposition pour le moins étonnante. Elle préférait attendre un peu avant de faire sa connaissance, quitte à le voir seulement au mois de mai à Hong Kong lors du mariage de Charlotte. Dire que son fils allait être papa… Elle avait du mal à y croire. Tout comme lui avait eu du mal à croire à l'histoire d'amour atypique de Chantal. Pour la première fois, leur relation allait à double sens.

9

Pendant ce temps, Jean-Philippe, Valérie et leurs enfants avaient rejoint le frère de cette dernière dans leur maison du Maine. Ils en avaient hérité après la mort de leurs parents, décédés à deux ans d'intervalle ; c'était là qu'ils avaient passé toutes leurs vacances étant petits. À présent, chaque été, ils s'y retrouvaient pendant un mois pour que les cinq cousins puissent s'amuser ensemble. Valérie et son frère se replongeaient avec bonheur dans leurs souvenirs d'enfance. Très attachés à cette propriété, ils étaient heureux que leurs familles s'y plaisent autant qu'eux.

Le frère de Valérie avait cinq ans de plus qu'elle et exerçait le métier de banquier. Valérie s'était toujours bien entendue avec sa femme, une pédiatre qui pratiquait à Boston. Leurs deux enfants étaient un peu plus âgés que Jean-Louis, Isabelle et Damien, mais cela ne les empêchait pas de jouer. Les trois petits Français adoraient leurs cousins.

Cette année, encore plus que d'habitude, Valérie comptait sur ce mois de vacances pour décompresser. L'atmosphère était si lourde entre elle et Jean-Philippe qu'il lui tardait de retrouver les lucioles, le chant des criquets et les étoiles filantes des nuits d'été, ainsi que les virées sur le petit voilier familial. Le lieu était parfait pour oublier ses soucis et s'isoler du monde.

Malheureusement, une fois sur place, il lui sembla qu'ils avaient traîné leurs problèmes derrière eux comme une batterie de casseroles... La tension était toujours aussi palpable entre elle et son mari, et le moindre espoir de bien-être disparut aussitôt. Kate, sa belle-sœur, finit par lui demander ce qui se passait, et Valérie lui résuma la situation.

— Waouh... Choisir entre ta carrière et la sienne... Je n'aimerais pas être à votre place, dit-elle avec compassion. On a vécu un peu la même chose pendant que je faisais mes études, mais ton frère a trouvé une solution. Il a décroché un job dans une banque à Chicago, et on y est restés le temps que je finisse mon internat. Votre situation ne semble vraiment pas simple en comparaison...

— C'est le moins qu'on puisse dire, répondit Valérie, amère. Je tiens beaucoup à mon boulot. J'ai travaillé dur pour en arriver là ; j'ai même des chances de devenir rédactrice en chef d'ici deux ou trois ans. En même temps, c'est une belle opportunité pour Jean-Philippe, et je ne gagnerai jamais les sommes qu'on lui promet en Chine. Si l'argent est le facteur décisif, alors mon job ne fait pas le poids. Sauf que je ne suis pas prête à abandonner ma carrière pour aller vivre à Pékin. À mon retour, on ne m'aura pas gardé la place.

— Moi non plus, je n'aurais pas envie de m'installer en Chine, avoua Kate. Il y a quelques années, on m'a proposé d'aller enseigner pendant un an en Écosse : j'ai refusé. La météo est trop déprimante, là-bas. Vivre à Pékin avec trois enfants en bas âge, ça ne doit pas être du gâteau. Il doit bien y avoir des gens qui y arrivent, mais moi, personnellement, je ne le ferais pas.

Les propos de Kate confortèrent Valérie dans son opinion. Les deux premières semaines, elle parvint à éviter le sujet avec son mari, mais bientôt ils n'eurent plus le choix : Jean-Philippe recevait des e-mails insistants, et l'offre risquait de lui passer sous le nez s'il ne donnait pas de réponse.

Un après-midi, Valérie et lui étaient assis sur le ponton pendant que les petits faisaient la sieste. Le frère de Valérie était parti pêcher, et Kate avait emmené ses enfants faire des courses au village. Jean-Philippe regarda son épouse d'un air malheureux. Ces vacances étaient loin d'être les meilleures qu'ils aient connues.

— Je ne veux pas te mettre la pression, Valérie, mais il faut qu'on prenne une décision.

— Je sais, répondit-elle tristement. J'essayais juste de gagner du temps, parce que je ne savais pas quoi te dire. Je ne veux pas te perdre, mais je ne peux pas aller à Pékin. Les enfants sont trop petits et ça mettrait fin à ma carrière chez *Vogue*. Si je pars, ils nommeront quelqu'un d'autre à ma place. C'est comme ça que ça marche. Bien sûr, je pourrais trouver un poste dans un autre magazine, mais j'ai travaillé tellement dur pour *Vogue* ! C'est mon rêve depuis que je suis au lycée.

Jean-Philippe acquiesça, la mine défaite. Il n'était pas surpris par sa réponse.

— Moi aussi, j'ai beaucoup réfléchi, dit-il. Je crois qu'on aurait tous à y perdre si je laissais filer cette chance. Je vais donc accepter, mais en leur demandant de m'accorder un congé tous les deux mois pour que je puisse rentrer à la maison. Ça vaut le coup d'essayer pendant un an. Peut-être que ça marchera et, si je gagne vraiment beaucoup d'argent, peut-être que tu changeras d'avis.

En attendant, elle pourrait garder son poste chez *Vogue*. C'était le meilleur compromis qu'il avait trouvé – ou le pire, cela restait à voir. Quoi qu'il en soit, il était prêt à tenter le coup, et Valérie aussi.

— Est-ce que tu m'en veux de rester à Paris ? demanda-t-elle d'un air grave.

Jean-Philippe l'attira dans ses bras.

— Je ne t'en veux pas, Valérie, je t'aime. C'est juste dommage qu'on n'ait pas trouvé une solution qui nous convienne mieux à tous les deux.

Au moins, en étant seul à Pékin, il pourrait travailler autant qu'il le voudrait, sans aucune distraction, sans avoir besoin de s'inquiéter pour sa femme et ses enfants parachutés dans un pays étranger. C'était peut-être mieux ainsi, finalement. Encore fallait-il que ses futurs employeurs acceptent... Il leur envoya un message le soir même en précisant ses conditions : pouvoir rentrer chez lui pour Thanksgiving – une fête à laquelle Valérie tenait, même si on ne la marquait pas en France –, pour Noël, ainsi qu'en février, avril, juin et août si les obligations professionnelles ne le retenaient pas en Chine. À son grand soulagement, une réponse positive lui parvint dès le lendemain.

— Ils sont d'accord, annonça-t-il à Valérie, un pâle sourire aux lèvres. C'est déjà ça...

Il n'y avait pas spécialement de quoi se réjouir, mais cela le libérait tout de même d'un poids immense.

Valérie, de son côté, était à la fois triste et nerveuse à l'idée que son mari aille s'installer en Chine pendant qu'elle resterait en France avec les enfants. Elle ne pouvait s'empêcher de se demander quel impact cette séparation aurait sur leur mariage. Heureusement, ce n'était que pour un an ; ensuite, ils réexamineraient la question.

— Quand pars-tu, alors ? demanda-t-elle.

— En septembre. J'ai pas mal de préparatifs à faire avant mon départ.

Il devait notamment démissionner de son poste actuel. Ils écourtèrent donc leur séjour dans le Maine afin qu'il ait le temps de régler ses affaires. Le frère de Valérie et sa femme lui souhaitèrent bonne chance en Chine.

À Paris, Jean-Philippe annonça la nouvelle à Chantal. Celle-ci le mit aussitôt en garde contre les effets désastreux que son absence prolongée pourrait avoir sur son couple.

— Valérie m'a assuré que, dans ce cas, elle quitterait son travail pour me rejoindre.

— C'est ce qu'elle dit maintenant, mais on ne peut être sûr de rien. Qui connaît l'avenir ?

Chantal s'inquiétait pour son ami. Il prenait là une grave décision, dont personne ne pouvait prédire les conséquences pour sa famille.

— Alors ce sera à moi de voir si je démissionne pour rentrer à la maison. Et toi ? lui demanda-t-il en souriant. Comment se sont passées tes vacances en Californie ? Ton histoire avec Xavier y a survécu ?

— En l'occurrence, oui. Je suis allée toute seule à Hong Kong pour voir Charlotte, mais Xavier m'a accompagnée à Los Angeles. Paul et sa copine vont avoir un bébé – hors mariage, bien sûr. Je vais être grand-mère.

Elle fit la grimace.

— J'avais bien besoin de ça, un petit-fils ou une petite-fille, alors que je sors avec un gamin.

— Qu'est-ce qu'il en pense, lui ?

— Ça n'a pas l'air de le déranger.

Chantal en était encore tout étonnée.

— On dirait que c'est un mec bien, ton Xavier, observa Jean-Philippe.

L'air rayonnant de son amie ne lui avait pas échappé.

— On dirait, oui. Pour l'instant, il semble vouloir rester avec une vieille comme moi. Toi, en tout cas, tu as intérêt à m'appeler sur Skype quand tu seras en Chine !

— C'est promis, répondit-il en souriant.

Chantal allait lui manquer, comme toute sa famille.

— Quand pars-tu ? s'enquit-elle.

— Dans trois semaines. En attendant, j'ai du pain sur la planche.

Après leur déjeuner, Chantal pensa à lui tout l'après-midi. Son idée de rentrer en France tous les deux mois suffirait-elle à préserver son couple ? Seul l'avenir le dirait.

À Milan, d'autres soucis avaient accaparé Benedetta : la flamboyante Italienne avait passé une grande partie de son été à restructurer son entreprise afin de dissocier ses intérêts de ceux de Gregorio. C'était une procédure compliquée, même avec l'aide de leurs nombreux avocats. À la rentrée de septembre, néanmoins, les choses avaient bien progressé. Gregorio était meurtri par le traitement impitoyable qu'elle lui réservait. Benedetta n'avait qu'un objectif : sauver la marque tout en le mettant à la porte. Hors de question qu'il garde un pied dans l'entreprise. Elle ne voulait plus jamais avoir affaire à lui. D'ailleurs, ils ne communiquaient plus que par l'intermédiaire de leurs avocats. Soucieuse de créer une entité qu'elle pourrait diriger seule, Benedetta avait supprimé certains services, dégraissé les effectifs et mis fin au partenariat centenaire qui la liait avec les usines textiles de la famille de Gregorio. Les frères de ce dernier étaient en grand désarroi. Cela portait un coup terrible à leur activité. L'aîné tenta de raisonner Benedetta, mais elle ne voulut rien entendre. Elle tenait à couper tous les ponts avec son mari, sur les plans tant personnel que professionnel.

« Tu ne peux pas nous faire ça, Benedetta, l'avait implorée le frère de Gregorio. Il a commis une erreur. Tu sais comment il est : c'est un gamin.

— Ce n'est pas seulement un gamin, avait-elle froidement rétorqué. Il m'a abandonnée. Il m'a laissée prendre toutes les décisions, assumer toutes les responsabilités. Je l'ai attendu patiemment, je lui ai trouvé des excuses, et comment décide-t-il de me remercier ? En me quittant. Eh bien, si c'est ça, moi, je veux qu'il quitte aussi mon entreprise. Il n'a plus rien à y faire. Je suis désolée si tes frères et toi en subissez les conséquences, mais il n'avait qu'à y penser plus tôt. Il nous a fait du mal à tous. À cause de lui, je passe pour une idiote. Il a ce qu'il voulait, maintenant. Trouve-lui un boulot dans une de vos usines. Moi, je ne travaillerai plus jamais avec lui, ni avec vous. »

Sur ce, elle s'était levée de son fauteuil.

« Le lien entre nos deux familles a été rompu. Vous pouvez le remercier pour cela. »

La séparation des deux sociétés et l'annulation des commandes coûteraient des millions aux frères de Gregorio, et c'était sans compter ce qu'elle demandait pour le divorce. Benedetta n'avait pas besoin de cet argent, mais elle tenait à punir son mari pour ses trahisons – non seulement celle-ci, mais aussi toutes les autres. Elle allait lui faire regretter de l'avoir humiliée publiquement.

« Tu n'es pas obligée de divorcer pour mener ta propre vie, avait insisté le frère aîné de Gregorio.

— Pourquoi resterais-je mariée à un type comme lui ? On n'est plus à l'époque où les hommes gardaient leur femme tout en vivant avec leur maîtresse ! Il a choisi cette fille, ils ont un enfant ensemble : il doit lui faire l'honneur de l'épouser maintenant. Moi, je ne veux plus être liée à lui, et ce, d'aucune façon. »

Son beau-frère était reparti les larmes aux yeux. Mais Benedetta était fière de ce qu'elle accomplissait. Tous ses proches la soutenaient, considérant que Gregorio méritait ce qui lui arrivait.

Dharam l'avait appelée plusieurs fois dans le courant du mois d'août. De son côté, il ne manquait pas de travail à Delhi. Au début du mois de septembre, il l'invita à une manifestation, à Londres, qui l'aurait bien tentée, mais elle avait encore des formalités à régler pour le divorce et le partage des parts. En outre, elle devait préparer la Fashion Week qui avait lieu à la fin du mois. Ce n'était vraiment pas le moment de quitter Milan.

— Je suis désolée, lui dit-elle. J'ai passé tout l'été à restructurer l'entreprise.

— Je comprends parfaitement, Benedetta. Promettez-moi juste de dîner avec moi quand vous aurez un peu de temps libre.

Dharam se montrait plus chaleureux et bienveillant que jamais.

— Après la Fashion Week, j'aurai le temps, c'est promis, répondit-elle.

— Je vous rappellerai donc en octobre, sans faute. J'ai un déplacement en Europe prévu à ce moment-là.

— Parfait. À très bientôt, Dharam.

Quelques jours plus tard, Gregorio contacta Jean-Philippe à Paris. C'était la première fois depuis juin qu'il donnait de ses nouvelles ; il lui expliqua que ces derniers mois avaient été rudes.

— Benedetta a demandé le divorce, se plaignit-il.

— Oui, je suis au courant.

Jean-Philippe s'efforça d'adopter un ton neutre, mais toute sa sympathie allait à Benedetta.

— Elle me vire de l'entreprise. J'essaie de contester sa décision en justice, mais mes avocats disent qu'on ne pourra pas l'arrêter. Mes frères sont prêts à me tuer. Ça fait trois mois que je suis à l'hôpital avec Anya et le bébé et que je ne vois personne. La semaine prochaine, on rentre à Rome. Ça te dirait de déjeuner avec moi avant mon départ ?

— J'aimerais bien, mais je pars pour Pékin dans une semaine. Pour moi non plus, ces trois derniers mois n'ont pas été de tout repos.

Gregorio demeura un instant muet de surprise. Puis :

— Valérie et les enfants t'accompagnent ?

— Non, ils restent ici. Je vais faire les trajets entre Pékin et Paris pendant un an ; on verra ce que ça donne.

— Ça risque de ne pas être facile.

— J'en ai bien conscience…

— Tu sais, Jean-Philippe, j'ai une petite fille, maintenant, lança fièrement Gregorio. On a failli la perdre. Elle est toute petite, mais elle va s'en sortir. Du moins, je l'espère de tout mon cœur.

Il leur faudrait plusieurs années avant d'en avoir la certitude.

— Son frère est mort, ajouta-t-il avec un tremblement dans la voix.

Il était visiblement ébranlé par les épreuves qu'il avait traversées. Ce n'était plus le Gregorio insouciant d'autrefois…

— Je sais, je suis vraiment désolé pour toi, répondit Jean-Philippe avec compassion.

Cependant, son travail l'attendait : contrairement à Gregorio, il n'avait guère le temps de bavarder.

— N'hésite pas à m'écrire et à me donner des nouvelles, lui demanda celui-ci d'un ton presque implorant, comme si Jean-Philippe était son dernier ami. Et préviens-moi quand tu reviendras en Europe. Ça nous ferait plaisir de te voir.

Jean-Philippe songea que ce « nous » incluait à présent Anya. Or il n'avait aucune intention de la rencontrer – ne serait-ce que par loyauté envers Benedetta. Il raccrocha avec la conviction que Gregorio était un loser et qu'il s'était comporté comme un salaud. Personne ne pouvait en vouloir à Benedetta d'agir comme elle le faisait.

La semaine suivante, trois mois après la naissance de Claudia et seulement sept jours après la date initialement prévue pour l'accouchement, Anya et Gregorio quittèrent l'hôpital avec leur fille. Tandis qu'ils marchaient sous le soleil de septembre, Gregorio sentit son cœur se serrer en pensant au petit garçon qui aurait dû être là, avec eux…

Vêtue d'une robe blanche et d'un petit pull rose, coiffée d'un bonnet de laine et enveloppée dans une couverture assortie, Claudia était à croquer. Ils rejoignirent l'hôtel George-V avec la nourrice, pour qui ils avaient réservé une autre suite. Ils prévoyaient d'y passer quelques jours avant de rentrer à Rome.

Dans l'après-midi, Anya téléphona à trois ou quatre amies mannequins pour leur proposer de passer la voir à l'hôtel. Celles-ci n'étaient pas libres : elles allaient toutes à une fête organisée au Baron, la discothèque préférée d'Anya. La jeune femme accusa le coup. D'autant qu'elle s'aperçut peu après que Gregorio avait commandé à manger au service de chambre. Ce n'était pas comme ça qu'elle avait imaginé leur première soirée de liberté. Gregorio ne l'emmenait même pas au restaurant ! Il préférait rester à l'hôtel avec Claudia. Pour finir, il s'endormit devant la télévision tandis qu'elle regardait, morose, les gens dans la rue depuis sa fenêtre. Elle se sentait prisonnière. Il était grand temps qu'elle travaille et qu'elle sorte à nouveau.

Pendant leur court séjour à Paris, ses copines ne prirent pas le temps de lui rendre visite. Quant aux amis parisiens de Gregorio, ils ne répondirent pas à ses appels. Au bout de trois jours, Anya et lui partirent pour Rome. La capitale française ne semblait plus vouloir d'eux. Ils étaient devenus des parias.

Gregorio, cependant, songeait avec espoir à ses amis italiens. Son ancienne vie lui manquait : son travail, sa maison, sa ville, même ses frères. Or, dès qu'il commença à appeler ses proches, aucun ne répondit présent, pas plus à Rome qu'à Milan. Après ce qu'il avait fait à Benedetta, personne ne voulait plus le voir. Paniqué, il supplia ses frères de l'embaucher. Ils acceptèrent à contrecœur. Le plus jeune ne lui adressa même pas la parole. Ce nouveau poste lui fournissait toutefois une excellente excuse pour s'installer à Milan, où il loua un magnifique appartement.

Anya quant à elle avait hâte de défiler pour la Fashion Week. Cela faisait des mois qu'elle n'avait pas travaillé, et il lui tardait de se remettre en selle. Mais deux jours après leur arrivée à Milan, son agent l'informa que ses contrats avaient été annulés ; aucun styliste italien ne voulait d'elle. Les nombreux soutiens de Benedetta avaient dû se débrouiller pour la blacklister à Milan. À la place, son agent l'avait inscrite à trois défilés pour la Fashion Week de Paris. Folle de joie, Anya s'empressa d'annoncer la bonne nouvelle à Gregorio.

— Tu vas aller à Paris ? lâcha-t-il, abasourdi. Qu'est-ce que tu fais de moi et de Claudia ?

— Oh, je pars seulement une semaine ou deux.

Anya sautillait sur place, trop heureuse de pouvoir enfin travailler et revoir ses amis. Si la paternité avait transformé Gregorio – il ne rêvait plus que de profiter de sa petite famille –, Anya, elle, était jeune et elle voulait sortir ; elle voulait vivre. Pour elle, cela signifiait enchaîner les prestations. Elle avait dit à son agent de lui trouver autant de contrats que possible, n'importe où dans le monde.

Les jours précédant la Fashion Week de Milan ne furent pas faciles pour Gregorio. Ses frères lui en voulaient encore, ses amis refusaient de le fréquenter. Partout autour de lui, on ne parlait que du succès de la nouvelle collection de Benedetta. Anya se plaignait qu'ils ne sortaient jamais, qu'ils ne faisaient jamais la fête... Gregorio lui répondait qu'ils ne pouvaient se le permettre, sauf à se ridiculiser. En outre, personne ne les invitait... Mais cela, il le gardait pour lui. Si Anya adorait sa fille, elle ne se sentait pas prête pour autant à tirer un trait sur sa vie nocturne et à rester enfermée à la maison avec lui. Ce fut donc un soulagement pour tous deux lorsqu'elle regagna Paris.

Les frères de Gregorio insistaient pour qu'il discute avec Benedetta. Ils avaient l'espoir qu'elle accepte de restaurer leur partenariat. Elle commandait tous ses tissus à leurs concurrents français alors même que cela lui coûtait une fortune. Cela mettait les frères de Gregorio en rage. Leur volume d'affaires avait été réduit de moitié...

— J'ai tout essayé, il n'y a rien à faire, leur expliqua Gregorio. Benedetta ne veut tout simplement plus entendre parler de nous.

Elle refusait les appels de son mari et ne communiquait avec lui que par l'intermédiaire de leurs avocats – et ce, uniquement pour évoquer le divorce et la dissolution de leur société.

Malgré la colère de ses frères, Gregorio était heureux de travailler avec eux et d'avoir retrouvé Milan, même sans amis. La présence de sa fille le consolait de tout ce qu'il avait perdu. Le soir, il pouvait demeurer des heures assis avec elle dans les bras. À elle seule, elle compensait tout le reste.

Un jour, Gregorio découvrit dans la presse des photos de paparazzis qui montraient Anya s'amusant dans des night-clubs avec ses amis et d'autres mannequins. Après avoir été coincée à l'hôpital pendant des mois, la jeune femme rattrapait le temps perdu. Elle avait besoin de se défouler. Paris était tellement plus excitant que Milan, où elle avait été contrainte de passer toutes ses soirées à la maison ! Elle renouait ses vieilles habitudes.

Gregorio eut un peu plus tard une grosse dispute avec elle. Il l'avait vue en photo sur Internet et dans des journaux de mode en train de faire la fête au Baron. Très légèrement vêtue, elle se déhanchait comme une diablesse au milieu d'un cercle d'hommes. Elle paraissait ivre.

Or c'était de la jeune femme grave et sérieuse qui avait veillé avec lui leurs bébés prématurés à l'hôpital que Gregorio était tombé amoureux. Aujourd'hui, la vraie nature d'Anya refaisait surface. Et si les épreuves qu'ils avaient traversées ensemble avaient transformé Gregorio, Anya, de son côté, était restée cette jolie fille qui ne pensait qu'à s'amuser. Elle était redevenue la top model et la fêtarde qu'elle avait toujours été ; elle n'avait rien d'une mère. Ni la tragédie ni l'amour que Gregorio lui vouait ne l'avaient changée. Dire qu'il avait quitté sa femme pour elle, et qu'il avait perdu son travail…

Le lendemain de ce jour où Gregorio et Anya s'étaient disputés au téléphone, Benedetta devait présenter sa collection de printemps à la Fashion Week de Milan. Elle n'était pas rassurée. Pour marquer le tournant radical que sa maison venait de prendre, elle avait créé un style complètement nouveau – formes plus affirmées, couleurs éclatantes, motifs audacieux, tissus innovants… Elle ignorait comment ses modèles seraient accueillis, s'ils plairaient au public et aux critiques.

Juste avant le défilé, elle se trouvait en coulisses, comme à son habitude. C'était la première fois que Gregorio n'était pas là pour la soutenir, et cela la déstabilisait. Mais elle se répétait qu'elle pouvait y arriver. Pourvu que cela marche ! priait-elle. Elle avait pris de gros risques en restructurant son entreprise dans un délai aussi court.

Benedetta passa en revue ses mannequins. Les couturières étaient en train de raccourcir quelques ourlets et de fixer les derniers boutons et ornements, pour lesquels il avait fallu trouver d'autres fournisseurs. Des dizaines d'épingles dépassaient encore des robes. Benedetta vérifia les coiffures, le maquillage, les chaussures. Pour ce dernier point aussi, elle s'était tournée vers un nouveau créateur : celui avec qui elle avait travaillé jusque-là n'était autre que le cousin de Gregorio.

Alors qu'elle finissait son inspection, elle reçut un appel de Dharam sur son téléphone portable.

— Oui ? dit-elle d'une voix distraite.

— Je voulais vous souhaiter bonne chance, Benedetta. Je suis sûr que votre défilé va être magnifique.

Dharam l'appelait de Delhi, où il était trois heures et demie de plus. Il avait attendu la dernière minute pour l'encourager.

— J'aimerais vraiment être là pour le prochain, glissa-t-il.

— Vous y serez, lui promit-elle. Merci beaucoup, Dharam. Je vous rappellerai plus tard.

Alors qu'elle raccrochait, la musique démarra, les lumières s'éteignirent dans la salle, et les mannequins commencèrent à défiler. Dans les coulisses, Benedetta retenait son souffle. Les filles sortaient l'une après l'autre en cadence, arborant les cinquante-cinq looks qu'elle avait composés seule jusque dans les moindres détails. Vingt-cinq minutes plus tard, tout était terminé ; un tonnerre d'applaudissements s'éleva dans le public. L'incroyable talent de Benedetta venait d'être exposé aux yeux émerveillés de tous.

Il y eut une pause, puis un régisseur lui fit signe de monter sur le podium. C'était le moment que Benedetta détestait le plus, celui où elle devait s'avancer sur la scène pour saluer. Le public l'attendait, acheteurs, journalistes et photographes du monde entier. Cette fois-ci encore plus que les autres…

Alors qu'elle apparaissait sur le podium dans sa tenue de travail habituelle – jean et sweat noirs, ballerines –, toute la salle se leva. Benedetta n'avait pas prévu un tel accueil, et les larmes lui montèrent aux yeux. Les « bravos » fusèrent dans la foule ; les gens applaudissaient, sifflaient, tapaient des pieds en criant son nom. Une véritable standing ovation pour célébrer ses modèles, mais aussi pour lui signifier leur soutien. Tout le monde ici savait ce qu'elle avait subi ces derniers mois, comment elle avait lutté pour sauver son honneur et tenté un coup qui aurait pu lui être fatal. Elle avait arraché la victoire aux griffes de la défaite. Elle avait réussi. Gregorio ne l'avait pas détruite. Lorsqu'elle s'arrêta au bout du podium, le visage ruisselant de larmes, elle offrit un large sourire à ses supporters. Elle avait envie de les embrasser un par un, mais elle se contenta de les saluer, avant de retourner se cacher derrière le rideau. La soirée avait été un franc succès.

Pendant la Fashion Week, des fêtes étaient organisées un peu partout dans Milan, mais Benedetta préféra rentrer chez elle pour savourer pleinement sa victoire. Dharam, qui avait regardé l'événement sur Internet, la rappela pour la féliciter.

— Vos créations sont superbes, Benedetta ! Je suis tellement heureux pour vous !

Elle était quant à elle très fière. Fière de n'avoir pas laissé Gregorio saper son entreprise ni son moral. Fière de s'être battue jusqu'au bout.

— J'ai hâte que vous voyiez mes créations en vrai, dit-elle tandis qu'elle faisait les cent pas dans son salon pour décompresser.

— Moi aussi. Il faut absolument que vous veniez chercher de l'inspiration en Inde. C'est si beau, ici ! Vous seriez séduite.

— J'aimerais venir, un jour, oui…

— Alors vous viendrez, je vous le promets. En attendant, on se voit dans quelques semaines.

Benedetta souriait jusqu'aux oreilles lorsqu'elle s'étendit sur son lit, les yeux rivés au plafond. Quelle merveilleuse soirée elle venait de vivre !

10

La semaine de la Fashion Week à Paris était encore plus folle que celle de Milan. Elle accueillait davantage de créateurs – français, en particulier –, et tout le monde l'attendait avec impatience. Valérie et sa rédactrice en chef assistaient à tous les défilés au premier rang, en compagnie des principaux rédacteurs du *Vogue* américain, venus spécialement pour l'occasion. Les stylistes subissaient une pression énorme. Valérie, qui courait de défilé en défilé pour découvrir leurs modèles, prit le temps néanmoins d'envoyer un bouquet de fleurs à Benedetta pour la féliciter de son succès à Milan. Les gens en parlaient encore.

Comme chaque année, elle vit très peu son mari cette semaine-là : elle partait à huit heures tous les jours et revenait rarement avant deux heures du matin. Mais ce fut d'autant plus dur cette fois-ci qu'il s'en allait pour Pékin le samedi… Jean-Philippe comprenait. C'était cela, le travail de sa femme. Et c'était pour participer à cette folie qu'elle ne l'accompagnait pas en Chine.

De toute façon, il était lui-même fort occupé : plusieurs visioconférences et une dizaine de réunions sur

Skype avaient été programmées avant son départ pour préparer sa prise de fonction. Il avait également une montagne de dossiers et de documents à lire... Il espérait en étudier une bonne partie pendant le long trajet en avion.

Le vendredi, peu avant midi, Valérie reçut un appel de Beaumont-Sevigny, un gros investisseur dans le secteur du prêt-à-porter de milieu de gamme, dont la réputation n'était plus à faire. Les dirigeants désiraient la rencontrer le jour même, avant de repartir aux États-Unis. Valérie annula son déjeuner avec ses collègues américains et passa une heure avec le P-DG de l'entreprise et son équipe créative au complet. Ils voulaient lui proposer de travailler pour eux comme consultante régulière. D'habitude, seuls les rédacteurs en chef se voyaient offrir ce genre de mission, que *Vogue* les autorisait à effectuer en parallèle de leur activité et qui leur permettait d'arrondir joliment leurs fins de mois.

Valérie croyait rêver lorsqu'elle ressortit de cette réunion. Ils souhaitaient qu'elle leur consacre trois jours par mois pour réaliser des présentations, les conseiller sur les lignes de vêtements, et les faire profiter de son expertise en matière de silhouettes, de proportions, de couleurs, de tissus et de tendances. Valérie savait qu'elle n'aurait aucune peine à répondre à ces attentes. Et ils étaient prêts à la payer deux fois son salaire annuel chez *Vogue* pour cela ! Voilà un argument qui aidait à justifier sa décision de ne pas suivre Jean-Philippe en Chine... Elle était clairement destinée à rester à Paris, la capitale de la mode. Lorsqu'elle annonça la nouvelle à Jean-Philippe ce soir-là, il fut impressionné et très fier d'elle.

— C'est génial ! s'exclama-t-il. Quand commences-tu ?

— La semaine prochaine.

Valérie était aux anges. Elle ne parla que de cela toute la soirée, jusqu'à ce qu'ils s'endorment tous les deux. Cependant, lorsqu'elle se réveilla le lendemain matin, elle eut soudain le cœur lourd en se rappelant que Jean-Philippe décollait ce jour-là pour Pékin. Après des mois de discussions et d'hésitations, le moment tant redouté était finalement arrivé. Mais si le départ de son mari lui tordait le ventre, Valérie était plus que jamais convaincue de faire le bon choix en demeurant à Paris. La proposition de la veille lui donnait des raisons tout à fait sérieuses et valables de rester, y compris du point de vue financier. Cela, Jean-Philippe ne pouvait le contester.

À midi, ils déjeunèrent en famille. Valérie avait préparé un gâteau et trouvé le temps, malgré son planning surchargé, de faire répéter aux enfants une chanson à l'intention de leur père. Pour lui dire combien ils l'aimaient… Elle filma la scène avec le téléphone de Jean-Philippe afin qu'il en garde le souvenir. Il avait les larmes aux yeux…

À seize heures, ils partirent ensemble à l'aéroport. Jean-Philippe passa à l'enregistrement, puis toute sa petite famille l'accompagna jusqu'au contrôle de sécurité. Là, il embrassa Valérie avec ardeur.

— Je rentrerai bientôt, lui murmura-t-il en l'étreignant.

— Arrête, papa, tu l'étouffes ! le gronda Isabelle, comme chaque fois qu'elle le voyait enlacer sa mère.

Il serra ses enfants l'un après l'autre contre lui. Leur dernière journée ensemble avait été si belle !

Le moment vint où il dut les quitter, sans quoi il risquait de rater son avion. Il vola un dernier baiser à Valérie, embrassa une dernière fois sa fille et ses fils, et franchit les portiques de sécurité en leur faisant signe de la main. Les enfants le regardèrent disparaître d'un air triste.

— Je veux que papa revienne, sanglota Isabelle.

— Il ne peut pas, idiote, lança Jean-Louis. Il doit prendre son avion.

Damien, lui, restait immobile dans sa poussette, à sucer son pouce.

De retour à la voiture, Valérie rangea la poussette dans le coffre – non sans difficulté –, sangla Isabelle et Damien dans leurs sièges-autos et aida Jean-Louis, assis au milieu, à boucler sa ceinture. Tout en démarrant, elle tenta de les faire chanter, mais ils n'étaient pas d'humeur, et elle non plus. Elle eut soudain l'impression d'être en deuil. Une vague de panique la submergea : avait-elle eu raison de laisser Jean-Philippe partir seul ? Et si leur mariage n'y résistait pas ? Ils n'étaient pas à l'abri de cette éventualité.

Avant même qu'elle ne soit sortie du parking de l'aéroport, Jean-Philippe l'appela sur son portable. Valérie se gara sur le côté pour répondre, puis passa le téléphone à chacun des enfants. Jean-Philippe s'était installé dans le salon de première classe en attendant l'embarquement.

— Je t'aime, murmura-t-elle une fois qu'elle eut récupéré l'appareil. Je suis désolée de ne pas venir avec toi.

Il fut touché.

— Tu as pris la décision qui te semblait juste, Valérie. Ne t'inquiète pas, on y arrivera.

Pourvu que ce soit vrai, songea-t-il en prononçant ces mots.

— Merci de te montrer si compréhensif, Jean-Philippe.

— Merci à toi de me laisser tenter ma chance à Pékin.

Ils faisaient tous les deux ce qu'ils avaient à faire – mais chacun de leur côté. Leurs besoins n'étaient pas conciliables.

De retour à l'appartement, Valérie fit manger les enfants, leur donna le bain, puis les coucha. Alors qu'elle s'allongeait sur le lit qu'elle avait partagé le matin même avec son mari, elle se sentit gagnée par une profonde tristesse. Les deux mois à venir allaient lui paraître interminables. Elle venait de faire un choix dont elle ne se serait jamais crue capable : sacrifier son mariage au profit de son travail. C'est en pleurant qu'elle s'endormit ce soir-là.

Onze heures plus tard, Jean-Philippe atterrit à l'aéroport international de Pékin-Capitale. Son interprète l'y attendait pour le conduire à son appartement. C'était un logement temporaire : les nouveaux arrivants séjournaient là le temps de trouver mieux mais, comme Jean-Philippe était seul, il avait signifié à ses employeurs qu'il s'en contenterait. L'immeuble moderne, situé dans Financial Street – une rue du quartier de Haidian à l'ouest de Pékin, où vivaient de nombreux étrangers –, lui rappela certains des gratte-ciel les plus laids qu'il avait pu voir dans d'autres villes. Néanmoins, bien que meublées avec parcimonie, les pièces étaient propres et les occupants précédents avaient eu la gentillesse de laisser un peu de nourriture dans le réfrigérateur.

Jean-Philippe eut l'impression étrange d'être catapulté dans le passé, à l'époque où il était encore célibataire. L'endroit lui faisait penser au logement qu'il avait partagé pendant plusieurs mois avec trois autres étudiants, quand il était allé à l'université de New York dans le cadre d'un échange. Rien, dans l'appartement, l'immeuble ou le quartier, n'était agréable à l'œil, et un épais brouillard de pollution recouvrait la ville. Jean-Philippe réalisa soudain que la vie allait être bien lugubre, ici, sans sa famille.

Il installa des photos de Valérie et des enfants sur son bureau dans l'espoir d'égayer un peu les lieux. Mais cela ne fit que renforcer son sentiment de solitude. Comment avait-il pu penser que vivre à Pékin était une bonne idée ? Il commençait à comprendre pourquoi la femme de son prédécesseur était rentrée chez elle. Heureusement qu'il n'avait pas emmené Valérie avec lui… Elle aurait détesté cet endroit encore plus que lui.

Il lui téléphona un peu plus tard. N'ayant pas l'intention de ressortir, il avait renvoyé son interprète chez lui et s'était fait cuire des œufs durs, qu'il avait mangés avec du pain grillé et un verre de jus d'orange. Quand Valérie lui demanda à quoi ressemblait l'appartement, il n'eut pas le cœur de lui dire la vérité et se contenta de répondre qu'il lui convenait très bien. Elle comprit pourtant au ton de sa voix qu'il était malheureux ; et, après avoir bavardé un moment, il lui avoua qu'il valait mieux pour elle qu'elle ne soit pas venue.

— C'est assez basique, ici, reconnut-il.

Un bel euphémisme… C'était surtout très moche. Tout était purement fonctionnel et de qualité médiocre, comme dans un hôtel bon marché. Et quand Jean-Philippe s'allongea sur le lit, le matelas se révéla affreusement inconfortable. Brisé de fatigue, il réussit quand même à s'endormir.

Le lendemain, il se leva à six heures et eut le temps de parcourir quelques journaux en ligne avant qu'un chauffeur ne passe le chercher pour le conduire au travail. Ils traversèrent des secteurs très densément peuplés, puis atteignirent ce qui ressemblait au quartier des affaires ; les rues étaient infestées de voitures comme d'autant de cafards, qui crachaient leurs fumées d'échappement dans les embouteillages.

Jusque-là, Jean-Philippe n'était pas sensible au charme de cette ville… Mais il tenait à découvrir les attractions touristiques les plus célèbres du pays : la Cité interdite et la Grande Muraille, mais aussi, dès qu'il en aurait le temps, l'armée de soldats et de chevaux en terre cuite située dans la ville de Xi'an, capitale de la province du Shaanxi. Il fallait prévoir deux jours pour l'aller et le retour en train.

Avant tout, cependant, il devait se familiariser avec son nouveau job et ses nouveaux collègues. Surmonter tous les obstacles qui allaient se présenter à lui… Dire qu'il languissait déjà de rentrer chez lui auprès de sa femme et de ses enfants. Il avait le mal du pays, comme un gamin en colonie de vacances…

Au cours de la matinée, il réussit peu à peu à s'absorber dans son travail. L'entreprise avait d'importantes propositions de marchés sur la table, ainsi que quelques projets intéressants de fusions et acquisitions.

C'était pour gérer tout cela que Jean-Philippe avait été embauché. Il fut soulagé de pouvoir se plonger dans ses dossiers et oublier la solitude qui l'accablait. À vingt heures, il était de retour à l'appartement. Il avala le bol de riz que sa femme de ménage lui avait laissé, mais n'osa pas toucher à l'autre plat, qu'il n'arrivait pas à identifier. Tout lui semblait inconnu, étrange... Il se demanda s'il se sentirait un jour chez lui ici, ou même simplement à l'aise.

Au bout d'une semaine, Jean-Philippe avait pris l'habitude de se lever tôt le matin, de faire de l'exercice, et de travailler deux heures chez lui avant de se rendre au bureau. Le samedi, il engagea un guide pour visiter la Cité interdite ; on lui en avait parlé comme d'un site spectaculaire, et il ne fut pas déçu. Le soir, au téléphone, il commença à décrire à Valérie tout ce qu'il avait vu, mais elle dut abréger la conversation car Jean-Louis et Damien avaient attrapé une grippe intestinale, et la nourrice ne travaillait pas le week-end. Leur vie s'était subitement compliquée depuis que huit mille kilomètres les séparaient. Jean-Philippe regrettait de ne pouvoir l'aider. Quand ils eurent raccroché, il emporta quelques dossiers dans son lit et s'endormit dessus.

Le lendemain matin, il décida d'appeler Chantal sur Skype.

— Alors, c'est comment ? demanda-t-elle sitôt qu'elle vit son visage apparaître à l'écran.

— C'est intéressant, répondit-il, laconique.

Elle comprit à sa voix qu'il n'avait pas le moral.

— Intéressant dans le bon sens, ou intéressant dans le genre « qu'est-ce que j'ai fait comme connerie » ?

— Un peu les deux, concéda-t-il en riant. C'est surtout très dépaysant, et un peu déstabilisant de se retrouver dans un pays dont on ne connaît pas la langue. Personne ne parle anglais ou français, ici. Sans interprète, je serais complètement perdu. Et ça me fait bizarre d'être là sans Valérie et les enfants. Ils me manquent.

— Je suis sûre que tu leur manques aussi. C'est une année dont vous allez vous souvenir, et pas forcément avec beaucoup de plaisir.

— On verra... Mais toi, où en est ton histoire d'amour ? Raconte-moi ce qui se passe dans ta vie, ça me changera les idées.

— Oh, pas grand-chose. J'arrive enfin au bout de mon scénario, et je viens de signer un contrat pour le suivant. Sinon, je vois beaucoup Xavier. Ce week-end, on est allés à une brocante et au musée d'Orsay. On s'amuse bien.

Jean-Philippe lui trouvait bonne mine.

— Toujours folle de lui, alors ?

— Plus que jamais. Il est génial ! Et j'adore son frère et sa belle-sœur – on a dîné avec eux la semaine dernière. On est vraiment bien, ensemble.

Jean-Philippe se réjouit de la voir si heureuse. Elle le méritait, après toutes ces années de célibat. Depuis qu'elle avait rencontré Xavier, elle semblait mordre la vie à pleines dents.

Chantal dut bientôt raccrocher ; elle avait rendez-vous avec le producteur de son prochain scénario. Jean-Philippe se retrouva seul à nouveau... Si son travail l'occupait bien dans la journée, ses soirées et ses jours de congé étaient longs et ennuyeux. Valérie lui manquait terriblement. Cette idée de venir à Pékin était vraiment la pire qu'il eût jamais eue. Mais à présent, il devait assumer sa décision, s'armer de courage et aller jusqu'au bout, en croisant les doigts pour que les bénéfices financiers en vaillent la peine et que son mariage survive.

11

À leur retour de Los Angeles, Chantal et Xavier s'installèrent dans une routine confortable. Xavier dormait presque tous les soirs chez elle, sauf quand elle devait travailler. Ensemble, ils visitaient des musées, allaient au cinéma ou à des vernissages, dînaient avec des amis. Chantal lui présenta quelques relations, et Xavier se fit un plaisir de l'introduire dans son cercle, bien plus large que le sien. Il arrivait parfois qu'elle se sente un peu vieille, mais, d'une manière générale Xavier fréquentait des personnes de tous les âges, de tous les milieux sociaux et de tous les horizons.

Le mois d'octobre venu, les enfants de Chantal ne semblaient plus choqués quand elle évoquait l'existence de Xavier. Elle l'accompagna un jour en Allemagne, où il avait rendez-vous avec un client, et ils s'arrêtèrent à Berlin pour dîner avec Éric. Ce dernier fut ravi de voir sa mère et de pouvoir enfin rencontrer son petit ami. Il l'apprécia d'autant plus que Xavier s'intéressait beaucoup à l'art contemporain. Chantal fut surprise, et Éric impressionné devant l'étendue de sa culture en matière d'art conceptuel.

Progressivement, leurs deux univers se mêlaient l'un à l'autre, en douceur… Tout se faisait le plus naturellement du monde. Au bout de quatre mois passés ensemble, ils auraient juré qu'ils s'aimaient depuis bien plus longtemps. Parfois, Chantal avait peur : leur relation paraissait trop belle pour être vraie ou pour durer, et elle essayait de ne pas trop s'attacher.

Quand Jean-Philippe fit la connaissance de Xavier sur Skype un dimanche, il trouva que Chantal et lui formaient un bien joli couple. De les voir tous les deux alors qu'il était lui-même si loin de sa propre famille le rendit envieux.

— Et Valérie, lui demanda Chantal, elle va bien ? Il faut que je trouve un moment pour l'inviter à déjeuner.

— Elle est très prise, tu sais, répondit Jean-Philippe. C'est de la folie au bureau, et elle a accepté en plus un job de conseil qui lui prend pas mal de temps. Sans parler des enfants, qu'elle doit gérer…

— Ça lui apprendra à te laisser partir tout seul en Chine, répliqua son amie.

Elle ne plaisantait qu'à moitié. À ses yeux, ils avaient fait une grosse erreur en décidant de vivre séparés pendant un an. Elle se garda cependant d'exprimer ses doutes devant Jean-Philippe, qui souffrait déjà suffisamment sans qu'elle joue en plus les prophètes de malheur. La Chine avait beau offrir des opportunités fabuleuses, les conditions et la qualité de vie y étaient proprement épouvantables. Jean-Philippe n'avait encore aucune vie sociale au sein de la communauté étrangère, et ses amis de Paris lui manquaient.

— Le pauvre, il a l'air malheureux, déclara Xavier un jour où ils venaient de discuter tous les trois. Pourquoi est-il parti sans sa femme et ses enfants ?

— Valérie n'a pas voulu abandonner son travail.

Un dilemme des temps modernes qui ne trouvait pas toujours une issue positive…

— Elle est pressentie pour devenir rédactrice en chef chez *Vogue*, précisa Chantal. Et, au départ, Jean-Philippe lui demandait de le suivre à Pékin pour une période de trois à cinq ans. Il a décidé d'essayer pendant un an, mais je ne suis pas certaine qu'il ait été très clair sur ce point avec ses employeurs. J'espère que Valérie et lui s'en sortiront…

Xavier songea à la solitude que devait ressentir Jean-Philippe. Les femmes étaient de plus en plus nombreuses à faire carrière, et elles ne voulaient pas y renoncer pour leurs maris – qui, de leur côté, acceptaient rarement de mettre un frein à la leur pour elles. Trop souvent, cela menait à l'impasse, et les deux époux finissaient par sacrifier leur union sur l'autel de leurs ambitions professionnelles.

— Je n'aimerais pas être à leur place, observa Xavier.

Chantal était bien d'accord. Personne ne pouvait dire si le couple de Jean-Philippe et Valérie survivrait à la décision qu'ils avaient prise.

Ce jour-là, Xavier et Chantal firent provision de leurs produits préférés au Bon Marché. Ils aimaient cuisiner ensemble – même si Xavier prétendait être meilleur qu'elle dans ce domaine, et qu'elle le laissait y croire. Ils savaient s'adapter l'un à l'autre tout en respectant l'espace vital de chacun. Jamais Chantal n'avait l'impression que Xavier l'étouffait, et l'inverse était tout aussi vrai.

Le week-end, ils faisaient de longues promenades dans le bois de Boulogne, ou partaient déjeuner dans une petite auberge à la campagne. Ils en revenaient heureux et détendus. Puis ils préparaient le dîner et regardaient un film dans le lit de Chantal – sa télévision était plus grande. Cette organisation leur convenait parfaitement. Chantal doutait que tout cela puisse durer très longtemps, étant donné leur différence d'âge, mais pour l'instant leur relation paraissait chaque jour un peu plus belle, chaque jour un peu plus forte.

À la mi-octobre, profitant d'un déplacement à Rome, Dharam fit un crochet par Milan pour rendre visite à Benedetta le temps d'un week-end. Celle-ci savourait encore le succès de sa nouvelle collection. Les mesures radicales qu'elle avait adoptées pour pouvoir continuer à gérer seule son entreprise avaient porté leurs fruits : les commandes affluaient, la presse spécialisée ne parlait que d'elle, et ses chiffres de ventes explosaient. Elle avait pris de gros risques en poussant son mari vers la sortie, mais son audace avait été récompensée. Les frères de Gregorio, amers, accusaient ce dernier d'avoir créé une situation qui pourrait bien à terme provoquer la ruine de la marque familiale. Benedetta n'éprouvait aucun remords. L'humiliation qu'elle avait supportée en silence pendant des années s'était subitement transformée en colère, mais elle en avait fait quelque chose de positif en restructurant sa société. C'était la revanche suprême ; Gregorio était devenu la risée de Milan.

Benedetta ne voulut pas ennuyer Dharam avec ses histoires. Il avait attendu trois mois pour la voir depuis son passage en Sardaigne en juillet. Cette fois-ci, il avait réservé une chambre au Four Seasons, et il l'invita à dîner au Ristorante Savini, dans la Galleria Vittorio Emanuele II. Le samedi après-midi, ils partirent se promener à la campagne pour profiter du soleil radieux. Lorsqu'il la raccompagna chez elle en fin de journée, Dharam admira les peintures classiques dont elle avait décoré son élégant appartement.

— Alors, Benedetta, quand viendrez-vous me voir en Inde ? lui demanda-t-il d'un ton chaleureux. Ce serait une source d'inspiration fabuleuse pour vous. Vous adoreriez Jaipur, Jodhpur, Udaipur... et le Taj Mahal, bien sûr. Il y a tellement de sites magnifiques en Inde ! J'aimerais beaucoup vous les faire découvrir. Je serais votre guide personnel, en quelque sorte.

Elle lui tendit un verre de vin en souriant.

— Dans mon pays, la lumière et les couleurs sont exquises, poursuivit-il. Je connais un hôtel à Srinagar qui doit être l'endroit le plus romantique du monde. Et les jardins de Shalimar, près du lac Dhal... Ils sont inoubliables.

Ses beaux yeux bruns brillaient d'une douce chaleur. Il lui offrait son monde sur un plateau d'argent.

— Même les bijoux pourraient vous inspirer, ajouta-t-il. Je vous emmènerais au Gem Palace, à Jaipur.

Benedetta connaissait cette célèbre joaillerie, dont les créateurs parcouraient l'Europe pour vendre leurs superbes bijoux.

— C'est très tentant, tout cela, répondit-elle en se calant dans son gros fauteuil.

Elle avait beaucoup pensé à Dharam depuis leur séjour en Sardaigne. Mais elle avait été occupée à démanteler son mariage et son entreprise, et il lui avait semblé préférable, jusque-là, qu'ils ne se voient pas… Elle savait pertinemment que l'intérêt qu'il lui portait allait au-delà de la simple amitié.

— J'aimerais passer du temps avec vous, Benedetta, dit-il sobrement. Si vous le voulez bien.

— Maintenant, oui.

Elle tenait à être franche avec lui. Même si son mari l'avait quittée pour une autre femme, elle avait besoin de temps pour tourner la page de ces vingt années de mariage. Leurs vies avaient été tellement imbriquées l'une dans l'autre qu'ils avaient parfois eu l'impression de ne faire qu'un ; séparer leurs deux mondes ne s'était pas fait sans mal.

— La demande de divorce a été déposée, expliqua-t-elle. En Italie, cela prend du temps, mais au moins l'intention est là. Je voulais faire les choses dans l'ordre, contrairement à mon mari.

Elle avait eu tort de fermer les yeux sur les infidélités de Gregorio.

— Est-ce qu'il va épouser cette fille ? s'enquit Dharam, curieux de l'impact que pouvaient avoir les projets de Gregorio sur Benedetta.

— Je n'en ai pas la moindre idée. Ça peut paraître ridicule, mais il a été surpris que je veuille divorcer. Il pensait qu'on resterait mariés sur le papier pendant qu'il irait vivre avec sa copine et leur bébé, et qu'on ne changerait rien à la gestion de l'entreprise. Mais quand il m'a annoncé qu'il me quittait, je n'ai vu aucun intérêt à continuer comme si de rien n'était. On ne pouvait plus travailler ensemble. Maintenant, il est libre de faire ce qu'il veut.

— Je n'aimerais pas épouser une top model russe, confessa Dharam.

— Lui non plus, si ça se trouve. Mais c'est son problème.

Benedetta sourit à son compagnon et le regarda droit dans les yeux.

— Quoi qu'il en soit… on est tous les deux libres, maintenant.

— Est-ce vraiment ce que vous ressentez, Benedetta ? Ce n'est pas facile de se séparer de quelqu'un avec qui on a vécu si longtemps.

Il n'osa pas lui demander si elle était toujours amoureuse de Gregorio. Il espérait que non.

— Ce n'est pas facile, en effet, reconnut-elle.

— J'ai vécu ça quand j'ai divorcé de ma femme. Au moins, vous, vous n'avez pas d'enfants.

— Peut-être, mais on avait une entreprise. Et nos familles travaillaient ensemble depuis des générations.

— Ça a dû lui faire un choc quand vous lui avez dit que vous ne vouliez plus de lui dans la société.

— C'est certain. Et à ses frères aussi.

Elle marqua une pause, avant de reprendre :

— C'est fou comme tout peut basculer en un battement de cils. Au mois de juin, quand je suis allée au Dîner en blanc avec mon mari, je pensais encore qu'on resterait ensemble jusqu'à la fin de nos jours. Aujourd'hui, tout a changé dans ma vie.

— Parfois, c'est une bonne chose. Le changement peut apporter de magnifiques surprises, fit remarquer

Dharam en la fixant de son regard intense. J'ai ressenti une très forte connexion avec vous, ce soir-là…

— Je suis très flattée, et heureuse, Dharam, mais comment pourrions-nous passer du temps ensemble ? Vous vivez à Delhi, et moi à Milan. On a tous les deux des responsabilités professionnelles importantes. Je ne quitterai jamais Milan. Tout mon travail est ici.

— Je sais, et j'y ai beaucoup réfléchi, répondit-il. Rien ne nous empêche de faire des allers et retours quand on a envie de se voir. D'autres y arrivent, pourquoi pas nous ? De mon côté, je peux travailler à peu près partout. Je passe déjà beaucoup de temps à Londres, à Paris, à Rome. Et aussi à New York.

Benedetta en avait eu la preuve à travers ses coups de fil et e-mails au cours des quatre derniers mois : Dharam était toujours par monts et par vaux.

— Seriez-vous prête à nous laisser une chance ? demanda-t-il, une lueur d'espoir dans les yeux.

— Oui, je suis prête… Tant que vous comprenez bien que je dois vivre ici. L'avenir de l'entreprise repose uniquement sur moi, à présent.

Cet été, quand Benedetta avait dû prendre des décisions, elle aurait pu se retirer des affaires et céder l'entreprise à Gregorio ou à d'autres, ou encore continuer à la diriger avec son mari. Au lieu de cela, elle avait choisi d'en prendre les rênes à elle seule ; elle n'allait pas tout laisser tomber maintenant pour un autre homme. Ce n'était pas, cependant, ce que Dharam semblait attendre d'elle.

— Nous sommes des gens modernes, tous les deux, répondit-il avec sagesse. Vous n'êtes pas femme au foyer, je ne tiens pas une supérette à Delhi. Nous avons des solutions que d'autres personnes moins imaginatives n'ont pas.

Il posa son verre de vin et la rejoignit dans le gros fauteuil.

— Je crois aussi que nous étions destinés à nous rencontrer, ce soir de juin. Il vous est arrivé quelque chose de difficile, et les Parques – ou les dieux, suivant comment vous les appelez – ont décidé de m'envoyer auprès de vous.

Benedetta avait songé plusieurs fois à cette heureuse coïncidence. Depuis ce fameux dîner, Dharam n'avait pas manqué de l'appeler régulièrement, sans pour autant s'imposer. De même, il avait laissé passer un délai raisonnable avant de venir la voir. Et d'ailleurs, eût-elle choisi de rester avec Gregorio, Dharam se serait retiré avec grâce.

— On oublie quelque chose d'essentiel, observa-t-il.

— Quoi donc ?

— Ce que l'on ressent l'un pour l'autre. On ne peut pas légiférer sur tout, ni tout calculer. Le cœur ne reçoit d'ordres de personne. Il fait ce qu'il veut.

Sur ces mots, Dharam se pencha pour l'embrasser. Avec un peu d'hésitation d'abord, puis en donnant libre cours à sa passion lorsqu'elle répondit à son baiser. Ils restèrent un long moment ainsi enlacés.

— Laissons faire les choses comme elles viennent, murmura-t-il. Peut-être que vous détesterez l'Inde, peut-être que vous n'aimerez pas mes enfants…

Il l'embrassa à nouveau.

— Vous savez, ils sont très importants pour moi.

Il lui lança un regard malicieux, puis reprit :

— Alors, Benedetta, quand venez-vous en Inde ?

Elle sourit.

— Eh bien… Je suis toujours très occupée au mois de novembre ; c'est la période où je travaille sur les nouvelles collections. En janvier et février, je prépare le défilé. Mais début décembre, ce serait possible. Qu'en pensez-vous ? demanda-t-elle timidement.

Elle allait bientôt découvrir un nouveau pays, un nouvel univers, mais aussi un nouvel homme. C'était à la fois inquiétant et très excitant. Dharam lui avait promis qu'elle serait en sécurité avec lui, et elle le croyait. À en juger par ce qu'elle connaissait déjà de lui, c'était un homme en qui l'on pouvait avoir confiance, un homme responsable et attentionné qui tenait à elle. Il le lui avait prouvé ces derniers mois par sa patience. Aujourd'hui, l'idée de partir en Inde avec lui l'enthousiasmait.

Lorsqu'ils se séparèrent le lundi matin – elle l'avait rejoint dans sa suite d'hôtel pour prendre le petit déjeuner avec lui –, Benedetta se sentait déjà parfaitement à l'aise en sa compagnie. Ils avaient d'ailleurs rapidement décidé de se tutoyer.

Dharam l'attira dans ses bras et l'embrassa une dernière fois. Ils venaient de passer un week-end fabuleux qui les récompensait de ces longs mois d'attente. Commencer une relation plus tôt ne leur aurait pas semblé judicieux, ni à l'un ni à l'autre, mais aujourd'hui ils n'avaient plus aucune raison de se sentir coupables. Dharam n'avait pas cherché à influencer la décision de Benedetta ; il était resté en retrait le temps qu'elle dénoue sa situation. À présent, ils pouvaient avancer ensemble et voir ce que l'avenir avait à leur offrir.

Dharam descendit avec elle dans le hall de l'hôtel. Le chauffeur de Benedetta l'attendait dehors.

— Je t'appellerai en arrivant à Londres, lui promit-il avant de déposer un baiser sur ses lèvres. À bientôt à Delhi !

Elle lui fit signe de la main tandis que la voiture démarrait. Le visage de Dharam rayonnait de bonheur…

À son retour de la Fashion Week de Paris, Anya pouvait être satisfaite : elle avait beaucoup travaillé, s'était bien amusée, et sa carrière repartait de plus belle. Son agent lui avait trouvé des contrats à Londres, New York, Berlin, Paris et Tokyo pour les semaines et les mois à venir. À peine rentrée à Milan, elle était déjà pressée de s'envoler pour d'autres cieux. Bien sûr, elle était heureuse de revoir Gregorio et sa fille, mais elle ne se sentait plus chez elle dans cette ville, devenue à ses yeux un simple lieu de passage.

Gregorio devina immédiatement qu'elle avait changé. Anya n'était plus sur la même longueur d'onde que lui. Lorsqu'il tenta de lui en parler, elle refusa de l'admettre. Même Claudia réagissait différemment à son contact : elle se mettait à pleurer dès qu'Anya la prenait dans ses bras. L'univers du bébé tournait à présent autour de son père. La jeune femme se sentait rejetée. Pourquoi la petite était-elle aussi agitée ? se plaignait-elle.

Gregorio lui répondait gentiment que Claudia avait besoin de passer plus de temps avec sa maman. Mais Anya était toujours fourrée dehors, à faire du sport ou les magasins, ou bien au téléphone avec son agent ou ses amis. Elle n'était de toute évidence pas prête à se poser. Cela ne l'intéressait pas d'apprendre à devenir mère aux côtés de Gregorio. Elle voulait s'amuser, oublier ce qui s'était passé à l'hôpital, rattraper le temps perdu. Gregorio avait l'impression de retrouver la jeune femme qu'il avait eue pour maîtresse, et non celle qui avait donné naissance à leur fille et pleuré avec lui la mort de leur fils. Anya traitait Claudia comme s'il s'agissait du bébé d'une autre. Cela la perturbait de voir Gregorio s'occuper d'elle, lui donner le bain, la nourrir ou la prendre sans cesse en photo. Ce n'était pas très sexy... Leur relation avait été tellement plus excitante un an plus tôt ! Rien que d'y repenser, elle en frissonnait. L'épreuve de la naissance prématurée des jumeaux les avait transformés tous les deux : si Gregorio avait gagné en sagesse, Anya, à l'inverse, était devenue encore plus frivole qu'avant.

Gregorio pensait souvent à Benedetta. Lorsqu'il passait devant son ancienne maison, il se demandait ce qu'elle faisait et il aurait aimé sonner à la porte pour la voir, mais il n'en avait pas le courage. De toute façon, elle aurait refusé de lui ouvrir, et lui-même n'aurait pas su quoi lui dire. Comment s'excuse-t-on d'avoir largué une bombe atomique sur la vie de quelqu'un ? Il se rendait compte aujourd'hui que la naissance des jumeaux lui avait fait perdre la tête. Confronté à la tragédie aux côtés d'Anya, il avait cru voir en elle une profondeur, une consistance, qui en réalité n'était qu'un mirage. Heureusement, il avait sa fille chérie... Il s'était battu pour la sauver ; hors de question de s'éloigner d'elle à présent.

Une semaine après son retour à Milan, Anya s'envola pour Londres, Paris et Berlin, trop heureuse de laisser

Gregorio prendre soin de Claudia avec la nounou. Elle eut beau lui promettre de rentrer bientôt, elle parut soulagée de le quitter. La fausseté de leur relation était criante.

À la fin du mois d'octobre, Gregorio avait en partie renoué avec son ancienne vie. Deux de ses amis, l'ayant pris en pitié, avaient accepté de déjeuner avec lui. Les autres s'accordaient à dire qu'il était seul responsable de ce qui lui arrivait. Gregorio payait cher ses erreurs. Il restait donc seul le soir après le travail – seul avec sa fille, son unique rayon de lumière.

12

Le dernier jour d'octobre, le téléphone portable de Chantal sonna à quatre heures du matin. Tirée d'un profond sommeil, elle songea un instant à laisser l'appel basculer sur sa boîte vocale, mais son instinct maternel lui rappela que ses enfants étaient éparpillés un peu partout dans le monde. Elle décrocha donc, presque certaine qu'il s'agissait d'une erreur.

— Allô ? dit-elle d'une voix endormie.

Xavier tourna un œil mi-clos vers elle et la vit se redresser brusquement. Elle était soudain parfaitement réveillée. C'était un hôpital de Berlin, qui l'appelait pour la prévenir que son fils Éric avait eu un accident de moto. Il était conscient, mais souffrait de fractures à une jambe et à un bras et devait subir une intervention chirurgicale pour se faire poser une broche dans la hanche.

— Oh, mon Dieu ! souffla Chantal. J'arrive au plus vite. Puis-je lui parler ?

L'infirmière lui répondit qu'ils étaient en train de le préparer pour l'emmener au bloc et qu'il en ressortirait dans quelques heures. Chantal raccrocha, anéantie.

— Qu'est-ce qui se passe ? s'enquit aussitôt Xavier.

Il avait beau ne pas avoir d'enfants, il n'en partageait pas moins les inquiétudes de Chantal au sujet des siens.

— Éric a eu un accident de moto, expliqua-t-elle en posant sur lui un regard terrorisé. Il s'est cassé une jambe et un bras, et ils vont lui mettre une broche dans la hanche. Dieu merci, il est vivant !

L'infirmière de l'hôpital n'avait pas évoqué de traumatisme crânien. Chantal savait que son fils portait toujours un casque, et que celui-ci était solide.

— Je hais cette moto, grogna-t-elle. Il pense qu'avoir une voiture, c'est bon pour les bourgeois, mais il va falloir qu'il se débarrasse de cet engin de malheur !

Elle appela Air France et réserva une place sur le vol Paris-Berlin de huit heures.

— Tu veux que je t'accompagne ? proposa Xavier.

— Ce n'est pas la peine, je te remercie, répondit-elle en se penchant pour l'embrasser. Tu as du travail…

C'était son fils, pas celui de Xavier, et elle avait l'habitude de gérer les urgences toute seule.

— Tu es vraiment sûre, Chantal ? Je peux annuler mes réunions d'aujourd'hui. J'aimerais être avec toi.

Sa proposition était sincère, mais Chantal ne voulait pas qu'il bouscule son planning pour elle. À l'évidence, Éric allait rester à l'hôpital un moment et aurait besoin d'aide lorsqu'il rentrerait chez lui. Avec un bras cassé, difficile de se déplacer en béquilles…

— Je me demande si Annaliese était avec lui lors de l'accident, dit-elle soudain. Je n'ai pas pensé à leur poser la question.

De plus en plus inquiète, elle fit son sac, puis alla prendre une douche. Pendant ce temps, Xavier lui prépara du café et une tartine – son petit déjeuner habituel. Il était cinq heures trente, elle avait encore une demi-heure devant elle avant de partir. Xavier lui tint compagnie pendant qu'elle mangeait.

— N'hésite pas à m'appeler si tu veux que je vienne, insista-t-il en lui prenant la main. Je suis d'accord avec toi : la moto, c'est trop dangereux. Surtout sur les autoroutes allemandes, où ils roulent comme des fous. C'est encore pire qu'ici !

— Avec un peu de chance, sa moto est foutue… Je ne le laisserai pas en acheter une autre, en tout cas. Je lui payerai une voiture.

Éric n'avait pas les moyens de s'en offrir une.

— Mais attention, rien de trop bourgeois, la taquina Xavier.

Chantal sourit. C'était agréable de se sentir soutenue. Mais elle avait à présent basculé dans son rôle de maman et ne pensait plus qu'à son fils qui se trouvait à cet instant au bloc opératoire. Elle avait hâte de le voir. Arriverait-elle avant qu'il se réveille ? Elle s'empara du sac de voyage dans lequel elle avait fourré des jeans, quelques pulls, ses affaires de toilette et son maquillage, et enfila un duffle-coat au cas où les températures seraient plus fraîches à Berlin. Xavier l'accompagna jusqu'à la porte et la serra dans ses bras. Un taxi attendait dehors.

— Je t'aime, ma chérie. Fais-moi signe si tu as besoin de moi, je viendrai sur-le-champ.

— Comment ai-je eu la chance de te rencontrer, toi ? murmura-t-elle en souriant.

— Qui sait ? c'était peut-être mon vœu, le soir du Dîner en blanc… Faire la connaissance d'une femme belle et intelligente, que je pourrais aimer jusqu'à la fin de mes jours.

Chantal sentit un frisson lui parcourir le dos, comme chaque fois qu'il prononçait ce genre de paroles. Pourquoi avait-il la certitude qu'il l'aimerait toute sa vie alors qu'elle avait presque vingt ans de plus que lui ? Mathématiquement, ça ne tenait pas la route. Mais ce n'était pas le moment de soulever la question ; elle l'embrassa une dernière fois et s'engouffra dans l'ascenseur. Il était six heures du matin.

Après son départ, Xavier retourna se coucher en pensant à Éric. Imaginer qu'il aurait pu mourir lui glaçait le sang. Chantal aurait-elle survécu à une telle tragédie ? D'autres y parvenaient, et c'était une femme solide, mais il espérait de tout cœur qu'elle ne serait jamais confrontée à une épreuve aussi terrible.

Chantal fut parmi les premiers passagers à embarquer. L'avion décolla à l'heure et se posa à Berlin à neuf heures trente. Elle courut chercher un taxi, qui la déposa à l'hôpital. À l'accueil, on l'informa qu'Éric était en salle de réveil, et on lui indiqua l'étage où se rendre.

Lorsqu'elle se présenta au bureau des infirmières, celles-ci lui expliquèrent que son fils était dans un état stable et qu'il pourrait intégrer sa chambre à midi. Elle leur demanda alors si quelqu'un d'autre était avec lui sur la moto lors de l'accident ; les infirmières lui assurèrent qu'Éric était seul. Elle s'empressa d'appeler chez lui. Annaliese répondit immédiatement, en larmes et paniquée parce que Éric n'était pas rentré la veille au soir. Chantal prit conscience que c'était son nom qui apparaissait sur les papiers de son fils comme personne à contacter en cas d'urgence. Annaliese n'avait aucun moyen de savoir ce qui était arrivé. Personne ne l'avait prévenue.

— Il va bien, dit-elle calmement pour rassurer la pauvre jeune fille. Il a eu un accident de moto, il s'est cassé une jambe et un bras, mais il va s'en sortir. Il est à l'hôpital.

Annaliese pleura de plus belle en apprenant la nouvelle. Elle se mit à parler allemand, avant de reprendre son français hésitant.

— J'ai cru qu'il était mort !

— Oh, ma pauvre, je suis désolée, répondit Chantal avec émotion. Mais non, tout va bien, il a eu de la chance. Il a été opéré, et là il est en salle de réveil. Ils le conduiront dans sa chambre dans quelques heures. Tu pourras venir le voir un peu plus tard, si tu veux.

— J'ai des cours, aujourd'hui, bafouilla Annaliese. Je viendrai ce soir.

— Il sera content de te voir, lui dit gentiment Chantal avant de raccrocher.

Elle attendait dans le couloir lorsque les infirmières sortirent Éric de la salle de réveil et poussèrent son lit jusqu'à une chambre que se partageaient déjà trois autres hommes. Éric regarda sa mère avec gratitude. Il savait qu'elle serait là. Elle avait toujours été là pour lui, comme pour son frère et sa sœur.

— Je suis désolé, murmura-t-il tandis qu'elle embrassait son visage encore tout sale de l'accident.

Le personnel médical n'avait pas pris le temps de le laver, ayant eu d'autres problèmes plus graves à régler en priorité. Éric avait un bras et toute une jambe dans le plâtre. Le médecin expliqua à Chantal qu'il resterait une semaine à l'hôpital. La fracture du bras était nette, ils retireraient le plâtre au bout de quatre semaines ; mais la jambe mettrait plus de temps à guérir – au moins deux ou trois mois. Éric serait obligé de suivre une rééducation jusqu'à ce qu'il soit de nouveau capable de marcher seul.

— J'espère que tu as compris ! le gronda-t-elle. La moto, c'est terminé. Tu dois entrer dans la bourgeoisie et conduire une voiture.

La remarque arracha un sourire à son fils. Sur ce, Chantal le laissa seul un moment, le temps d'aller négocier pour lui une chambre individuelle. Une heure plus tard, il était confortablement installé dans sa nouvelle chambre, et elle le débarbouillait comme un enfant avec l'aide d'une infirmière. Éric finit par s'assoupir, et Chantal en profita pour descendre à la cafétéria et s'acheter de quoi manger. L'envie lui prit d'appeler Xavier, mais elle n'en fit rien, de peur de le déranger en plein travail.

Lorsqu'elle regagna l'étage d'Éric, elle se sentait bien seule… Depuis plus de vingt ans, elle gérait les urgences de ses enfants : points de suture, entorses, crise d'appendicite à neuf ans pour Charlotte, calcul rénal à quinze pour Paul. Elle avait toujours été seule à attendre dans les couloirs des hôpitaux, seule à s'inquiéter pour eux, seule à prendre les décisions. Elle réalisait aujourd'hui à quel point ce poids était lourd à porter. Et combien Éric avait eu de la chance, cette fois-ci.

Alors qu'elle tournait au coin du couloir, Chantal aperçut Xavier : il l'attendait devant la chambre d'Éric !

Les larmes la submergèrent. Personne n'avait jamais été aussi présent pour elle.

— Qu'est-ce que tu fais là ? lui demanda-t-elle, incrédule.

— Je ne voulais pas te laisser seule, j'ai pris l'avion suivant. Il me semble que c'était plus important que ce que j'avais à faire pour mes clients. Comment va-t-il ?

— Il est dans le gaz. On l'avait mis dans une chambre avec trois autres types, mais je viens de le faire transférer dans une chambre individuelle.

Xavier l'attira dans ses bras en souriant.

— Pourquoi ne suis-je pas surpris ? Maman à la rescousse, n'est-ce pas ?

— C'est à ça que servent les mères.

Et, de l'avis de Xavier, Chantal était parfaite dans ce rôle. Elle venait de le prouver une fois de plus en s'arrachant des bras de Morphée pour filer à Berlin.

— Est-ce que sa copine était avec lui ? s'enquit-il.

— Non, elle l'attendait chez lui, paniquée. Personne ne l'avait appelée, elle le croyait mort.

— Dieu merci, elle avait tort, répondit Xavier.

Chantal lui donna un baiser sur les lèvres, puis poussa doucement la porte de la chambre.

— Je t'attends là, chuchota-t-il.

— Entre au moins lui dire bonjour.

Craignant de s'imposer, Xavier la suivit à contrecœur. Mais Éric dormait profondément, si bien qu'ils allèrent s'asseoir dans les fauteuils du couloir, où ils pouvaient discuter plus librement. Xavier avait apporté des documents à lire, pensant que Chantal serait bien occupée avec son fils. Celle-ci n'arrivait pas à croire qu'il ait fait le trajet jusqu'ici pour lui tenir compagnie… Elle n'avait jamais eu personne avec qui partager ses fardeaux et ses angoisses.

— Que dirais-tu que j'aille poser nos affaires à l'hôtel ? suggéra-t-il au bout d'un moment. Je reviendrai plus tard.

Pendant le trajet en taxi entre l'aéroport et l'hôpital, Xavier leur avait réservé une chambre au Adlon Kempinski. Il avait pensé à tout.

— Oh, Xavier… Je ne sais pas comment je pourrai te remercier.

— Je trouverai bien une idée, répondit-il d'un air taquin.

Après son départ, Chantal retourna s'asseoir au chevet de son fils. Il n'ouvrit les yeux que deux heures plus tard.

— Salut, maman, dit-il en esquissant un faible sourire. Il faut que je téléphone à Annaliese. Je n'ai pas pu la prévenir, hier soir.

— Je m'en suis occupée, ne t'inquiète pas. Elle viendra tout à l'heure, après ses cours. Une chance qu'elle n'ait pas été avec toi sur la moto.

— Oui…

Il tenta de changer de position, mais ce n'était pas facile avec ses deux plâtres. Chantal appela une infirmière, qui aida Éric à s'installer plus confortablement, puis alla chercher un bassin hygiénique. Chantal s'éclipsa pendant quelques minutes.

— Quand pourrai-je sortir d'ici ? demanda Éric dès que sa mère fut revenue.

— Pas avant un moment, mon chéri. D'après ce que j'ai compris, tu vas rester une semaine à l'hôpital, et environ un mois en centre de rééducation. Jusqu'à ce que tu sois autonome, en gros.

— Merde. Je travaillais sur une expo.

Chantal espérait au moins que cet accident lui servirait de leçon et qu'il ne remonterait plus jamais sur une moto.

— À ton âge, tu as de grandes chances de guérir vite, observa-t-elle. Tu veux venir faire ta rééducation à Paris ?

Elle ne put s'empêcher d'être déçue par sa réponse.

— Non, je préfère rester ici.

Éric se sentait chez lui, à Berlin. C'était là qu'il avait tous ses amis, son studio, son travail et sa petite copine.

— Ça va aller, ne t'inquiète pas, lui assura-t-il.

Mais il avait l'air fatigué et souffrant quand Xavier revint au moment du dîner. Éric le remercia d'avoir accompagné sa mère, puis Xavier descendit à la cafétéria pour acheter un sandwich et un fruit à Chantal.

— C'est un type bien, déclara Éric. Vous êtes venus ensemble ?

Xavier lui plaisait. Sa mère paraissait heureuse et détendue avec lui.

— Non, il a pris le vol après le mien, répondit-elle. Une surprise… C'était gentil de sa part.

Éric acquiesça.

— Ça fait plaisir de te voir avec quelqu'un, maman.

— Et moi, ça me fait plaisir que tu dises ça.

— Ben c'est normal. Pourquoi devrais-tu rester seule ? On ne l'est pas, nous.

C'était très vrai, mais la question ne s'était jamais posée jusque-là, puisqu'elle n'avait rencontré personne qui ait vraiment compté pour elle.

Alors que Chantal finissait sa pomme, Annaliese entra dans la chambre. Elle éclata en sanglots et serra Éric dans ses bras, tout en le sermonnant d'avoir été si peu prudent sur la route. Éric semblait heureux de la voir, et Chantal et Xavier les laissèrent tous les deux seuls, promettant de revenir le lendemain.

La chambre de l'hôtel Adlon Kempinski était magnifique. Chantal se laissa tomber sur le lit, épuisée. Elle était debout depuis quatre heures du matin, à se ronger les sangs.

— Mon Dieu, gémit-elle. Je suis morte.

Xavier lui fit couler un bain et ils s'y prélassèrent ensemble, avant de se glisser sous les draps en continuant à bavarder. C'était dur pour Chantal de vivre si loin de ses fils et de sa fille. Ils avaient beau être adultes, c'étaient toujours ses enfants, et elle redoutait le genre d'événements qui venait de se produire. Certes, elle n'était plus là pour partager leurs joies et leurs chagrins quotidiens, mais elle volerait toujours à leur secours en cas d'urgence comme celle-ci. Et dès qu'Éric serait remis sur pied, elle reprendrait sa place en périphérie de son existence.

— Ce n'est pas facile d'avoir des enfants, remarqua Xavier d'un air pensif.

— C'est sûr. On en fait toujours trop ou pas assez pour eux, on n'est pas là quand ils le veulent, ou au contraire notre présence les exaspère. On est censé les laisser voler de leurs propres ailes, mais il faut ramasser les morceaux quand ils tombent. Quoi qu'on fasse, malgré tous nos efforts, on fait toujours un truc de travers. C'est un boulot ingrat, mais c'est le plus beau du monde.

Chantal eut un sourire, puis reprit :

— Oui… les enfants ont toujours quelque chose à te reprocher. Quand il y en a un qui te trouve cool – pendant cinq minutes –, tous les autres te considèrent comme une cause perdue. En ce qui me concerne, Charlotte a toujours été dure avec moi, alors qu'Éric me pardonne toutes mes erreurs. Les enfants sont très différents, même au sein d'une même famille… C'est un miracle si on parvient à trouver grâce à leurs yeux, ne serait-ce qu'une fois de temps en temps.

— C'est bien pour ça que je n'en ai jamais voulu, répondit Xavier. Il faut être Einstein pour s'en sortir.

— Non, il faut juste faire de son mieux et les aimer beaucoup, quoi qu'il arrive.

Et aussi les laisser partir le moment venu, ce qui était bien le plus dur, songea-t-elle.

— Moi, je trouve que les enfants sont impitoyables avec leurs parents, insista Xavier.

— Tu n'as vraiment pas envie d'en avoir ?

Chantal redoutait que, par sa faute, il ne puisse rencontrer une femme de son âge capable de lui donner une descendance.

— Non, je n'en ai pas envie. J'ai toujours pensé que je ne serais pas un bon père. Je préfère m'occuper de tes gamins ou de ceux de mon frère. C'est plus facile quand ils sont grands, et au moins ils ne me reprochent rien. Les petits enfants, ça me terrorise. Quant aux femmes qui veulent absolument faire des bébés, elles me mettent mal à l'aise. Je suis bien plus heureux avec toi, conclut-il en l'embrassant.

Il connaissait ses craintes et tenait à la rassurer : il n'éprouvait aucun regret d'être avec elle.

— Tu ne me prives de rien, Chantal. Si j'avais voulu des gosses, je les aurais faits depuis longtemps.

— J'ai de la chance, alors, dit-elle en lui rendant son baiser.

Le lendemain matin, il commanda le petit déjeuner au service de chambre, puis Chantal retourna à l'hôpital, bien détendue après la nuit qu'elle venait de passer avec lui. C'était tellement plus agréable que d'être seule ! Elle trouva Éric tout agité, se plaignant de ses plâtres et de la nourriture de l'hôpital ; il voulait rentrer chez lui. Elle réussit à le calmer, et une infirmière vint lui faire sa toilette. Peu après, Xavier fit son apparition sur le seuil de la chambre, portant deux gros sacs de provisions achetées dans le *Biergarten* du bas de la rue.

— Bonjour la compagnie ! lança-t-il. Regardez ce que j'apporte : des schnitzels, des saucisses, des schnitzels et encore des saucisses !

— J'aime bien les deux, répondit Éric en riant, tandis que sa mère et Xavier sortaient des assiettes en carton.

Après ce copieux repas, Éric reçut une piqûre de calmants et se rendormit. Xavier et Chantal allèrent se promener dans le quartier, puis décidèrent de visiter la Neue Nationalgalerie et son impressionnante structure vitrée. Ils n'eurent le temps de découvrir qu'une petite partie du musée, mais cela leur fit beaucoup de bien après l'atmosphère pesante de l'hôpital. De retour au chevet de son fils, Chantal lui changea les idées en lui racontant tout ce qu'ils avaient vu d'intéressant.

Le soir venu, Xavier dénicha un restaurant chinois près de l'hôtel et acheta de quoi rassasier tout le monde – y compris Annaliese, qui les avait rejoints.

Le lendemain, il repartit pour Paris : Chantal était moins stressée, le pire était passé, Éric avait été opéré et entamait à présent sa longue convalescence. Chantal lui serait éternellement reconnaissante de l'avoir accompagnée au plus fort de la crise. Elle n'oublierait jamais son geste.

— Qui va m'apporter des schnitzels et des saucisses ? se lamenta Éric quand Xavier passa lui dire au revoir.

Tous deux rirent de bon cœur.

— Sois gentil avec ta mère. Et oublie la moto, c'est ce que tu peux faire de mieux, pour elle et pour toi…

Éric acquiesça, l'air contrit.

Après le départ de Xavier, Chantal tint compagnie à son fils tous les jours, jusqu'à ce qu'il soit transféré au centre de rééducation. C'était un grand établissement moderne et lumineux, où plusieurs autres jeunes étaient traités après avoir subi des accidents similaires – et parfois bien pires. Chantal l'aida à s'installer et resta le week-end, avant de prendre l'avion pour Paris le dimanche soir. Éric allait être bien occupé avec ses séances de kinésithérapie quotidiennes. Ses amis avaient commencé à lui rendre visite, et Annaliese venait le voir tous les soirs. Il n'avait plus besoin de sa mère. Chantal s'était sentie un peu de trop ces derniers jours, mais elle n'en fut pas moins triste de le quitter.

Heureusement, à Paris, Xavier l'attendait. Ce soir-là, il l'emmena dîner dans leur bistrot préféré. Il faisait frais – on était déjà au mois de novembre. Le temps filait à la vitesse de l'éclair, l'année touchait presque à sa fin. Il était arrivé tellement de choses depuis le mois de juin… Lorsqu'ils s'étaient rencontrés au Dîner en blanc, jamais Xavier et Chantal n'auraient imaginé qu'ils termineraient l'année ensemble. Et qui aurait pu deviner que Jean-Philippe partirait vivre à Pékin, ou que Benedetta divorcerait de Gregorio ? La vie était imprévisible. Chantal avait hâte de revoir Jean-Philippe dans quelques semaines pour lui raconter toutes ses aventures.

13

Depuis le départ de Jean-Philippe, Valérie ne touchait plus terre, entre son travail à plein temps chez *Vogue*, sa mission de conseil pour Beaumont-Sevigny, et ses trois enfants en bas âge. Certains jours, elle courait du matin au soir et se replongeait dans ses dossiers sitôt les petits couchés. Le matin, elle se réveillait bien souvent épuisée.

Si son nouveau job lui prenait beaucoup de temps, il n'était pas très compliqué : on lui demandait juste de donner son opinion sur les produits de la marque et sur les orientations choisies par ses dirigeants. Son expérience chez *Vogue*, mais aussi ses goûts et son style personnels étaient valorisés. Le marché cible de Beaumont-Sevigny était moins sophistiqué que les collections coûteuses sur lesquelles elle travaillait habituellement pour *Vogue*, mais cela l'amusait de les conseiller, et ils l'écoutaient avec la plus grande attention. Elle leur avait déjà fait plusieurs suggestions pour améliorer leurs lignes de vêtements. Intéressés par le marché international, ils se concentraient actuellement sur l'Asie, pour la même raison qui avait poussé Jean-Philippe à s'y expatrier : l'argent.

Valérie travaillait en étroite collaboration avec le directeur et copropriétaire de l'entreprise, Charles de Beaumont, qui en avait développé le concept. Son père avait été à la tête d'une grande marque de mode, qu'il avait vendue deux ans plus tôt aux Chinois ; aujourd'hui, le fils visait le même marché. S'il était davantage financier que styliste, Charles n'en avait pas moins du flair en la matière. À trente-six ans, il ressemblait d'ailleurs plus à un mannequin qu'à un homme d'affaires, et flirtait sans relâche avec les jolies femmes qu'il rencontrait. Valérie n'avait jamais vu un homme aussi beau et qui s'habillât avec autant de goût. Mais sa réputation de coureur de jupons la rendait méfiante, et elle s'appliquait à maintenir avec lui des relations strictement professionnelles. Elle devait admettre toutefois qu'ils formaient tous deux une bonne équipe : Charles comprenait toujours où elle voulait en venir dans ses résumés et présentations, et il était capable d'apporter de nouveaux éléments qui les bonifiaient sensiblement. Valérie avait peu affaire à son associé, lequel ne gérait que l'aspect financier de la marque. Charles était son interlocuteur direct.

Sous prétexte de l'arranger, il plaçait systématiquement leurs rendez-vous en fin de journée ; en réalité, cela lui permettait de se retrouver seul avec elle dans son bureau. Chaque fois, il l'invitait à dîner. Chaque fois, Valérie refusait poliment, expliquant que ses enfants l'attendaient.

— Votre mari ne peut pas s'occuper d'eux ? demanda-t-il un soir, exaspéré. J'ai encore tellement de choses à voir avec vous au sujet de la prochaine présentation !

Charles était très doué pour trouver de bonnes raisons de prolonger les réunions…

— Mon mari est en Chine, objecta-t-elle tout en enfilant son manteau.

Il était vingt et une heures trente, la nounou allait être furieuse, et ses enfants étaient déjà couchés. Or Valérie détestait ne pas les voir à la fin de sa journée de travail.

— Il est là-bas en voyage ?

— Non, il travaille à Pékin, répondit-elle distraitement.

Elle songeait à la nourrice. Celle-ci se plaignait souvent de finir à point d'heure alors que Valérie lui demandait déjà d'arriver tôt le matin pour avoir le temps de déposer Jean-Louis à l'école avant de partir au travail.

— Vous êtes séparés ?

— Pas du tout ! s'exclama-t-elle, choquée par sa curiosité. Une opportunité professionnelle s'est présentée à lui ; moi, je suis restée ici pour *Vogue*.

Charles acquiesça.

— J'ai travaillé deux ans là-bas. Ça lui plaît ?

— Pas vraiment. Il n'y est que depuis septembre.

— Ça ne doit pas être facile pour vous, avec les enfants, déclara-t-il gentiment.

— Je ne vous le fais pas dire. C'est pour ça que je n'ai pas envie de me mettre la nourrice à dos. J'ai besoin d'elle.

— Vous devriez en prendre une à demeure, ça vous laisserait plus de liberté. Là, vous êtes obligée de quitter la réunion en plein milieu, observa-t-il avec un léger ton de reproche.

— Il est déjà presque dix heures du soir, le corrigea-t-elle poliment.

— Bon, nous finirons tout cela demain. Mais retrouvons-nous pour dîner. Ainsi, nous aurons plus de temps.

À l'entendre, il s'agissait d'un simple rendez-vous professionnel. Pourtant, l'idée de dîner avec lui la mettait mal à l'aise. D'une part, parce que cela finirait tard, inévitablement. D'autre part, parce que Charles était bel homme et célibataire, alors qu'elle-même était mariée. Peut-être se faisait-elle des idées en imaginant qu'il essayait de la séduire, mais elle n'aimait pas l'impression que cela donnait. Et Jean-Philippe risquait de ne pas apprécier non plus. Comment réagirait-elle si elle apprenait qu'il enchaînait les réunions en tête à tête avec une femme et qu'il l'invitait ensuite à dîner ? Très mal, sans doute… D'après ce qu'elle avait compris, néanmoins, elle n'avait pas à s'inquiéter. Jean-Philippe travaillait tous les soirs chez lui et avait une vie sociale aussi pauvre que la sienne. Écartelée entre son travail et ses enfants, Valérie n'était pas allée une seule fois au cinéma en six semaines.

— Je suis sérieux, insista Charles tandis qu'ils prenaient l'ascenseur dans l'immeuble désert. Travaillons chez moi demain soir. J'achèterai des sushis, si vous aimez ça.

— Je ne préfère pas. Je suis mariée, cela me ferait bizarre de travailler chez vous.

Il se mit à rire.

— Pour l'amour du ciel, Valérie, je ne vais pas vous violer ! Détendez-vous. J'ai une compagne.

Honteuse, elle accepta son rendez-vous.

— Je vous dépose chez vous ? proposa-t-il en la voyant sortir son téléphone pour appeler un taxi.

— Non, merci. J'utilise souvent la compagnie G7. Ils réagissent vite, en général.

— Ne soyez pas stupide, Valérie… Où habitez-vous ?

Elle lui indiqua son adresse.

— Je vis à deux pas de chez vous, déclara-t-il. Vous serez rentrée avant même que votre taxi arrive ici.

La voiture de Charles était garée au coin de la rue. Une Aston Martin. Après une brève hésitation, elle monta dans l'élégant véhicule de sport. Durant tout le trajet, ils parlèrent travail et Charles fit preuve d'un parfait sérieux, si bien qu'elle se sentit idiote de s'être à ce point méfiée. Elle avait dû lui sembler ridicule…

— Merci de m'avoir raccompagnée, dit-elle d'un air contrit.

Charles lui sourit.

— À demain, Valérie.

Et il redémarra en trombe.

Elle composa le code de la porte et monta les marches quatre à quatre. Comme il fallait s'y attendre, la nourrice était contrariée.

— Je suis désolée, Mathilde. Ma réunion a duré plus longtemps que prévu. Et j'en ai une autre demain soir… Pourrez-vous rester quelques heures supplémentaires ?

La jeune femme acquiesça : pour elle, c'était de l'argent en plus. Mais elle avait aussi un mari qui l'attendait chez elle – une chance que Valérie lui enviait. Tout était si compliqué, sans Jean-Philippe !

Une fois seule, elle ressortit sa présentation et y griffonna quelques annotations. De quoi Charles pouvait-il bien vouloir discuter ? Pour elle, il n'y avait rien de plus à dire sur le sujet… Elle vérifia ses messages, répondit à quelques e-mails, puis alla jeter un coup d'œil sur ses enfants endormis. Elle avait l'impression de courir après le temps. D'ailleurs, le lendemain, elle arriva en retard à son rendez-vous avec Charles de Beaumont.

— Excusez-moi, j'ai eu une journée folle au magazine, dit-elle, un peu agitée.

— Ne vous inquiétez pas pour ça, répondit Charles avec décontraction. Bon, allons directement chez moi. J'ai demandé à mon employé de maison de passer prendre les sushis. Nous travaillerons en mangeant, sans faire de coupures.

Valérie le suivit docilement jusqu'à sa voiture. Charles possédait un magnifique appartement quai Voltaire, à quelques rues de chez elle, dans un vieil immeuble donnant sur la Seine. Valérie sortit sur le balcon pour admirer les péniches et les bateaux-mouches qui glissaient sur l'eau. Charles lui offrit une coupe de champagne.

— Ça nous aidera à travailler, précisa-t-il en voyant son regard surpris.

— Merci.

Elle en but une gorgée tout en contemplant la rive droite illuminée, de l'autre côté du fleuve ; elle pouvait voir le dôme de verre du Grand Palais.

L'employé de maison de Charles avait mis la table dans la belle cuisine en granit noir. Valérie étala les feuilles de la présentation sur le plan de travail.

— Gardons ça pour tout à l'heure, suggéra Charles tandis qu'il sortait le plateau de sushis du réfrigérateur.

À l'évidence, ceux-ci provenaient d'un grand traiteur japonais, et non d'un des petits restaurants du quartier où Valérie achetait les siens. Charles ouvrit une bouteille de vin blanc de première qualité, qu'elle but avec parcimonie, de peur d'être incapable de se concentrer ensuite. Une fois le repas terminé, il lui exposa ses dernières idées concernant leur projet ; toutes se révélèrent excellentes et eurent pour effet de stimuler la créativité de Valérie. Se nourrissant l'un l'autre de leurs réflexions, ils améliorèrent considérablement le plan d'origine et aboutirent deux heures plus tard à un résultat impeccable dont ils pouvaient tous deux être fiers. Valérie ne regrettait pas d'avoir passé du temps avec lui à parfaire sa présentation. Elle y avait pris grand plaisir. Et c'était réciproque, visiblement :

— J'aime travailler avec vous, Valérie, lui confia-t-il en se laissant aller contre le dossier de sa chaise. On devrait faire ça plus souvent. Je trouve que les séances de brainstorming sont plus efficaces à la maison qu'au bureau. Ici, au moins, il n'y a pas de distractions.

— C'est vrai, reconnut Valérie en souriant.

Elle appréciait son énergie, sa vivacité d'esprit.

— Accepteriez-vous de m'accompagner au théâtre ? lui demanda-t-il alors, de but en blanc. Je sais que vous êtes mariée mais, si votre mari vit à Pékin et vous ici, il faut bien que quelqu'un vous sorte, ajouta-t-il, taquin. Il revient souvent à Paris ?

— Il va essayer de rentrer tous les deux mois. Il sera là dans quelques semaines.

— C'est bien ce que je disais, il faut que quelqu'un vous sorte. J'aimerais beaucoup vous emmener au théâtre. Ou au restaurant. Plus on se connaîtra, mieux on travaillera ensemble.

Il avait dit cela très sérieusement ; Valérie se demanda s'il avait raison.

— Vous préférez peut-être la danse classique ? s'enquit-il innocemment. Ils donnent *Le Lac des cygnes*, en ce moment.

— J'aime autant le théâtre que la danse, répondit Valérie poliment. C'est très gentil à vous.

Si gênée fût-elle par sa proposition, elle ne voulait pas passer pour une ingrate. Charles se montrait généreux et s'était comporté en parfait gentleman toute la soirée.

— Vous avez besoin de vous échapper de votre travail et de vos enfants, précisa-t-il.

Il n'avait pas tort, mais comment aurait-elle pu « s'échapper » alors qu'elle travaillait comme une bête de somme toute la journée et rentrait ensuite directement à la maison pour profiter un peu des enfants avant de les coucher ? Elle faisait si peu de choses qu'elle n'avait rien à raconter à Jean-Philippe quand il l'appelait. Depuis son départ, elle n'avait vu aucun de leurs amis.

Charles insista pour la raccompagner en voiture. Se faire transporter en Aston Martin avait quelque chose de très glamour, il fallait le reconnaître… En chemin, il la complimenta pour le zèle qu'elle déployait dans ses projets. Puis il lui fit la bise avant qu'elle ne descende de voiture.

Deux jours plus tard, il se manifesta de nouveau. Valérie ne put cacher sa surprise : sa prochaine présentation n'était prévue que dans trois semaines... Quelle raison avait-il trouvée cette fois-ci pour la contacter ?

— Ça y est, j'ai les places ! lança-t-il victorieusement. J'ai dû remuer ciel et terre, mais c'est bon : demain soir, nous allons voir *Le Lac des cygnes*. J'espère que vous aimerez... C'est une mise en scène assez traditionnelle, mais la jeune danseuse étoile est fabuleuse. Je l'ai vue la saison dernière.

Maintenant qu'il s'était donné tout ce mal, Valérie pouvait difficilement lui dire non.

— C'est très gentil, Charles, répondit-elle. Je ne pensais pas que vous feriez ça si vite.

— J'ai envie de mieux vous connaître, Valérie. Vous êtes une femme extraordinaire, et je trouve qu'on forme une bonne équipe tous les deux. On pourrait mener bien d'autres projets ensemble.

Il semblait avoir des idées précises en tête, ce qui la dissuadait d'autant plus de refuser.

— Merci. Je dois d'abord voir si ma nourrice est d'accord pour faire des heures supplémentaires.

— Dites-lui qu'elle n'a pas le choix, répliqua Charles d'un ton joyeux. Sinon, on peut toujours confier vos enfants à ma mère. Ils sont combien ?

— Trois. Deux, trois et cinq ans. Votre maman risque de faire une drôle de tête.

L'idée le fit rire.

— En tout cas, vous n'avez pas chômé, Valérie... Trois enfants en quatre ans !

— Ils sont très mignons. Et très sages.

— Avec la mère qu'ils ont, je n'en doute pas. J'aimerais bien les rencontrer, un jour. Tenez, je passerai vous chercher demain soir, vous n'aurez qu'à me les présenter. J'ai réservé une table chez Alain Ducasse au Plaza Athénée pour le dîner.

Décidément, il lui sortait le grand jeu. Un peu trop, d'ailleurs... Ce programme avait une forte ressemblance avec un rendez-vous galant. Néanmoins, comme elle travaillait pour lui – ou, plutôt, avec lui –, il lui sembla malpoli de rejeter son invitation.

Quand il sonna à la porte le lendemain soir, Valérie l'attendait, vêtue d'une robe de cocktail et d'un manteau noirs. Mathilde n'avait pas fait de difficultés pour rester. Les enfants, déjà en pyjama, vinrent saluer Charles, très séduisant dans son costume sombre. Jean-Louis lui serra la main, et Isabelle fit une révérence maladroite, à l'ancienne, comme on le lui avait appris dans son école. Quant à Damien, il se contenta de le dévisager.

— Où est-ce que tu emmènes maman ? s'enquit Isabelle.

— Au ballet, répondit Valérie. Tu sais, là où de belles danseuses portent des tutus et des chaussons roses.

— On peut venir, nous aussi ? demanda la fillette, le regard brillant.

Sa mère se pencha pour l'embrasser et lui promit de l'y emmener un jour.

— C'est pour les filles, observa Jean-Louis avec dédain.

Sur ce, Mathilde les conduisit dans leurs chambres pour leur lire une histoire avant de les coucher.

— Ils sont adorables, déclara Charles. Vous avez fait du bon boulot, Valérie.

À l'Opéra, ils se trouvèrent parfaitement bien placés dans leur loge. Charles lui offrit une coupe de champagne au bar pendant l'entracte, puis ils se régalèrent chez Alain Ducasse. C'était la saison de la truffe blanche, venue directement d'Italie, très rare et très chère bien sûr. Le serveur leur en râpa un morceau directement au-dessus de leurs plats. Et évidemment, Charles avait sélectionné les meilleurs vins.

— Je me sens terriblement gâtée, lui confia Valérie alors qu'ils dégustaient leur soufflé au chocolat. Je n'ai pas l'habitude d'aller dans ce genre de restaurants.

Elle garderait un souvenir inoubliable des truffes blanches…

— Vous méritez d'être gâtée, Valérie, répondit Charles d'une voix douce. Vous travaillez trop.

— Vous aussi, vous travaillez beaucoup.

— Moi, je n'ai qu'un job. Vous en avez deux, et vous excellez autant dans l'un que dans l'autre. Ne croyez pas que je ne voie pas tout ce que vous faites sans même qu'on vous le demande… En outre, je n'ai pas trois enfants qui m'attendent le soir à la maison. Vous êtes un peu Wonder Woman, Valérie, non ?

Son expression se fit plus sérieuse.

— Je suis surpris que votre mari soit parti à Pékin en vous laissant gérer seule trois enfants en bas âge. Il vous en demande beaucoup.

— On n'a pas vraiment eu le choix. L'opportunité qui s'est présentée à lui n'était pas de celles qu'on laisse filer et, de mon côté, je ne me sentais pas de l'accompagner. Je ne veux pas perdre ma place chez *Vogue*. Là-dessus, vous m'avez fait cette proposition de collaboration, juste avant le départ de mon mari. Raison de plus pour que je reste ici. On fait notre possible pour que ça marche, conclut-elle sincèrement.

— Ça me paraît difficile d'entretenir un mariage à huit mille kilomètres de distance... Ce n'est pas trop dur, pour vous ?

— C'est trop tôt pour le dire. J'ai l'impression de courir tout le temps depuis qu'il est parti, mais pour l'instant je ne m'en sors pas trop mal.

— La Chine, c'est un autre monde ; vous avez eu raison de ne pas y aller. Vous n'auriez pas été heureuse, là-bas. À Shanghai, peut-être, ou alors à Hong Kong, mais certainement pas à Pékin. La vie y est vraiment rude, même si tous les grands créateurs français y ouvrent des boutiques. Quoi qu'il en soit, vous avez un rôle important, ici, chez Beaumont-Sevigny.

— C'est une chance pour moi, cette mission, répondit Valérie avec enthousiasme. J'ai toujours voulu faire du conseil. Cela donne une autre dimension à mon travail chez *Vogue* et me permet de rester en contact avec le monde réel. De m'échapper un peu des hautes sphères de la rédaction.

— Vous nous aidez beaucoup en tout cas. J'espère que nous aurons de nombreuses occasions de travailler ensemble.

Il posa une main sur la sienne.

— Vous êtes une femme formidable, Valérie. J'aimerais vous voir davantage.

Se sentant rougir, Valérie retira sa main aussi vite qu'elle le pouvait sans paraître impolie. Était-il en train de la courtiser ? Non, elle se faisait sûrement des idées. Charles était un grand charmeur, voilà tout. Jamais il n'aurait tenté de séduire une femme mariée et mère de trois enfants.

Il la raccompagna en voiture. Lorsqu'ils arrivèrent devant chez elle, il coupa le moteur, puis laissa errer son regard sur ses longues jambes galbées qu'elle avait croisées l'une sur l'autre.

— Quand pourrai-je vous revoir ? s'enquit-il. Est-ce que demain vous semblerait trop tôt ?

Valérie fut choquée par sa question. Il connaissait sa situation familiale, savait que son mari était parti pour un an. Peut-être imaginait-il que leur couple battait de l'aile…

— Je… Je ne sais pas si c'est une bonne idée, répondit-elle. J'ai passé une merveilleuse soirée, mais je ne voudrais pas que vous vous fassiez des idées.

Même s'il était loin d'être aussi irréprochable, Charles appréciait sa probité. Il respectait les femmes comme elle.

— Votre mari vous est-il aussi fidèle ? lui demanda-t-il sans ménagement.

— Je l'espère.

— En êtes-vous sûre ?

Valérie trouva cela un peu fort de café : il cherchait clairement à semer le doute dans son esprit. Elle s'efforça de se rappeler combien Jean-Philippe l'aimait et combien elle l'aimait, lui.

— Oui, j'en suis sûre, dit-elle avec plus de fermeté.

Jamais elle ne s'était retrouvée face à un homme qui lui faisait la cour de manière si éhontée depuis qu'elle était mariée.

— Vous savez, Valérie, personne n'est obligé de le savoir, si un jour nous entretenons une liaison. Cela ne regarde que nous. Pour les autres, nous sommes collègues et amis, c'est tout.

— Je ne veux pas avoir de liaison, répliqua-t-elle. Je suis mariée, Charles.

— Dans ce cas, nous serons amis. Jusqu'à ce que vous changiez d'avis – quand nous nous connaîtrons mieux, peut-être.

Il ne voulait pas accepter son refus. Sa détermination était troublante…

Valérie se laissa embrasser sur la joue, puis descendit bien vite de voiture pour aller taper le code d'entrée de son immeuble. Elle fit un petit signe de la main à Charles, puis monta rapidement l'escalier. Son cœur tambourinait dans sa poitrine.

Le lendemain matin, on lui livra le plus gros bouquet de roses rouges qu'elle eût jamais vu. Sur la carte, ces quelques mots : « Pour une femme admirable qui hante mes pensées. Charles. » Valérie s'alarma. Que devait-elle faire ? Elle n'avait pas envie de perdre ce job, mais elle ne pouvait pas non plus répondre à ses avances… Il la rappela deux jours plus tard pour l'inviter à déjeuner. Cela lui sembla assez innocent, et bien moins risqué qu'un dîner : elle accepta donc, ne serait-ce que pour lui expliquer de nouveau sa façon de voir les choses. Il fallait qu'il comprenne qu'elle ne tromperait jamais son mari, si flattée fût-elle par l'élégance avec laquelle il la courtisait. Quoi qu'il en soit, manger avec un homme sur la pause de midi ne faisait pas d'elle une femme adultère ; elle n'avait pas à se sentir coupable.

Elle le rejoignit au Voltaire, un des bistrots les plus chics de Paris, situé juste en bas de chez lui. Elle connaissait bien l'établissement et s'y sentait beaucoup plus à sa place que chez Ducasse. Après que Charles eut balayé ses inquiétudes, ils bavardèrent de toutes sortes de sujets. Valérie eut un choc lorsqu'elle s'aperçut qu'ils étaient à table depuis trois heures. Elle allait arriver en retard au bureau ! Charles la raccompagna chez *Vogue* en se faufilant entre les voitures au volant de son Aston Martin. Valérie s'amusait bien avec lui, ce qui ne manqua pas de la tracasser.

— Merci, Charles, lui dit-elle, un sourire radieux aux lèvres. J'ai passé un super moment.

— Moi aussi. Je ne m'ennuie jamais avec vous. Je vous appelle demain.

Si elle avait été célibataire, Valérie aurait trouvé cet homme fort à son goût. Mais là, elle se mit à paniquer. Les relations adultères naissaient-elles toujours ainsi, insidieusement, sans qu'on y prenne garde ? Et si Jean-Philippe vivait la même chose à Pékin ? Et s'il envoyait des roses à une autre femme, l'emmenait dîner dans des restaurants élégants et déjeuner dans des bistrots tendance ? Valérie pressentit qu'elle allait glisser dans des eaux troubles et s'y noyer. Charles était un beau parleur, et il s'était visiblement entiché d'elle. À moins qu'il ne cherchât simplement à ajouter une conquête à son tableau de chasse ? À jouer avec elle ? Ne pouvait-il pas obtenir toutes les femmes qu'il voulait ?

Lorsqu'il la rappela, le lendemain, elle tenta de calmer ses ardeurs. Elle emmenait ses enfants au jardin du Luxembourg ; elle avait besoin de passer du temps avec eux. Il la surprit en l'y rejoignant peu après. Les enfants furent ravis. Et à son grand désarroi, Valérie se rendit compte qu'elle-même était très contente de le voir. Il leur offrit une glace à chacun et resta un long moment avec eux. Quand il partit, les enfants lui firent au revoir de la main comme à un vieil ami.

— Je l'aime bien, décréta Jean-Louis.

Charles lui avait apporté une petite voiture rouge qu'il adorait ; à Isabelle, il avait offert une poupée, et à Damien, un ours en peluche que le petit garçon ne lâchait plus.

Valérie n'eut pas de nouvelles de lui le dimanche. Mais il la recontacta le lundi pour l'inviter à dîner ; il avait découvert un nouveau restaurant indien et voulait l'essayer avec elle. Valérie commença par refuser, avant de capituler. Charles était tellement persuasif, tellement charmant ! Pendant la soirée, il eut une attitude irréprochable et ne tenta même pas de l'embrasser. Elle s'aperçut avec horreur qu'elle aurait bien voulu qu'il le fasse… Son esprit était tout embrouillé. Elle ne comprenait plus rien à ses sentiments. Elle aimait son mari, mais n'était-elle pas en train de tomber amoureuse de Charles ? Cela ne lui était jamais arrivé. Pour sa défense, elle ne s'était jamais sentie aussi seule non plus.

Ce soir-là, Jean-Philippe l'appela sur Skype. Elle rentrait tout juste du restaurant. Il remarqua immédiatement son trouble.

— Quelque chose ne va pas ? s'enquit-il.

Valérie aurait voulu ne rien lui cacher ; mais pouvait-elle vraiment lui avouer qu'elle venait de dîner avec un autre homme ?

— Oh, le stress habituel au boulot, répondit-elle d'un ton vague, se détestant intérieurement. Comment ça va à Pékin ?

— J'ai passé un week-end intéressant. J'ai exploré un peu la ville : les centres commerciaux sont incroyables, tu adorerais. Ensuite, pour compenser, je suis allé voir la Grande Muraille. Ça faisait des semaines que j'en avais envie, mais je ne trouvais pas le temps... Il y a tellement de choses qui me plaisent ici ! Malheureusement, il y en a autant que je n'aime pas.

Sa voix prit un accent mélancolique.

— J'ai hâte de rentrer à la maison, tu sais... Plus que dix jours ! Je compte les heures qui me séparent de toi et des enfants.

Ces paroles décuplèrent la culpabilité de Valérie. Elle était comme Cendrillon au bal, peu avant minuit : le rêve qu'elle vivait avec Charles allait prendre fin. Elle ne pourrait plus le voir. Restait à savoir comment il réagirait... Pourtant, ce n'était pas comme s'il ignorait sa situation ; elle avait été franche avec lui. C'est avec Jean-Philippe qu'elle ne l'était pas. Il n'avait aucune idée de ce qui se tramait derrière son dos.

En même temps, qu'y avait-il à dire ? Elle avait passé quelques soirées agréables avec un collègue, et elle s'en trouvait troublée. Mais elle n'avait pas trompé son mari. Pas encore, du moins. Car elle ne pouvait nier que l'idée lui avait traversé l'esprit... Jamais elle n'aurait imaginé avoir ce genre de pensées un jour. Charles s'était montré incroyablement charmant depuis qu'ils avaient commencé à se fréquenter. Adorable même avec ses enfants – d'ailleurs, ceux-ci allaient peut-être en parler à leur père. Qu'est-ce qui lui avait pris, de s'exposer à de tels risques ?

— Moi aussi, j'ai hâte de te voir, dit-elle d'une petite voix.

Ne trouvant rien à ajouter, elle prétendit avoir une réunion le lendemain matin et vouloir se coucher tôt. Jean-Philippe fut déçu de terminer la conversation si vite, mais se consola en se rappelant qu'il revenait dans dix jours. Valérie referma son ordinateur portable en étouffant un grognement. Que lui avait donc fait Charles ? Il lui avait mis l'esprit sens dessus dessous. Ou peut-être était-elle seule responsable ?

Quand il lui téléphona le lendemain, Charles perçut aussitôt le sentiment de culpabilité qui l'étreignait. Valérie était transparente, avec lui tout autant qu'avec son mari. Et elle avait toujours été honnête. Jusque-là…

— Qu'est-ce qui ne va pas ? s'enquit-il.

— Je ne sais pas ce qui m'arrive. Hier soir, j'ai menti à mon mari. Je ne peux pas lui dire qu'on dîne ensemble régulièrement. Je me conduis comme si j'étais seule, mais ce n'est pas le cas, Charles.

— Je sais bien que vous n'êtes pas seule, Valérie. Et j'imagine sans peine ce que vous ressentez. Votre mari n'est pas là, moi je le suis… Je ne vous demande pas de prendre une décision tout de suite. Mais je vous aime, Valérie, je veux que nous soyons ensemble. Et cela prend du temps. Prenez tout le temps nécessaire.

Valérie en eut le souffle coupé. Il venait d'avouer qu'il avait l'intention de la voler à son époux, et elle l'avait encouragé dans ce sens…

— Ce n'est pas bien, Charles. Je ne l'ai jamais trompé.

— Vous ne le trompez pas, à ce que je sache. Et j'imagine que c'est aussi la première fois qu'il part s'installer à Pékin. À quoi s'attendait-il ? On ne laisse pas une femme comme vous se débrouiller toute seule à Paris avec un boulot et trois petits enfants, on ne la range pas au garage comme une vulgaire voiture. Vous méritez d'avoir à vos côtés un homme qui vous adore, pas un mari qui cherche fortune ailleurs. Je suis désolé mais, si vous le quittez, il l'aura bien cherché selon moi. Je ne connais aucune femme qui accepterait cette situation, et qui, en plus, se sentirait coupable de dîner avec un autre homme.

Valérie était choquée.

— Il fait ça pour nous, pour notre avenir ! insista-t-elle.

— Non, il le fait pour nourrir son ego, parce que c'est excitant pour lui de s'attaquer à un nouveau défi et de se faire un nom. Je suis bien placé pour le savoir, j'ai fait pareil avant lui. Mais moi, je n'ai pas laissé une femme et trois enfants derrière moi à Paris.

Valérie ne put s'empêcher de se demander s'il n'avait pas raison. Les hommes devinaient peut-être mieux leurs motivations secrètes.

— Et maintenant, vous avez mauvaise conscience, Valérie, alors que vous n'avez rien à vous reprocher. C'est votre mari, au contraire, qui devrait rester éveillé la nuit, rongé par la culpabilité !

Il n'y allait pas par quatre chemins…

— J'ai refusé de l'accompagner, ne l'oubliez pas, objecta-t-elle.

— Et vous avez bien fait ! Avec trois enfants et votre propre carrière à prendre en compte, aller en Chine aurait été une folie. Votre conjoint aurait dû renoncer à cette opportunité et rester ici. Laissez-moi vous dire que, si j'étais marié à une femme aussi fabuleuse que vous, je ne vous quitterais pas des yeux un instant.

— Merci pour le compliment, répondit-elle tristement, mais les décisions discutables de mon époux n'excusent pas mes actes.

— Qu'avez-vous fait de mal ? M'avez-vous menti sur votre situation conjugale ? Non. Avez-vous couché avec moi ? L'avez-vous trompé ? Non plus.

— Je l'ai trompé dans mon cœur. Et je lui mens bel et bien : il ne sait pas ce que je fais pendant son absence. Le péché par omission, ça existe !

— Mon Dieu ! s'exclama-t-il en riant. Le péché par omission, les pensées impures, la luxure dans votre cœur… Vous ne savez pas à quel point ce que vous venez de dire me fait plaisir. Je ne suis donc pas le seul à avoir des pensées impures…

Elle se mit à rire à son tour.

— Allez, Valérie. Je vous emmène au cinéma cette semaine, puis on se fait une soirée pizza, et on arrête de se faire du souci. Le destin décidera si l'on est faits l'un pour l'autre. Et si ce n'est pas le cas, alors votre mari aura gagné.

En réalité, Charles non plus ne s'était jamais trouvé dans cette situation. Au départ, il avait invité Valérie à dîner pour mieux la connaître, puisqu'il savait qu'ils seraient amenés à travailler ensemble. Petit à petit, il avait découvert en elle une femme de valeur, une femme admirable ; et il s'était rendu compte de tout ce qu'il avait raté avec les filles superficielles qu'il fréquentait habituellement. Par ailleurs, Charles n'était pas du genre à accepter facilement la défaite. Il appréciait Valérie, il la voulait pour lui. Et, en se montrant si vertueuse, elle n'en devenait que plus attrayante à ses yeux. Valérie, de son côté, devait admettre que les arguments de Charles ne la laissaient pas indifférente... Personne ne l'avait jamais courtisée avec autant de détermination. Elle n'aurait su dire si elle était simplement éblouie par Charles ou si elle commençait réellement à tomber amoureuse de lui...

Malgré elle, Valérie se retrouva à dîner avec Charles la veille du retour de Jean-Philippe. Alors qu'il la raccompagnait chez elle, il l'embrassa avec passion dans la voiture. Valérie resta sans voix, mortifiée de n'avoir rien fait pour l'en empêcher.

— C'est pour que vous pensiez à moi, murmura-t-il. Combien de temps votre mari reste-t-il à Paris ?

La façon qu'il avait de présenter les choses donna à Valérie l'impression qu'elle se partageait entre deux hommes.

— Deux semaines, répondit-elle dans un souffle.

Il l'embrassa à nouveau, et elle répondit à son baiser avec tout autant de fougue.

— Je vous attendrai. Appelez-moi dès que vous le pourrez, sinon je vais m'inquiéter.

— Tout ira bien, assura-t-elle sans trop y croire. Oui, je vous donnerai des nouvelles.

Elle le regarda longuement, puis rentra chez elle. Elle s'aperçut alors, consternée, qu'elle n'avait pas envie de voir Jean-Philippe. Pas maintenant. Elle ne voulait pas perdre Charles. Elle savait qu'il allait lui manquer, et elle en avait honte. Il était le fruit défendu auquel elle tentait désespérément de résister. L'espace d'un instant, elle en voulut à Jean-Philippe de l'avoir laissée seule, vulnérable aux avances d'un autre homme. Mais elle s'en voulait surtout à elle-même d'éprouver une telle attirance pour Charles. C'est en toute innocence qu'elle avait glissé sur cette pente dangereuse.

Quant à Charles, il n'avait plus qu'un seul objectif : la conquérir.

14

Quand Jean-Philippe poussa la porte de l'appartement, ses enfants se jetèrent à son cou en criant de joie. Valérie, qui attendait son tour en souriant, s'avança alors vers lui pour l'embrasser. De le voir ainsi en chair et en os, il reprenait soudain vie à ses yeux ; il n'était plus seulement une image sur Skype. Ces dernières semaines, Charles, si séduisant, si convaincant, lui avait fait oublier tout ce qu'elle aimait chez son mari. Des sentiments confus assaillirent la jeune femme tandis que ce dernier la serrait contre lui : elle était certaine de son amour pour lui, pourquoi alors était-elle à ce point attirée par un autre homme ? Quand Jean-Philippe lui fit l'amour ce soir-là, avec toute la ferveur de celui qui n'a pas vu sa femme depuis deux mois, Valérie ne put retenir ses larmes. Elle ne savait même pas pourquoi elle pleurait, et n'essaya pas de s'en expliquer.

Dans les jours qui suivirent, Jean-Philippe l'observa attentivement. Il la trouvait changée, étrangement effacée. Était-ce la fatigue de devoir tout mener de front, deux jobs en plus des enfants à gérer ? Si tel était le cas, elle ne s'en plaignait pas, et se montrait par ailleurs très tendre. Il confia ses interrogations à Chantal quand il la retrouva pour déjeuner.

— Bon sang, ta pauvre femme est épuisée ! s'exclama-t-elle. Tu te tires en Chine en la laissant seule avec trois enfants, elle travaille comme un forçat chez *Vogue* – qui, soit dit en passant, est une usine à stress pour toute personne normalement constituée –, et elle a accepté une mission de conseil par-dessus le marché. À quoi t'attendais-tu ? Moi aussi, j'aurais l'air effacée, si j'avais toutes ces responsabilités sur les bras. Ça fait un moment que je veux l'appeler, mais j'ai eu beaucoup de travail, et j'ai passé pas mal de temps avec Xavier. Sans parler des allers et retours à Berlin depuis l'accident d'Éric… Je te promets de lui téléphoner quand tu seras reparti.

Chantal ne s'inquiétait pas pour Valérie. Jean-Philippe et elle s'adoraient ; un amour comme le leur n'avait pas pu s'étioler en l'espace de deux mois.

— Je sais que ça va te paraître ridicule, mais je me demande si elle n'aurait pas un amant, insista-t-il, tourmenté par un mauvais pressentiment.

— Arrête tes bêtises… Quand aurait-elle le temps de voir quelqu'un ? Tu dis toi-même qu'elle n'a pas de nourrice le week-end. Avec qui veux-tu qu'elle ait une liaison ? Votre pédiatre ?

Plaisanterie mise à part, Chantal savait très bien que tout pouvait arriver ; même les couples les plus solides en venaient parfois à se séparer. Quand bien même, elle n'imaginait pas Valérie quittant son mari. Ils étaient fous l'un de l'autre, et ce depuis le premier jour.

— Elle rencontre un tas de types intéressants chez *Vogue*, argua Jean-Philippe. Des auteurs, des photographes, des stylistes…

— Les stylistes sont presque tous gays, tu peux les rayer de la liste.

Chantal faisait son possible pour le dérider et lui enlever cette idée folle de la tête, mais c'était peine perdue. Jean-Philippe refusait de lâcher prise.

— Sans parler de sa mission de conseil, poursuivit-il. Les dirigeants de cette boîte sont de vraies stars dans le monde de la finance. Ils ont décidé d'investir dans la mode parce que ça rapporte gros. Ce sont des hommes d'argent, et ça m'étonnerait qu'ils soient tous gays.

— Tu connais leurs noms ? s'enquit Chantal avec curiosité.

— Les deux patrons, c'est Serge Sevigny et Charles de Beaumont. Je connais Sevigny, c'est un sale type très imbu de lui-même. Par contre, je n'ai jamais rencontré Beaumont, mais j'ai beaucoup entendu parler de lui. Il a signé un tas de contrats juteux en Chine, et investi partout où il le fallait.

— Je le connais, répondit Chantal. Je crois qu'il est sorti avec la fille d'une amie. Si c'est bien celui auquel je pense, il est plutôt bel homme… Mais ce qui l'intéresse, lui, ce sont les jolies jeunes filles de bonne famille – les débutantes, pas les femmes mariées et mères de trois enfants. C'est un play-boy, quoi.

— Valérie est jeune et jolie, et il a peut-être mûri, suggéra Jean-Philippe, paniqué.

— Non, un gars comme lui ne prendrait pas le risque de draguer Valérie. Et puis son boulot l'accapare complètement : je ne vois pas quand elle aurait le temps de folâtrer – et encore moins maintenant qu'elle est seule à la maison, sans nourrice le week-end. Ce n'est pas la meilleure candidate pour une liaison passionnée ! Sauf si le type a envie de faire du baby-sitting… À ma connaissance, les hommes comme Charles de Beaumont recherchent plutôt des femmes disponibles. Valérie doit être submergée, sans toi.

Chantal le faisait culpabiliser, mais elle avait raison. En acceptant ce travail en Chine, il avait fait peser de lourdes responsabilités sur les épaules de Valérie. Peut-être trop lourdes.

— Il est possible qu'elle soit fatiguée ou déprimée, poursuivit Chantal. Vous devriez essayer de faire des choses sympas tous les deux, sans les enfants. Remettre un peu de romance dans votre vie.

— Tu as sans doute raison. C'était égoïste de ma part de partir.

— Est-ce que ça marche, là-bas, au moins ?

Jean-Philippe avait maigri et semblait las, mais ses yeux brillaient quand il répondit.

— On fait des affaires incroyables, et ça rapporte comme prévu. Mais je déteste cette ville.

— Tu comptes y rester un an, c'est ça ?

— Ou deux, ou trois… Je n'en ai pas encore parlé à Valérie, mais je comprends mieux maintenant pourquoi ils voulaient que je signe pour trois ans. On ne fait pas grand-chose en un an.

— Sois prudent, lui conseilla Chantal. Ne pousse pas le bouchon trop loin. Valérie pourrait se lasser du rôle d'épouse à temps partiel.

Ce soir-là, sur les recommandations de son amie, Jean-Philippe emmena sa femme dîner au Voltaire.

Quand il lui suggéra ce restaurant, Valérie marqua une hésitation avant d'accepter. Il fut surpris par son manque d'enthousiasme – c'était une de ses adresses favorites.

Au milieu du repas, il la vit se figer : un homme venait de pénétrer dans la salle avec une jeune femme à son bras. Valérie échangea un regard avec l'inconnu, qui alla s'installer à une table un peu plus loin. Un courant étrange était passé entre eux deux.

— C'est qui ? demanda Jean-Philippe à voix basse.

— Charles de Beaumont, le directeur artistique de Beaumont-Sevigny, répondit-elle avec une nonchalance un brin forcée.

Un sentiment d'angoisse s'empara de Jean-Philippe tandis qu'il observait l'homme d'affaires à la dérobée. Ignorant totalement sa séduisante compagnie, celui-ci n'avait d'yeux que pour Valérie. Quand il croisa son regard dur, Jean-Philippe reconnut en lui un prédateur, une menace.

— Pourquoi ne t'a-t-il pas dit bonjour ?

— Je ne sais pas…

Valérie picorait dans son assiette, évitant soigneusement de se tourner dans la direction de son client.

— Je ne le connais pas personnellement, et il a l'air en plein rendez-vous galant.

Jean-Philippe eut l'impression que Valérie était pressée de rentrer. Elle ne commanda pas de dessert et resta silencieuse pendant tout le trajet du retour. Il entendit qu'elle recevait un message sur son téléphone portable ; elle ne l'ouvrit qu'une fois arrivée à la maison, ce qui ne lui ressemblait pas. Pour autant, il n'osa pas lui demander qui lui avait écrit – il se serait senti idiot, elle avait tellement de correspondants ! En réalité, l'expéditeur n'était autre que Charles : « Quand je vous ai vue, j'ai eu envie de vous kidnapper. » Valérie lui répondit qu'il lui manquait, avant d'effacer bien vite le SMS compromettant.

Lorsqu'ils se couchèrent ce soir-là, Jean-Philippe ne put s'empêcher de s'interroger sur les relations que sa femme entretenait avec Charles de Beaumont. Cet homme était bien trop séduisant à son goût. Il tenta de se raisonner. Peut-être l'idée de la savoir seule loin de lui le rendait-elle paranoïaque. En tout état de cause, il commençait à entrevoir les difficultés auxquelles ils allaient devoir faire face, surtout s'il signait pour une seconde année – ce qui lui paraissait de plus en plus inévitable.

Il leur fallut une semaine pour se réhabituer l'un à l'autre ; au bout de deux, Valérie semblait enfin détendue avec lui, mais il devait déjà repartir... Quinze jours, ce n'était pas suffisant pour réparer les dégâts causés par son absence.

Jean-Philippe la trouva particulièrement abattue à la fin de son séjour. Il se confia à Chantal la veille de son départ.

— Tu avais raison, je crois qu'elle déprime... Au fait, j'ai vu Charles de Beaumont au Voltaire. Un sacré beau mec ! Mais Valérie n'a pas l'air d'être sensible à son charme. Ce qui est sûr, c'est que la distance pèse lourd sur notre couple. Elle a eu besoin de presque deux semaines pour se dégeler ! Et dire que je repars demain... Franchement, je ne sais pas si on va tenir le coup.

Peut-être en demandait-il trop à Valérie. S'il avait cessé de penser qu'elle le trompait, il craignait maintenant qu'ils ne s'éloignent de plus en plus l'un de l'autre… Et qu'un jour ils divorcent. Jamais il n'aurait cru une telle chose possible.

— C'était le risque, et tu le savais dès le départ, lui rappela Chantal. Quand reviens-tu ?

— Dans quatre semaines. La veille de Noël.

— C'est un peu juste, observa-t-elle sévèrement.

— Je resterai quinze jours. Et je serai de retour à nouveau fin février, début mars.

— Tu n'as plus qu'à espérer que les enfants la gardent bien occupée et qu'aucun homme de la trempe de Charles de Beaumont ne croise son chemin.

Valérie et Jean-Philippe passèrent leur dernière soirée à discuter au lit. Il avait l'impression de la retrouver telle qu'il la connaissait, si ce n'est qu'il voyait bien que son départ imminent l'attristait. Heureusement, il ne serait absent que pour un mois, après quoi ils fêteraient Noël en famille. Valérie s'occuperait seule de décorer le sapin et l'appartement.

— Tu penses qu'on va y arriver ? lui demanda-t-il soudain, alors qu'ils s'apprêtaient à éteindre. Tu crois que notre couple va survivre à cette épreuve ?

Jean-Philippe paniquait presque. Il avait le sentiment d'avoir commis une erreur monumentale. Valérie était une belle femme, n'importe quel homme serait prêt à le remplacer.

— Je ne sais pas, Jean-Philippe, répondit-elle. Je l'espère. Seul l'avenir le dira.

Ainsi Valérie ne lui promettait-elle rien…

— Je ne veux pas te perdre, gémit-il.

— Moi non plus. Et je ne veux pas me perdre, moi. C'est plus difficile que je ne le pensais.

Jean-Philippe acquiesça. Que pouvait-il faire pour arranger les choses ?

— Quand je suis rentré, j'ai cru que tu avais un amant. Tu étais si distante, les premiers jours ! Maintenant, je comprends que ce n'était pas ça.

— Je n'ai pas d'amant, affirma-t-elle.

— J'espère que ça n'arrivera jamais, dit-il avec ferveur, plongeant son regard dans le sien.

Valérie répondit d'une voix douce et teintée de tristesse :

— Je l'espère aussi.

Ce n'était pas une promesse, mais un vœu. Pour l'instant, il serait obligé de s'en contenter.

Le lendemain matin, Jean-Philippe alla embrasser les enfants dans leurs lits avant de dire au revoir à Valérie. Elle s'agrippa à lui un long moment tandis qu'il la serrait contre son cœur.

— Je reviens bientôt, lui promit-il.

Elle lui vola un dernier baiser, puis il dévala l'escalier avec ses bagages. En bas, un taxi patientait.

Dès qu'il fut parti, Valérie envoya un texto à Charles lui demandant de la retrouver pour déjeuner. Ils se voyaient la semaine suivante pour le travail, mais elle ne voulait pas attendre. En dehors de leur rencontre fortuite au Voltaire, ils ne s'étaient pas croisés pendant quinze jours, et Charles lui manquait bien plus qu'elle ne l'aurait souhaité.

Ils se donnèrent rendez-vous dans un bistrot calme près des bureaux de Beaumont-Sevigny. Le visage de Charles s'éclaira lorsqu'il la vit entrer, très chic dans son manteau rouge et ses bottes noires. Lui-même était à la pointe de la mode avec son costume de tweed coupé à la perfection et ses chaussures en daim marron. Il l'embrassa avec ardeur. Et Valérie ne chercha pas à lui résister.

— Ces deux semaines ont été les plus longues de ma vie ! s'exclama-t-il en la dévorant du regard. Comment ça s'est passé ?

Elle ne l'avait appelé qu'une seule fois. C'était délicat pour elle – et, à ses yeux, déplacé – de le contacter en présence de Jean-Philippe. Elle avait tenu à témoigner à ce dernier le respect qu'elle lui devait en tant qu'épouse.

— Ça n'a pas été facile, répondit-elle. Je m'étais habituée à vivre seule, on n'a repris nos marques qu'à la fin… Hier soir, il m'a avoué qu'il s'était demandé si je n'avais pas un amant. Et il m'a posé plein de questions sur vous quand on s'est croisés au Voltaire. Je pense qu'il a eu un pressentiment, mais fort heureusement il a décidé de l'ignorer.

— Quand je vous ai vue ce soir-là, j'ai eu une envie irrésistible de vous prendre par l'épaule et de vous emmener loin de lui. Comme ça, sans un mot…

Valérie sourit. Elle aussi aurait aimé s'enfuir avec lui. Charles était si excitant ! Mais elle avait un mari, et les deux dernières semaines lui avaient rappelé à quel point il comptait pour elle. Elle ne voulait pas le perdre, même s'ils traversaient une période difficile.

— Si j'ai demandé à vous voir aujourd'hui, Charles, c'est pour vous prévenir que je n'irai pas plus loin avec vous. J'aurais bien aimé, et je regrette de ne pas vous avoir rencontré il y a huit ans, avant de connaître Jean-Philippe. Mais c'est lui que j'ai épousé, et je souhaite laisser une chance à notre couple. Sinon, je m'en voudrai toute ma vie. Je ne peux pas avoir une liaison avec vous et le regarder en face quand il rentrera à la maison. Si je veux le quitter, cela se fera selon les règles de l'honnêteté. Or je ne suis pas sûre pour l'instant d'en avoir envie.

Charles resta silencieux un long moment. La déclaration de Valérie lui laissait un goût amer. Quelque chose lui disait qu'elle ne changerait pas d'avis – et il devinait juste. Il admirait toutefois sa loyauté, sa droiture. C'était en partie pour ces qualités qu'elle lui plaisait tant. Valérie était une femme parfaite ; elle venait une fois de plus de le prouver.

— Si je cède à vos avances, vous ne me ferez jamais confiance, ajouta-t-elle. Je me détesterai, et tout le monde en pâtira. Voulez-vous que je renonce à ma mission de conseil auprès de votre entreprise ?

Charles réfléchit quelques instants, avant de secouer la tête.

— Non, Beaumont-Sevigny a trop besoin de vous.

Il planta son regard dans le sien.

— J'aurais tellement aimé que vous nous laissiez une chance, Valérie ; nous serions si heureux ensemble… Vous savez comme moi que ça ne marchera pas avec votre mari. Vous allez souffrir pendant un an, voire deux, et vous en arriverez à la même conclusion que moi : s'il est parti à Pékin sans vous, c'est que c'est un homme égoïste. Jamais je ne vous aurais fait ça.

Charles était sincère. Valérie voyait bien qu'il ne jouait pas avec elle.

— J'aurais beaucoup aimé vivre quelque chose avec vous, répondit-elle tristement. Si j'avais été seule, je n'aurais pas hésité. Mais en épousant mon mari, je me suis engagée à rester avec lui pour le meilleur et pour le pire. Nous avons connu sept ans de « meilleur » ; à présent, c'est plutôt le « pire », mais j'ai signé en connaissance de cause. Alors je vais m'accrocher, aussi longtemps que je le pourrai. Je le dois à Jean-Philippe et à nos enfants. Et ce ne serait pas juste de vous demander de m'attendre, car il se passera peut-être plusieurs années avant que je prenne une décision.

— J'envie votre époux, murmura Charles, plus malheureux que jamais.

Lorsqu'ils se séparèrent devant le restaurant, il l'embrassa comme il avait rêvé de le faire pendant deux semaines. Puis il la quitta, les mains enfoncées dans les poches, la tête basse. Jean-Philippe Dumas était un homme chanceux. Pour la première fois de sa vie, Charles écopait du rôle de perdant, et il détestait cela. Il regagna son travail à pied, l'ego blessé et le cœur meurtri.

Deux jours plus tard, la rédactrice en chef de *Vogue* convoqua Valérie dans son bureau. Celle-ci craignit un instant de s'être attiré des ennuis en éconduisant Charles de Beaumont, mais il s'avéra que sa supérieure avait des projets pour elle.

La direction avait décidé de consacrer le numéro d'avril à la Chine et désirait envoyer Valérie en mission de reconnaissance à Shanghai et à Pékin pour choisir les sujets du reportage et sélectionner les mannequins et les photographes. La mauvaise nouvelle, précisa sa chef, c'était qu'elle devait y aller la semaine suivante.

— Je sais qu'on te prévient à la dernière minute, mais tu seras de retour à temps pour fêter Noël avec tes enfants.

Valérie la dévisagea, un grand sourire aux lèvres. Elle venait de renoncer à un homme avec lequel elle s'était vue prête à refaire sa vie, et voilà qu'on lui offrait l'occasion de passer du temps avec son époux, qui était devenu un étranger pour elle. Cela ressemblait à un signe du destin.

— Ton mari est à Pékin, en ce moment, c'est bien ça ? s'enquit la rédactrice.

— Oui. Il n'y est que depuis deux mois, mais il pourra me donner des conseils.

La perspective de ce voyage l'enthousiasmait ; elle était curieuse de découvrir où Jean-Philippe habitait. Et cela la consolerait d'avoir suivi la voie de la raison vis-à-vis de Charles.

Elle écrivit un e-mail à ce dernier pour le prévenir que le magazine l'envoyait en Chine la semaine suivante et qu'il lui serait donc impossible de faire sa présentation à la date prévue. Elle lui remettrait le dossier avant son départ et se tenait à sa disposition s'il souhaitait y apporter des modifications. Elle n'avait pas l'intention de lui faire faux bond. Dans un bref message, Charles la remercia de son professionnalisme.

Valérie s'empressa ensuite d'annoncer la nouvelle à son mari. Quand il reçut son SMS, Jean-Philippe était justement en train de penser à elle et de se demander ce qu'il faisait là tout seul, dans cet appartement affreux, alors qu'il avait une femme et des enfants qu'il adorait à Paris. Il sauta de joie, et lui répondit aussitôt qu'il l'accompagnerait à Shanghai.

Ce voyage en Chine était exactement ce dont ils avaient besoin pour recréer des liens et sauver leur mariage. Valérie était heureuse de n'avoir rien fait de stupide avec Charles de Beaumont. Elle avait failli succomber à son charme enivrant, mais Jean-Philippe était bel et bien l'homme qu'elle aimait.

15

Benedetta embarqua à bord du vol Rome-Delhi peu avant midi. Elle était quelque peu fébrile... Qu'allait-elle découvrir en Inde ? Bien sûr, elle avait entendu parler de l'extrême pauvreté qui régnait là-bas, des mendiants et des enfants estropiés faisant la manche dans les rues ; elle savait qu'elle en serait choquée. Mais elle connaissait aussi les récits vantant l'extraordinaire beauté de ce pays, sa lumière, ses couleurs, ses temples, son peuple, ses tissus, ses bijoux – bref, sa magie. Elle avait lu deux ou trois choses avant de partir, mais elle voulait surtout laisser Dharam lui dévoiler toutes ces merveilles. Ils avaient prévu d'utiliser son avion privé pour se déplacer à l'intérieur du pays ; une façon idéale de voyager, dans le luxe et le confort absolus.

Après un vol de huit heures, Benedetta atterrit à Delhi à presque minuit. Lorsqu'elle passa la douane, escortée de deux policiers locaux et d'un agent de la compagnie aérienne, elle aperçut Dharam qui l'attendait. Il avait tout organisé pour faciliter son arrivée.

Elle s'avança vers lui avec un large sourire, et il l'accueillit en l'embrassant.

— Je n'arrive pas à croire que tu sois là ! s'exclama-t-il, aussi impatient qu'elle d'entamer leur périple.

Il s'était libéré deux semaines à cette intention, ce qui paraissait presque trop peu pour visiter un pays aussi immense.

Tandis qu'ils traversaient le hall de l'aéroport, Benedetta resta sans voix devant l'explosion de couleurs vives qui s'offrait à sa vue. Les saris étaient de toutes les teintes de l'arc-en-ciel, les femmes arboraient des bracelets et des sandales décorées de bijoux, et le front de certaines était paré d'un bindi rouge. Les hommes, eux, portaient les traditionnels pantalons larges et tuniques longues. L'effet était des plus exotiques. Alors qu'il était impossible de deviner à la tenue des gens si l'on venait d'atterrir à Paris ou à Cincinnati, par exemple, là, à Delhi, on était immédiatement plongé dans une autre culture, un autre univers.

Un employé de Dharam apparut à leurs côtés pour porter les sacs de Benedetta jusqu'à la Bentley bleu nuit de son patron. Le chauffeur, prénommé Manjit, les conduisit ensuite à travers le quartier diplomatique de Chanakyapuri pour les déposer au Leela Palace, où Dharam avait réservé une suite à Benedetta.

Portiers, grooms et bagagistes se précipitèrent à leur rencontre pour les décharger de leurs valises. Flanqué de deux gérants et d'un concierge, Dharam accompagna Benedetta à l'étage afin de s'assurer que sa suite lui convenait. Ici, il était un personnage important, et tout le monde veillait à ce que son invitée se sente bien accueillie.

La suite se révéla spectaculaire. Un immense salon donnait sur les jardins, et Benedetta n'avait jamais vu de chambre aussi spacieuse. Sur la table étaient disposés une bouteille de champagne, des fraises, une corbeille de fruits, une boîte de bonbons ainsi que des petits gâteaux. Alors qu'un majordome en livrée leur offrait du thé et du champagne, Benedetta se demanda comment elle pourrait remettre les pieds dans un hôtel normal, après cela… Une armée de domestiques s'agitait autour d'elle pour satisfaire ses moindres besoins.

Dharam resta deux heures à bavarder avec elle pendant que les femmes de chambre défaisaient ses valises. À trois heures du matin, il prit congé à contrecœur.

Quand Benedetta se réveilla le lendemain, la météo était idéale. Elle prit son petit déjeuner dans sa suite, puis enfila un pantalon gris et un pull en cachemire rouge. Lorsque Dharam se présenta à sa porte, elle trépignait d'impatience. Il était passé par son bureau pour travailler une petite heure avant de venir.

— Prête ? lui demanda-t-il d'un ton enjoué.

— Plus que jamais, répondit-elle.

Elle avait l'impression de partir à l'aventure… En bas, le chauffeur les attendait au volant de la Bentley.

Dharam commença par lui faire découvrir les monuments les plus connus, le Fort Rouge, le Purana Qila et la tombe de Humayun. Ils se promenèrent sur les pelouses et dans les jardins de Lodi, où Benedetta s'imprégna de l'atmosphère paisible. De là, ils se rendirent au Qutb Minar, le plus grand minaret en brique du monde. Partout, Benedetta était frappée par les contrastes entre l'ancien et le neuf, l'opulence et la pauvreté, les complaintes des mendiants et la beauté des femmes en sari.

Dharam l'invita à déjeuner à l'Olive Bar and Kitchen, avant de l'emmener au centre commercial Crescent Mall pour lui montrer quelques vêtements indiens. Ceux-ci la fascinèrent. Ils rentrèrent ensuite à l'hôtel, où ils prirent le thé en admirant la vue sur les jardins.

— Alors, qu'en dis-tu ? s'enquit-il, très fier de son pays et de sa ville.

— C'est magnifique.

Benedetta avait les yeux qui brillaient. De toute évidence, elle était en train de tomber amoureuse de Delhi.

Il la quitta aux alentours de dix-neuf heures pour passer chez lui se changer et lui laisser le temps de se reposer avant le dîner. Il lui avait promis de l'emmener au Smokehouse Room, un établissement dont il lui avait fait l'article pendant leur séjour en Sardaigne, et qui offrait une vue panoramique sur le Qutb Minar.

Benedetta fut impressionnée par la modernité des lieux. Dharam commanda plusieurs plats, en lui expliquant de quoi ils étaient composés à mesure qu'on les leur apportait. Elle les trouva tous délicieux. Quant au service, il était irréprochable. Au bout d'une journée à peine, Benedetta succombait déjà à la magie et à la beauté de ces lieux, qui se révélaient à la hauteur de toutes ses attentes. Ce voyage promettait d'être extraordinaire.

Après dîner, Dharam la raccompagna dans sa suite. Il n'arrivait toujours pas à croire qu'elle était là avec lui, et ne cessait de la remercier d'être venue ; ce à quoi elle répondait que c'était à elle de le remercier pour tout ce qu'il avait organisé. Avant de partir, il lui conseilla de bien dormir pour être en forme le lendemain. Il avait tellement de choses à lui montrer !

Quand il passa la chercher dans la matinée, Benedetta était déjà levée depuis plusieurs heures. Ils partirent sans tarder explorer les quartiers du Vieux Delhi, le temple du Lotus, le marché de Dilli Haat et le Musée national.

En fin de journée, Benedetta s'offrit un massage et quelques longueurs dans la piscine de l'hôtel. Ils dînèrent ensuite au restaurant de l'établissement, baptisé Le Cirque. Ils voulaient se coucher tôt, car ils se levaient à l'aube le lendemain pour commencer leur périple. Benedetta avait demandé à rencontrer ses enfants ; malheureusement, le fils de Dharam était parti jouer au polo dans une autre ville et ne serait pas de retour avant qu'elle reparte. En revanche, sa fille habitait Jaipur, et ils avaient prévu d'y faire étape.

Leur odyssée débuta à Khajuraho. En une journée, ils visitèrent une vingtaine de temples. Benedetta prit de nombreuses photos des dieux, déesses, guerriers et musiciens sculptés dans la pierre. Le jour suivant, ils s'envolèrent pour Agra, où se trouvait le Taj Mahal. Rien n'avait préparé Benedetta à la stupéfiante beauté de cette construction – pas même les clichés qu'elle en avait vu au fil des ans. Ils en firent le tour, photographièrent son reflet dans l'eau, puis posèrent leurs valises à l'hôtel Oberoi Amarvilas, un palace inspiré des architectures mauresque et moghole, situé à quelques centaines de mètres du Taj Mahal. De magnifiques terrasses, des fontaines, des bassins et des jardins luxuriants et fleuris agrémentaient les lieux. Quant aux chambres, elles étaient tout simplement extraordinaires : des meubles de marqueterie, des sols en marbre, de lourds rideaux de soie – sans oublier la vue sur le Taj Mahal. Dharam avait même commandé un bain aux pétales de rose pour Benedetta. Il avait pensé à tout.

Ils prirent ensuite la direction du parc national de Ranthambore. Dans chacun des hôtels où ils séjournaient, Dharam avait réservé une suite ou une chambre adjacente à celle de Benedetta pour pouvoir la protéger au besoin... et profiter au mieux de sa compagnie. Depuis qu'elle était arrivée en Inde, tout se passait très bien entre eux. Et Benedetta ne s'ennuyait pas un instant. Dharam avait tant d'anecdotes à lui raconter sur les lieux et monuments qu'il lui faisait découvrir !

Ils rejoignirent Jaipur, où ils visitèrent le site d'observation astronomique du Jantar Mantar, ainsi que le Hawa Mahal, « palais des Vents » datant du dix-huitième siècle, le City Palace et le Chandra Mahal. Surtout, ils dînèrent avec la fille de Dharam, Rama, dans sa somptueuse maison. Elle présenta à Benedetta ses trois jeunes enfants, adorables et parfaitement bien élevés. Son mari était parti jouer au polo avec son frère, mais cela ne l'empêcha pas de leur servir un vrai festin et de converser avec eux pendant des heures. Les deux femmes s'entendirent à merveille.

À l'hôtel, Benedetta et Dharam prirent un dernier verre en terrasse avant d'aller se coucher. L'établissement était construit au milieu d'un splendide jardin de treize hectares. Les jasmins embaumaient l'air de leur parfum.

— Je regrette que tu n'aies pas pu faire la connaissance de mon gendre, dit Dharam. C'est un jeune homme charmant. Sa famille est l'une des plus puissantes du pays.

La sienne l'était aussi, bien qu'il eût la modestie de ne pas s'en vanter. En réalité, sa grâce et sa gentillesse impressionnaient Benedetta bien plus que les merveilles qu'elle admirait chaque jour.

Elle eut un pincement au cœur quand elle prit conscience qu'ils étaient parvenus à la moitié de leur voyage. Déjà… Elle aurait voulu que ces vacances durent toujours.

— Si seulement je pouvais arrêter le temps pour mieux profiter de nos visites, lâcha-t-elle. J'en graverais tous les détails dans ma mémoire !

— Tu t'en souviendras, j'en suis sûr, répliqua-t-il en souriant.

Il avait raison : comment pourrait-elle oublier ce qu'ils avaient vu et vécu ? Chaque expérience, chaque paysage, chaque temple était unique, et pourtant si typique de l'Inde. Elle se rappellerait toute sa vie ces instants où Dharam lui avait fait découvrir la beauté de son pays.

Après avoir quitté Rama à contrecœur, ils s'envolèrent pour Udaipur. Là, ils se rendirent au City Palace, puis au marché, où Benedetta acheta des échantillons de tous les tissus qui lui tombaient sous la main ; ainsi, elle reproduirait plus facilement certains motifs, certaines couleurs éclatantes, qu'elle aurait eu bien du mal à décrire une fois rentrée en Italie. Dharam eut toutes les peines du monde à la convaincre de repartir tant elle était enthousiasmée par la multitude d'articles exposés.

Benedetta rentra à l'hôtel avec des piles d'étoffes sur les bras et des dizaines de bracelets à offrir à ses amies en souvenir de son voyage.

Le lendemain, ils explorèrent les temples de Nagda et d'Eklingji, qui comptaient parmi les plus beaux qu'ils avaient vus jusque-là. Ils avaient prévu de passer les derniers jours de leur périple à Udaipur, pour se reposer avant leur retour à Delhi. Ils se promenèrent dans les petites ruelles, entrèrent dans les boutiques, et Benedetta dénicha encore d'autres trésors. Insatiable, elle s'imprégnait de chaque son, chaque odeur, chaque image, pour les rapporter intacts chez elle dans ses souvenirs.

La culture indienne l'enveloppait comme un charme. Benedetta était totalement séduite, et profondément reconnaissante à Dharam de lui avoir offert cet extraordinaire aperçu de sa patrie. Mais ce voyage lui avait aussi permis de mieux le connaître, lui : lorsqu'ils s'étaient rencontrés à Paris et en Italie, elle n'avait pas saisi toute l'épaisseur, toute l'envergure de l'être humain qu'il était. Dharam portait en lui la douceur et la beauté des traditions de son pays. Il était aussi plein d'amour pour sa fille… Tout cela rappelait à Benedetta, s'il en était besoin, à quel point Gregorio s'était montré superficiel, narcissique et insensible à son égard, et combien elle avait été tolérante avec lui. Dharam faisait preuve d'une bonté et d'une grandeur d'âme qu'elle avait rarement observées chez les autres hommes. Elle était fascinée par sa culture, par les mythes et les histoires qu'il lui racontait. Son seul but, ces deux dernières semaines, avait été de la rendre heureuse en lui faisant découvrir son pays.

C'était leur dernier soir à Udaipur, la fin du séjour approchait. Dans deux jours, Benedetta serait de retour chez elle. Alors qu'ils discutaient de ce qu'ils avaient vu dans la journée, Dharam glissa sur son bras un large bracelet indien serti de diamants bruts qu'elle avait admiré à Jaipur, lorsqu'ils avaient visité le Gem Palace. Ses yeux s'écarquillèrent de surprise.

— Dharam, non !

Ce bijou était bien trop luxueux, mais Dharam aurait été blessé qu'elle le refuse. Elle se pencha pour l'embrasser sur la joue.

— Je voulais que tu aies un joli souvenir de notre voyage, expliqua-t-il, tout sourires. J'espère qu'il y en aura beaucoup d'autres, car nous n'avons vu qu'une infime partie des richesses de l'Inde. Pour cette première découverte, je tenais à te montrer un maximum d'aspects de la vie ici. C'était une vue d'ensemble, en quelque sorte ; la prochaine fois, nous prendrons davantage le temps d'explorer.

Le regard de Benedetta se voila tandis qu'elle effleurait le superbe bracelet à son poignet. Un détail – qui n'en était pas un – la préoccupait.

— Comment allons-nous faire, Dharam ? demanda-t-elle d'une voix douce. Tu vis ici, j'habite à Milan. L'un comme l'autre, on ne peut pas partir comme ça, sur un claquement de doigts.

Cette expédition avait demandé une certaine dose de réflexion et d'organisation. Pendant deux semaines, Dharam avait mis de côté ses obligations professionnelles, et il allait être obligé de travailler d'arrache-pied après le départ de Benedetta. Elle aussi mettrait les bouchées doubles pour rattraper le temps perdu, à son retour à Milan. Ils avaient tous deux de grosses responsabilités et de nombreux employés qui dépendaient d'eux. Benedetta ne voyait pas comment leur histoire pouvait évoluer autrement que sous la forme de petits interludes romantiques. La vie de Dharam était ici, et la sienne à plus de six mille kilomètres, en Italie.

— On est libres d'essayer, en tout cas, répondit-il. Ça peut marcher, si on en a envie. Cela ne dépend que de nous, Benedetta, et du temps qu'on est prêts à se consacrer l'un à l'autre. Je ne te demande pas de renoncer à ta vie en Italie. Moi, j'ai ma famille et des obligations ici. On ne sera peut-être pas ensemble au quotidien, mais je préfère te voir un peu que pas du tout. Je n'ai jamais rencontré une femme comme toi, aussi travailleuse, aussi créative et visionnaire. Tu es un génie.

Et ce n'étaient pas ses seules qualités : Benedetta était une femme raisonnable, aimante et chaleureuse.

— Toi aussi, tu es un génie, répliqua-t-elle, touchée par le compliment.

Dharam et elle faisaient preuve de la même modestie. Benedetta avait toujours attribué à Gregorio le mérite de leur réussite, alors que celle-ci avait en grande partie reposé sur son propre talent, sa propre force créatrice. Mais le monde lui rendait justice à présent, et Dharam en était heureux pour elle.

— Les génies mènent des existences qui sortent de l'ordinaire, déclara-t-il. On ne prendra pas le petit déjeuner ensemble tous les matins, mais on peut malgré tout mêler nos deux univers et s'apporter mutuellement du bonheur. Tu n'as pas d'enfants et les miens sont déjà grands. J'aime beaucoup passer du temps avec eux, mais ils n'ont plus autant besoin de moi. Il y a quinze ans, un tel deal n'aurait sans doute pas marché. Maintenant, c'est possible, si tu acceptes d'embarquer avec moi dans une des plus belles aventures de la vie.

Il lui tendit la main, et elle lui donna la sienne sans dire un mot.

— Je t'aime, Benedetta. Je suis tombé amoureux de toi le soir de notre rencontre, lors du Dîner en blanc. En te voyant, en discutant avec toi, j'ai maudit le sort qui avait voulu que tu sois mariée à un autre homme. Et puis, sans prévenir, ton mari est parti, et j'ai vu la douleur dans tes yeux. J'ai eu envie de te prendre dans mes bras et de te ramener chez moi, mais à l'époque je ne pouvais rien faire. Aujourd'hui, la vie a été bonne avec nous – du moins avec moi. Je veux prendre soin de toi et t'aimer. Je t'offre mon cœur, Benedetta.

Sa déclaration la laissa muette, tout comme l'expression de son regard. Ils n'étaient même pas amants ; ils s'étaient juste embrassés. Benedetta avait voulu rester prudente après son expérience douloureuse avec Gregorio. Mais Dharam n'était pas comme lui. C'était un homme généreux, aimant et protecteur. Elle savait qu'avec lui elle ne craignait rien.

— Je t'aime aussi, répondit-elle doucement.

Et pour elle, ce n'étaient pas des mots qu'on prononçait à la légère. Ils demandaient du courage.

— Prendras-tu avec moi le chemin qui s'ouvre devant nous ? demanda-t-il.

L'image du Taj Mahal apparut dans l'esprit de Benedetta, symbole d'un amour incommensurable qui défie la raison et traverse les siècles. Elle acquiesça et, tandis qu'il l'embrassait et la serrait contre lui, une extraordinaire sensation de paix l'envahit. Jamais elle n'avait ressenti cela auparavant, mais elle savait ce que c'était : l'amour d'un homme bon.

Plus tard, Dharam s'arrêta devant la suite de Benedetta, comme il l'avait fait tous les soirs. Elle lui ouvrit la porte – en même temps que son cœur. Cette nuit-là, leurs rêves se réalisèrent. Personne ne pouvait dire de quoi l'avenir serait fait mais, alors qu'elle s'endormait dans ses bras après leur tendre étreinte, Benedetta eut la certitude que son destin était aux côtés de cet homme. La vie lui avait fait un précieux cadeau, de ceux que l'on ne peut refuser.

16

Valérie atterrit à Pékin un matin du début du mois de décembre. Elle se sentit aussitôt submergée par le bruit et le chaos qui régnaient dans l'aéroport, la foule des gens qui se pressaient sur les trottoirs, la circulation folle et la pollution. Elle n'avait jamais rien vécu de tel. Jean-Philippe était venu la chercher en voiture. Il lui fit une petite présentation des différents sites et bâtiments devant lesquels ils passaient. Les vestiges colorés de l'histoire chinoise se mêlaient aux aspects plus récents et surprenants de la ville. Valérie notait déjà en esprit les impressions qu'elle rapporterait au magazine. Mais ce qui la frappa en premier lieu, ce fut la laideur et les désagréments qui caractérisaient l'existence de Jean-Philippe ici. Elle fut horrifiée en découvrant l'appartement minuscule dans lequel il vivait. Si elle et les enfants l'avaient accompagné, il aurait fait l'effort de trouver un logement plus décent, mais là, il s'était contenté de celui que l'entreprise lui fournissait. Il s'en fichait : son cœur était à Paris, il n'était venu en Chine que pour le travail.

Après avoir visité son appartement spartiate, ils se rendirent à l'hôtel Opposite House, où *Vogue* avait réservé une chambre pour Valérie. Moderne et épuré, l'établissement disposait d'une belle piscine. Valérie fut surprise par le peu de personnes qui parlaient l'anglais, malgré le style occidental de l'hôtel et les nombreux étrangers qui y séjournaient. Ici, rien n'était familier. D'une certaine manière, ce dépaysement total lui plaisait, mais elle devinait aisément à quel point il aurait été difficile pour elle de vivre dans cette ville.

Une interprète devait lui faire visiter Pékin dans la matinée. Valérie n'aurait pas le temps de s'ennuyer durant sa mission de reconnaissance… Elle avait l'intention de voir un maximum de choses en journée, pendant que Jean-Philippe travaillait. Il avait essayé d'alléger son planning, mais il était en passe de conclure de gros marchés et avait déjà dû se battre pour pouvoir l'accompagner à Shanghai. Valérie se réjouissait d'y aller avec lui. On lui en avait dit beaucoup de bien. Néanmoins, Pékin l'intéressait davantage, car c'était là que son mari vivait à présent, et elle découvrait tout ce qu'elle avait raté en refusant de le suivre.

Pendant qu'elle prenait une douche et se changeait, Jean-Philippe commanda le petit déjeuner. L'employé du service de chambre comprenait à peine l'anglais, mais le plateau qu'il leur apporta était susceptible de répondre à tous les goûts : des œufs et des croissants, mais aussi un bol de riz mélangé à de petits morceaux de poisson. Jean-Philippe mangea avec Valérie, puis la quitta pour se rendre à une réunion. Valérie rejoignit son interprète dans le hall de l'hôtel. C'était une jolie jeune femme qui parlait un anglais correct, quoique hésitant, et qui n'avait jamais quitté son pays. Employée par le gouvernement pour escorter les hommes d'affaires étrangers, elle était heureuse de constater que son client du jour était une femme. Valérie lui expliqua ce qu'elle était venue faire en Chine et lui montra un numéro de *Vogue*. Comme ils comptaient embaucher des mannequins chinois en plus des célébrités qu'ils feraient venir de Paris, Valérie devait contacter des agences locales. Ici, même les top models étaient formées par l'État. Ce jour-là, néanmoins, elle avait prévu de repérer les différents lieux de shooting possibles.

Un chauffeur de l'hôtel les conduisit, elle et l'interprète, au marché de la soie, puis à celui, plus rustique, de Panjiayuan. Ce marché aux puces proposait une grande variété de produits et offrirait un cadre intéressant aux photographes de *Vogue*. Elles visitèrent également plusieurs centres commerciaux parmi la centaine que comptait Pékin. Ces derniers étaient immenses, mais Valérie ne fut pas convaincue. Elle préférait suggérer au magazine des lieux plus insolites.

Parmi ceux-ci, il y avait les *hutong*, ces ensembles de ruelles anciennes dispersés à travers la ville. Ou encore l'espace 798, un centre d'exposition consacré à l'art contemporain qui s'était installé dans une ancienne usine électronique des années cinquante, et où les mannequins seraient superbement mis en valeur. À ces lieux originaux s'ajouteraient bien sûr des sites plus traditionnels comme la Cité interdite, la Grande Muraille et l'opéra de Pékin. Valérie passa la journée suspendue à son appareil photo…

En fin d'après-midi, elle quitta son interprète devant l'hôtel. Elle était épuisée. Lorsque Jean-Philippe la rejoignit après le travail, il la trouva allongée sur le lit, profondément endormie. N'ayant pas le cœur de la réveiller, il s'étendit à côté d'elle et la contempla un long moment. Pour la première fois depuis qu'il était arrivé en Asie, il se sentait heureux et apaisé. La présence de Valérie faisait toute la différence.

Lorsqu'elle ouvrit les yeux, vers minuit, elle sourit en le voyant à côté d'elle. Jean-Philippe avait dîné sans faire de bruit et lisait tranquillement. Affamée, Valérie commanda de quoi manger, et dévora les plats tout en lui racontant sa journée.

— Tu n'as pas chômé, lança-t-il. En deux mois, je n'en ai pas vu autant.

— Oui, j'ai essayé d'en faire le maximum. Je n'ai pas beaucoup de temps pour organiser ce shooting.

L'un des problèmes majeurs, en janvier, serait la météo. Les filles allaient souffrir, dans les températures négatives…

Jean-Philippe admirait l'esprit d'initiative de sa femme, sa créativité, sa compétence – autant de qualités qui avaient également séduit Charles de Beaumont. Pas une fois Valérie ne prononça le nom de ce dernier pendant son séjour, de peur de se trahir. Elle redoutait que Jean-Philippe ne devine quelque chose. Dire qu'elle avait failli succomber à la tentation… Fort heureusement, son mari était pour l'heure tout à son bonheur d'être avec elle. Qui plus est, ils se retrouvaient tous les deux à l'hôtel, ce qui ne leur était pas arrivé depuis longtemps. Cela avait quelque chose de délicieusement romantique.

Leur dernier soir à Pékin, Jean-Philippe emmena son épouse à un dîner important auquel il avait été convié par un client. Valérie fut impressionnée par le raffinement des plats, qui n'en finissaient pas de se succéder. Elle était heureuse de l'accompagner, et Jean-Philippe ne cacha pas sa fierté de l'avoir à ses côtés.

Lorsqu'ils s'envolèrent pour Shanghai le lendemain, Valérie avait l'impression de retomber amoureuse de son mari. Ce voyage faisait du bien à leur couple. Tout leur semblait frais et neuf tandis qu'ils se redécouvraient l'un l'autre. Ils adorèrent Shanghai : c'était une ville attachante, qu'ils explorèrent main dans la main, comme s'ils étaient en lune de miel – à cela près que Valérie travaillait. Jean-Philippe, lui, était en vacances et libre de la suivre partout où elle allait.

De retour dans la capitale, ils passèrent leur dernière nuit à l'hôtel… On eût dit de jeunes mariés. Valérie n'avait plus envie de le quitter. Quant à Jean-Philippe, il appréhendait de retrouver la solitude de son appartement…

— Heureusement, je rentre dans deux semaines, dit-il tristement. Il faut que je m'accroche à ça.

Sans elle, son quotidien à Pékin était d'une intolérable monotonie. La vie était tellement plus radieuse à ses côtés ! Il se sentait alors capable d'affronter n'importe quoi. Pas une fois, cependant, il n'essaya de la convaincre de venir s'installer en Chine. Il comprenait aujourd'hui combien cela aurait été désagréable pour elle et pour les enfants. C'était un sacrifice qu'il faisait pour eux, mais qu'il n'attendait plus d'elle, un sacrifice qu'il regrettait même de lui avoir demandé. Par miracle, leur mariage avait survécu.

À l'aéroport, Jean-Philippe eut bien du mal à se détacher d'elle. Ces quelques jours avaient été fabuleux.

Ils avaient fait l'amour à la moindre occasion, comme pour rattraper le temps perdu durant ces terribles mois où ils avaient vu leurs relations se distendre. Curieusement, c'était en Chine qu'ils s'étaient retrouvés. Quel heureux hasard que *Vogue* l'y ait envoyée ! Valérie n'en revenait toujours pas.

— À dans deux semaines, mon amour ! lança-t-elle gaiement.

Elle lui fit signe de la main, puis disparut dans la zone réservée. Jean-Philippe se détourna et repartit tristement. Jamais il ne s'était senti aussi amoureux d'elle.

De retour à Paris, Valérie fit son compte rendu à l'équipe de rédaction de *Vogue*. Ses collègues examinèrent soigneusement les photos qu'elle avait étalées sur un immense écran et s'accordèrent à dire que le shooting serait fantastique. Tous étaient conquis par les lieux et les mannequins qu'elle avait repérés à Pékin. L'équipe était unanime : le numéro d'avril allait faire un carton.

Le lendemain, Valérie avait rendez-vous chez Beaumont-Sevigny. Par chance, Charles était en déplacement à New York et ne pouvait donc y assister. Elle ne se sentait pas encore prête à le revoir, même si elle savait qu'il le faudrait bien un jour si elle voulait garder son client. Mais elle avait repris confiance dans sa relation avec Jean-Philippe. Elle était certaine d'avoir fait le bon choix. Eût-elle accepté les avances de Charles et mis fin à son mariage, Jean-Philippe en aurait eu le cœur brisé. Malgré ses doutes des derniers mois, Valérie était de nouveau convaincue que son mari l'aimait et qu'elle l'aimait tout autant. Leurs sentiments avaient résisté à la séparation et s'étaient même renforcés.

Serge Sevigny, l'associé de Charles, lui apprit qu'ils envisageaient de proposer des lignes de vêtements à des enseignes présentes dans les centres commerciaux de Pékin. Valérie put lui apporter un regard éclairé sur la question, ce qui ne manqua pas de l'impressionner. À l'évidence, cette femme était aussi douée et aussi informée des tendances du marché que le prétendait son associé…

— Très bien, Valérie, lança-t-il. Nous reparlerons de tout cela au mois de janvier, après le retour de Charles.

Ce dernier travaillait à New York pendant une grande partie du mois de décembre et passerait ensuite les fêtes dans sa propriété de Saint-Barth. Valérie se rappela qu'il lui avait proposé de venir avec les enfants… Elle avait refusé, bien sûr. Ce qui s'était passé entre eux lui paraissait presque irréel, à présent, et elle espérait bien que cette sensation se confirmerait le jour où elle le reverrait. Elle lui faisait confiance pour se comporter de manière professionnelle. Après tout, il tenait à la garder comme consultante.

Elle appela Jean-Philippe sur Skype pour lui raconter comment s'étaient passées ses réunions. Après les bons moments qu'ils avaient partagés en Chine, il leur tardait de se revoir. Les six derniers mois avaient été difficiles, mais le pire semblait derrière eux. Il leur fallait à présent s'accommoder de la situation dans laquelle Jean-Philippe les avait plongés. Et, qui sait ? vivre sur des continents différents aurait peut-être l'effet inattendu de raviver leur flamme.

Chantal, de son côté, revenait tout juste de Berlin. Éric, enfin débarrassé de ses plâtres, avait achevé avec succès sa rééducation et s'était réinstallé dans son appartement. Elle lui avait offert une voiture pour remplacer sa moto ; refusant catégoriquement de conduire un véhicule neuf, Éric avait jeté son dévolu sur une vieille camionnette de la poste dans laquelle il pouvait transporter ses installations. Elle aurait préféré le savoir au volant d'une Volkswagen ou d'une Audi, même d'occasion, mais il n'avait rien voulu entendre, et elle avait fini par céder. Au moins, il ne risquait pas de se tuer en faisant des excès de vitesse : la camionnette atteignait à peine les quatre-vingts kilomètres-heure. Chantal n'avait pu s'empêcher de rire en le voyant repartir dans son nouveau véhicule. On aurait dit le facteur… Il s'était même dégoté une casquette de circonstance.

À l'opposé, Charlotte avait récemment fait l'acquisition d'une Range Rover flambant neuve, digne de son statut social ; son fiancé, lui, possédait une Jaguar. Quant à Paul, il avait investi toutes ses économies dans l'achat d'une Mustang 65, qui était devenue son bien le plus précieux, alors que les parents de Rachel prévoyaient d'offrir une Mercedes break à cette dernière avant la naissance du bébé. Paul avait confié à sa mère que ses beaux-parents insistaient lourdement pour qu'ils se marient. Chantal, elle, préférait rester en dehors de ces histoires. Ce n'était pas à elle d'influencer son fils sur la question. En revanche, elle lui conseillait vivement de trouver un travail à plein temps, puisque ses films indépendants ne lui rapportaient pas un salaire régulier. À ses yeux, ni Paul ni Rachel n'étaient prêts à se marier mais, avec un bébé en route, il était temps qu'ils grandissent et qu'ils prennent leurs responsabilités. Le grand jour approchait pour eux. Et aussi pour Charlotte, qui se mariait dans cinq mois.

Un des associés de Xavier les avait invités, Chantal et lui, à une fête de Noël anticipée. L'homme et sa femme, âgés d'une soixantaine d'années, habitaient dans un coin huppé du seizième arrondissement. Ils étaient un peu guindés et très attachés aux traditions, mais Chantal les aimait bien.

Connaissant leur style vestimentaire plutôt classique – celui de l'épouse, en particulier –, elle hésitait sur la tenue à adopter. Finalement, elle choisit une robe en laine noire, à manches longues et col montant. Elle l'agrémenta d'un collier de perles qui accentuait encore son allure sérieuse, et coiffa ses cheveux en chignon, ce qu'elle ne faisait que très rarement. Elle se regarda dans le miroir, guère convaincue par le résultat. La robe était trop longue à son goût.

— Tu ne trouves pas que j'ai l'air d'une secrétaire ou d'une veuve grecque ? demanda-t-elle à Xavier.

Il portait un costume noir et une chemise Prada qu'elle lui avait offerte, noire elle aussi – un look branché qui risquait de faire passer Chantal pour sa mère en comparaison.

— Tu as l'air très adulte, répondit-il avec diplomatie.

— Tu veux dire vieille ?

— Personnellement, je te préfère en minijupe et les cheveux détachés, mais chez les gens qu'on voit ce soir ta tenue sera parfaitement adaptée.

Ce n'était pas un grand compliment, mais cela avait le mérite d'être vrai. Chantal défit son chignon, garda la robe et enfila son manteau.

Chez l'associé de Xavier, la fête battait son plein. Tout le personnel du cabinet se trouvait là, en plus de leurs nombreux amis. Un long buffet avait été dressé dans la salle à manger pour accueillir les plats, commandés chez le meilleur traiteur du quartier. En voyant que leur hôtesse portait une robe presque identique à la sienne, Chantal sut qu'elle avait fait le bon choix.

Elle échangea quelques mots avec une avocate qu'elle avait déjà eu l'occasion de rencontrer, et se retrouva bientôt au milieu d'un petit groupe de femmes passionnantes, aux idées très progressistes, qui discutaient de la condition féminine au Moyen-Orient et des différents moyens de faire évoluer la situation. Chantal bavarda une bonne heure avec elles, avant de prendre congé pour aller se servir au buffet. Alors qu'elle cherchait Xavier du regard, elle fut surprise de le découvrir en pleine conversation avec une jeune femme rousse très sexy, moulée dans une petite robe blanche qui lui couvrait à peine le haut des cuisses, et juchée sur des bottines en daim noir à talons aiguilles. À en juger par le contour parfait de ses hanches, elle ne portait pas de sous-vêtement…

— Waouh, souffla Chantal.

Ne voulant pas passer pour la vieille compagne jalouse et autoritaire, elle prit le parti de trouver d'autres gens à qui parler et de laisser Xavier la rejoindre de lui-même. Il n'en fit rien. Au contraire, elle le vit s'installer sur un canapé avec la jeune fille et rire à gorge déployée à tout ce qu'elle lui racontait, tandis qu'elle se rapprochait progressivement de lui.

Au bout d'une bonne heure, la rousse se leva, prit une carte de visite dans son sac à main et la tendit à Xavier avant de s'éloigner. Celui-ci la glissa dans sa poche avec un petit hochement de tête. Chantal s'avança alors droit sur lui et lui annonça sèchement qu'elle était fatiguée, qu'elle voulait rentrer.

— On est là depuis deux heures, c'est bien suffisant.

À ceci près qu'ils avaient l'habitude de rester beaucoup plus longtemps aux soirées, et que Xavier semblait bien s'amuser…

Il passa un bras autour de ses épaules.

— Ça va, ma chérie ? lui demanda-t-il, perplexe.

— Très bien, répondit-elle d'une voix glaciale tout en se dégageant de son étreinte.

Elle récupéra son manteau. Quelques minutes plus tard, ils partaient.

Xavier devinait qu'elle était en colère. Quant à savoir pourquoi, il n'en avait pas la moindre idée. Quelqu'un lui avait-il mal parlé ? S'était-elle ennuyée ? Pour sa part, il avait trouvé la soirée plutôt réussie. Les quatre-vingts invités formaient un groupe joyeux, et leurs hôtes avaient fait des efforts pour que tout le monde se sente à l'aise.

— Quelque chose ne va pas, Chantal ?

— Oh, si, tout va très bien. C'était tellement prévisible ! Tu peux me dire qui est cette fille ?

Elle détestait sa réaction et le ton de sa voix, mais elle n'avait pas pu s'empêcher de poser la question.

— Quelle fille ? demanda Xavier en lui jetant un regard interdit.

— La rousse qui ne portait pas de culotte. Vous aviez l'air de bien vous amuser, tous les deux.

— Ah, elle ! En effet, elle est assez marrante. C'est la nouvelle stagiaire, une fille sympa. Comment sais-tu qu'elle n'avait pas de culotte ?

— J'ai des yeux, se contenta-t-elle de répondre. Quel âge a-t-elle ?

— Je n'en sais rien. Vingt-cinq, vingt-six ans. Elle est étudiante en droit. Elle veut se spécialiser dans le divorce.

— Je suis sûre qu'elle en provoquera un certain nombre, en effet, répliqua Chantal.

— Mais enfin… qu'est-ce qui te contrarie comme ça ?

— Oh, je ne sais pas. Tu passes une heure à bavarder avec une bombe de vingt-cinq ans, qui se colle à toi pendant que tu rigoles comme un collégien. Elle te file sa carte, tu la mets directement dans ta poche. À ton avis, qu'est-ce qui pourrait bien me contrarier ? Le goût du saumon fumé ?

— Il était excellent, le saumon. C'est un super traiteur.

Xavier tentait une sortie par l'humour, mais cela ne fit qu'exaspérer Chantal davantage.

— Ce n'était pas sa carte, précisa-t-il. C'était celle de son frère. Il est architecte et on a besoin de réaménager les bureaux. Elle me le recommandait, c'est tout.

— Elle aurait pu te donner sa carte au boulot. Et, franchement, j'ai du mal à te croire. Elle est peut-être étudiante en droit, mais elle ressemble à une starlette de Hollywood et s'habille comme une pute. Je n'aime pas bien cette combinaison, quand la fille en question fait les yeux doux à mon mec alors que je suis assez vieille pour être sa mère et que, par un hasard merdique, je suis habillée comme sa grand-mère aujourd'hui. La femme de ton associé a vingt ans de plus que moi, et on porte la même robe… Fais-moi penser à la brûler en rentrant.

Xavier ne put s'empêcher de sourire. Même en colère, elle ne perdait rien de son humour.

— Chantal, mon cœur, je t'en prie… Tu sais bien que je t'aime. Je ne faisais que bavarder avec elle, il n'y a pas à chercher plus loin ! Je me fous de cette fille. Et tu pourrais porter notre dessus-de-lit, tu serais quand même la femme la plus sexy du monde.

— Je t'ai dit dès le début que je ne voulais pas passer pour une idiote ni avoir le cœur brisé, répondit-elle tandis qu'ils montaient dans le minuscule ascenseur de son immeuble. Un jour, tu me largueras pour une fille comme elle. Hors de question que je me retrouve toute seule le nez dans la poussière, à pleurer toutes les larmes de mon corps. Puisque tu commences à t'intéresser aux femmes plus jeunes, Xavier, alors on en reste là. Je préfère qu'on se quitte tout de suite.

Xavier l'écouta, sidéré. Il l'avait déjà entendue tenir ce genre de propos, mais là, elle ne plaisantait plus.

— Je te promets que je ne m'intéresse à aucune autre femme, Chantal. C'est toi que j'aime. J'aurais peut-être dû arrêter de lui parler, mais je passais un bon moment. Et je ne voulais pas être impoli.

— C'est bien ce que je dis : tu passais un bon moment. Tu as le droit de faire ce que tu veux, mais j'ai aussi le droit de sauver ma peau avant de trop souffrir.

— Je ne recommencerai plus, dit-il doucement, alors qu'ils pénétraient dans l'appartement.

— Ce n'est pas une solution… Et je suis certaine que tu recommenceras.

Sur ces mots, Chantal se dirigea tout droit vers sa chambre et claqua la porte derrière elle. Quelques instants plus tard, Xavier l'entendit fermer le verrou.

Au bout d'une demi-heure, il se risqua à lui parler à travers la porte, pensant qu'elle avait eu le temps de se calmer.

— Tu veux que j'aille dormir chez moi, ce soir ? demanda-t-il poliment.

— Oui, répondit-elle.

Xavier partit, le cœur lourd. Cela le peinait de la savoir à ce point bouleversée, et il se rendait compte à présent de ce qu'elle avait dû ressentir en le voyant discuter avec la jeune femme. Pourtant, même s'il avait été célibataire, il ne serait jamais sorti avec elle : ce n'était pas son genre. Xavier avait toujours préféré les femmes intelligentes aux bombes sexuelles. Et, quoi qu'en pense Chantal, sa conversation avec la stagiaire avait été tout à fait innocente. Sa jalousie n'avait aucun fondement.

Ce soir-là, avant de se coucher, il lui envoya un texto pour lui dire qu'il l'aimait. Elle ne répondit pas. Le lendemain, il tenta de l'appeler sur son portable, sans succès. Quand il arriva au bureau, Amandine, la jolie rousse, l'informa qu'elle avait essayé de le joindre chez lui. Xavier crut faire une attaque. Le numéro de domicile qui apparaissait dans le répertoire téléphonique du cabinet était celui de Chantal.

— Je ne vous ai pas donné la bonne carte de visite, hier soir, précisa la stagiaire. Mon frère était furax quand il s'en est rendu compte. Tenez, voici la nouvelle.

Elle lui tendit le bristol, avant de s'éloigner. Xavier imaginait sans peine comment Chantal avait réagi en entendant la voix d'Amandine à l'autre bout du fil… Ne voulant pas s'expliquer par mail ou par SMS, il décida d'attendre le soir, et passa le reste de la journée avec un nœud à l'estomac. Chantal ne lui donna aucune nouvelle. Elle devait être franchement remontée contre lui, après l'appel d'Amandine. Et il aurait sans doute bien du mal, encore une fois, à la convaincre que ce coup de fil était totalement innocent.

Après le travail, il se présenta chez elle avec un bouquet de roses à la main. Il se sentait un peu comme un acteur de sitcom, pitoyable dans sa banalité, mais il n'avait pas trouvé de meilleure idée. Il regrettait sincèrement de l'avoir rendue jalouse.

Dans l'appartement, seul le bureau était éclairé, ce qui ne présageait rien de bon. Dans le couloir sombre, Xavier se cogna le genou contre une grosse valise. Il ouvrit la porte du bureau et vit Chantal, assise dans son fauteuil. Elle leva vers lui un regard glacial, ne prêta aucune attention au bouquet.

— Tu t'en vas ? demanda-t-il d'un ton qu'il voulait nonchalant.

— Non. C'est toi qui t'en vas.

Elle avait répondu froidement, mais une grande douleur se lisait dans ses yeux.

— J'ai rassemblé tes affaires. C'est fini, Xavier. Je te l'ai dit, je ne vais pas attendre de me faire larguer, j'ai eu assez de coups durs comme ça dans ma vie. Je suis trop vieille pour toi, il te faut une femme plus jeune avec qui jouer – la rousse ou une autre, peu importe. Tu n'as que trente-huit ans, j'en ai cent. Je serai très bien toute seule.

— Chantal, je t'en prie… Ne sois pas ridicule. Je t'aime ! Tu es la femme la plus intelligente, la plus sexy, la plus belle que j'aie jamais connue. Tu pourrais avoir deux cents ans que ça ne changerait rien pour moi. Ne dramatise pas comme ça.

Il avait laissé tomber le bouquet sur un fauteuil et s'était approché d'elle. Lorsqu'il tenta de l'enlacer, elle se dégagea. Des larmes roulaient sur ses joues.

— Je t'aime aussi, mais je veux que tu partes. Tout de suite. La scène d'hier soir, c'est exactement ce que je crains de vivre en vrai un jour. Moi, en larmes et le cœur brisé, et toi tombant amoureux d'une fille deux fois plus jeune. Il faut que tu t'en ailles, Xavier. Je ne peux pas continuer… C'est terminé.

Xavier n'était pas loin de pleurer, lui aussi.

— C'est de la folie, souffla-t-il.

— Non, c'est avant que j'étais folle. Quand j'y croyais… Je veux retrouver mes esprits et ma solitude. J'ai cru que ça pourrait marcher, mais c'est impossible. La soirée d'hier me l'a prouvé. S'il te plaît, Xavier, va-t'en, l'implora-t-elle en sanglotant de plus belle. C'est trop dur.

Xavier lui lança un regard désespéré avant de sortir du bureau. Docilement, il ramassa la valise et quitta l'appartement. Il n'arrivait pas à comprendre comment un non-événement pouvait avoir de telles conséquences. Pendant six mois, Chantal et lui avaient filé le parfait amour, et subitement tout était fini parce qu'il risquait un jour de tomber amoureux d'une femme plus jeune… Mais rien ne l'empêchait, elle aussi, de rencontrer quelqu'un de plus âgé, ou même de plus jeune que lui ! Et qui savait lequel des deux survivrait à l'autre ? Xavier pouvait mourir dans un mois et Chantal vivre jusqu'à cent ans. Personne n'était en mesure de prédire l'avenir. C'était insensé de mettre un terme à une si belle histoire pour rien. Chantal se faisait une drôle d'idée de la médecine préventive : tuer le patient aujourd'hui au cas où il tomberait malade demain…

Xavier descendit pesamment les marches, avec sa valise remplie de vêtements et de livres. Lorsqu'il l'ouvrit en arrivant chez lui, il y trouva des photos de Chantal cachées dans les livres, qu'il disposa sur sa table de chevet et sur son bureau, le cœur plus triste que jamais. Une fois de plus, il lui écrivit un texto pour lui redire son amour. Une fois de plus, son message resta sans réponse.

Le lendemain, il se réveilla avec l'impression d'avoir perdu une partie de lui-même. Chantal ne se sentait pas mieux, mais elle avait la certitude d'avoir pris la bonne décision. Il n'y avait pas de retour en arrière possible : Xavier appartenait désormais au passé.

17

Comme tous les ans, les trois enfants de Chantal rentrèrent à Paris pour fêter Noël. C'était le seul moment de l'année où ils se retrouvaient tous ensemble, en famille. Éric arriva un jour avant Charlotte et Paul et passa la première soirée en tête à tête avec sa mère. Il était presque remis de son accident de moto ; les médecins prévoyaient de retirer la broche de sa hanche d'ici un an, une fois les os parfaitement ressoudés. Il avait eu une chance inouïe. Aujourd'hui, à peine deux mois après sa mésaventure, sa jambe ne le faisait quasiment plus souffrir. Quant à sa camionnette de facteur, il en était très content et s'en servait régulièrement pour transporter ses œuvres.

Lorsqu'il demanda à sa mère où était Xavier, Éric fut déçu d'apprendre que ce dernier ne fêterait pas Noël avec eux.

— Il ne fait plus partie du paysage, expliqua-t-elle, le visage crispé et les yeux emplis de tristesse.

— Vous avez rompu ?

Elle acquiesça.

— Dommage, je l'aimais bien. Il a fait quelque chose de grave ?

— Non, répondit-elle en fuyant son regard. Mais cela aurait fini par arriver.

Éric resta interdit.

— Comment ça, maman ? Tu veux dire que tu *prévois* qu'il fera quelque chose de grave ? Je ne comprends pas bien ta logique. Comment peux-tu le savoir avant même que ça se produise ?

— Je sais comment les choses vont se finir ; il vaut mieux que je prenne les devants.

— Et si tu te trompes ?

Malgré son jeune âge, Éric était la voix de la raison.

— Crois-moi, je ne me trompe pas. Et je n'ai pas envie d'en parler, dit-elle fermement.

Éric n'insista pas, mais il voyait bien qu'elle était malheureuse. Il avait été fort agréablement surpris que Xavier vienne épauler sa mère à Berlin au moment de son accident. Cela semblait être quelqu'un de confiance, et sa mère et lui avaient eu l'air de bien s'entendre. Il était navré pour elle que leur histoire soit terminée. Elle était restée seule tellement longtemps avant de le rencontrer !

Le lendemain, le contingent américain débarqua vers onze heures. Il y eut soudain une grande animation dans l'appartement tandis que Chantal et Éric accueillaient Paul et Rachel et poussaient des exclamations devant le ventre énorme de cette dernière. Elle était enceinte de six mois, mais on aurait juré qu'elle attendait des jumeaux tant elle était grosse. Les deux frères s'embrassèrent, puis Paul demanda à Éric où était sa petite amie.

— Elle passe Noël en famille, expliqua-t-il. Les Allemands sont très attachés à cette fête. Je la rejoins pour le nouvel an.

De leur côté, Paul et Rachel restaient à Paris quelques jours, puis s'envoleraient pour le Mexique. Tous les ans, les parents de Rachel les invitaient une semaine au Palmilla, un hôtel fabuleux de Cabo San Lucas, pour y fêter la Saint-Sylvestre. C'était devenu une tradition. Chantal ne pouvait pas rivaliser avec eux ; elle était déjà contente d'avoir son fils et sa belle-fille à Noël.

Contrairement à son frère, Paul ne lui posa aucune question au sujet de Xavier. Il n'y pensa même pas, jusqu'à ce qu'Éric l'informe à voix basse qu'ils s'étaient séparés récemment.

— Maman tenait à lui ? demanda Paul, surpris.

— Je crois, oui.

— Ah… Je ne pensais pas que c'était sérieux. Ça ne pouvait pas durer, de toute façon, avec leur différence d'âge. Maman devait bien le savoir. Il n'allait pas rester avec une femme de vingt ans de plus que lui !

Pour Paul, il n'y avait pas de quoi s'attarder sur la question. Il ne s'était pas attendu à revoir Xavier, considérant cette histoire comme une amourette d'été ou une sorte d'amitié bizarre partagée le temps d'un voyage. En outre, sa mère avait l'habitude d'être seule. À aucun moment, il ne remarqua qu'elle était plus effacée et plus triste que d'ordinaire.

À peine leurs valises posées, Rachel voulut ressortir pour écumer les magasins de l'avenue Montaigne. Elle possédait plusieurs cartes de crédit, toutes alimentées par son père, et adorait faire du shopping à Paris. Comme elle avait dormi dans l'avion, elle était en pleine forme ; elle prit juste le temps de se changer avant de partir avec Paul. Éric les suivit peu après pour aller voir des amis et visiter des galeries d'art à Bastille.

Chantal était donc seule quand Charlotte et Rupert arrivèrent de Hong Kong. Toujours aussi british, Rupert s'adressa à elle comme à la reine mère, lui confiant qu'il n'était pas venu à Paris depuis des années. Charlotte lui rappela qu'elle voulait regarder les robes de mariée avec elle ; elles n'avaient pas beaucoup de temps, puisqu'ils avaient l'intention d'aller faire du ski après Noël – une passion de Rupert. Chantal connaissait la règle du jeu : dans moins d'une semaine, ils seraient tous repartis. Mais pour l'instant, ils étaient là, et elle était bien résolue à profiter de leur présence, aussi courte fût-elle. Noël avait toujours revêtu une grande importance pour elle. Elle regrettait l'époque où ses enfants séjournaient chez elle pendant toute la durée des vacances.

Charlotte et Rupert sortirent tout l'après-midi. Comme chaque fois, Chantal n'avait rien programmé : elle tenait à être totalement disponible pour eux. Elle les attendit donc à l'appartement.

Vers dix-huit heures, Paul et Rachel firent leur apparition, les bras chargés de sacs – Paul avait même eu du mal à entrer dans l'ascenseur. Rachel avait trouvé un sac à main Hermès, des « petites tenues sympas » dans lesquelles elle arrivait encore à caser son gros ventre, et de la layette Baby Dior – ils savaient qu'elle attendait un garçon. Épuisée par ce shopping intensif, elle alla faire une sieste dans l'ancienne chambre de Paul.

Chantal en profita pour discuter seule à seul avec son fils, qu'elle trouva en train de grignoter dans la cuisine.

— Paul, il faut vraiment que tu cherches un travail avant la naissance du bébé, lui dit-elle d'un ton ferme. Tu ne peux pas te laisser entretenir par les parents de Rachel.

— Je sais. J'ai prévu de subvenir aux besoins du petit. Eux, ils continueront à donner de l'argent à Rachel.

— Ça ne te dérange pas ?

— Je ne vois pas comment je pourrais lui assurer son train de vie actuel, maman. Son père lui achète tout ce qu'elle veut. J'ai travaillé récemment sur des tournages, et j'ai réussi à mettre un peu de sous de côté. Pour l'instant, je ne peux pas faire plus.

Assumer financièrement ses responsabilités de père lui semblait suffisant. De toute façon, Rachel n'avait aucune intention de réduire ses dépenses. Pour Chantal, cet arrangement n'était pas idéal, mais tant que son fils était heureux...

Une demi-heure plus tard, Charlotte et Rupert rentrèrent à leur tour. Ils n'avaient rien acheté ; Charlotte avait hâte de faire les magasins avec sa mère le lendemain matin. Éric, enfin, arriva vers vingt heures. Chantal avait préparé un repas à la maison, pensant que ceux qui venaient de loin seraient fatigués par le décalage horaire et n'auraient pas envie de sortir. Le dîner était copieux : gigot d'agneau à l'ail accompagné de purée et de haricots verts – un de leurs plats préférés, qui les replongeait toujours délicieusement dans l'enfance –, salade, plateau de fromages, et un gâteau à la crème glacée acheté chez un pâtissier qu'ils adoraient.

Chantal mettait la dernière touche au repas quand Charlotte demanda discrètement à Paul si le petit copain de leur mère était censé venir. Cette perspective la rendait nerveuse.

— D'après Éric, c'est fini, répondit Paul d'un ton détaché.

— Tant mieux, répliqua Charlotte, soulagée. Je n'aurais pas été à l'aise. Et s'il est vraiment beaucoup plus jeune qu'elle, ils auraient été ridicules à mon mariage. Je ne sais pas ce qui lui a pris de faire une chose pareille. Elle est très bien toute seule.

Paul partageait son avis. Il avait apprécié Xavier, mais pas au point de souhaiter l'avoir comme beau-père.

— Comment peux-tu en être si sûre ? intervint Éric, qui avait entendu leur échange. Peu de gens aiment être seuls. Vous aimez, vous ?

— Maman a eu sa vie et ses enfants. Elle n'a pas besoin d'un homme, décréta sa sœur.

— Elle a cinquante-cinq ans, pas quatre-vingt-dix ! Tu imagines un peu son existence, sans nous ? Vous ne la voyez qu'une ou deux fois par an, et moi pas beaucoup plus. Elle est tout le temps seule. Non seulement c'est monotone, mais qu'est-ce qui se passera si elle tombe malade un jour ? Et pourquoi n'aurait-elle pas le droit de s'amuser ?

Son frère et sa sœur le dévisagèrent comme s'il parlait hébreu. Ces considérations au sujet de leur mère ne leur avaient jamais traversé l'esprit.

— Si elle tombe malade, on lui trouvera une infirmière, rétorqua Charlotte. Elle a assez d'argent pour s'en payer une. Et quand elle sera vieille, on la mettra en maison de retraite. Elle n'a pas besoin d'un petit copain.

— Qu'est-ce que vous êtes cyniques ! s'exclama Éric, en colère. Maman n'est pas un chien qu'on emmène chez le vétérinaire, qu'on met en pension quand on part en vacances et qu'on euthanasie quand il se fait trop vieux ! C'est un être humain qui a très probablement besoin d'avoir quelqu'un dans sa vie. Quelqu'un qui l'aime et qui prenne soin d'elle !

— Oh, je t'en prie, Éric !

Charlotte leva les yeux au ciel. De son côté, Paul semblait mal à l'aise. Il détestait parler de sujets sérieux, fuyait les situations compliquées. Or, il lui paraissait beaucoup plus simple que leur mère reste seule et qu'ils n'aient pas à supporter la présence d'un type chaque fois qu'ils rentraient à la maison. Éric, lui, estimait que Xavier était parfait pour leur mère ; il ne l'avait jamais vue aussi heureuse depuis qu'ils étaient tous partis vivre leur vie. Ces dernières années, elle lui avait paru triste par moments, et il s'était demandé si elle ne souffrait pas de sa solitude. Il s'était même senti coupable à cet égard, mais il n'était pas prêt pour autant à revenir à Paris. Et les autres non plus, bien sûr. C'était bien le problème : sans eux, elle n'avait personne.

— Moi, je trouve que c'est mieux qu'il ne soit pas là, reprit Charlotte avec humeur. Qu'on n'ait pas un étranger à la maison pour Noël !

— Je te rappelle que Rupert est un étranger. On ne le connaît pas, fit remarquer Éric, assez fort pour que l'intéressé l'entende.

Charlotte le fusilla du regard.

— Rupert n'est pas un étranger. On est fiancés.

— Tu m'en vois ravi. Mais qu'est-ce que ça change ? Pourquoi toi, tu aurais le droit d'amener ton amoureux, et pas maman ?

— Si elle a rompu avec Xavier, c'est qu'elle ne voulait pas de lui, intervint Paul. Je ne vois pas pourquoi on se prend la tête.

— Je parle pour le principe, insista Éric. Maman a le droit d'avoir un amoureux. J'ai l'impression que vous ne vous demandez jamais si elle est heureuse, si elle va bien, ou si elle se sent seule.

— Elle a l'habitude d'être seule, répondit Paul. Et elle a des amis.

— Ce n'est pas pareil. Moi, je me morfondais, avant de rencontrer Annaliese. Les amis, ils rentrent se coucher avec leur copain ou leur copine, pas avec toi.

— Arrête, à son âge il n'est pas question de sexe !

Charlotte afficha une moue dégoûtée.

— Qu'est-ce que tu en sais ?

— Merde, lâcha Paul, horrifié. Imaginez qu'elle fasse un gosse. Il ne manquerait plus que ça.

— Tu vas bien en avoir un, toi ; personne n'y trouve rien à redire, objecta Éric, qui se faisait l'avocat du diable.

— J'ai trente et un ans, ce n'est quand même pas pareil !

— Mais tu n'es pas marié. Et si un jour je fais des enfants avec Annaliese, on ne se mariera pas non plus, parce qu'on ne croit pas au mariage. On est peut-être beaucoup plus « choquants » que maman, finalement. Et pourtant, quoi qu'on fasse, elle l'accepte sans rien dire. Que cela concerne le mariage, les enfants ou avec qui l'on vit, elle nous fout la paix. Alors pourquoi, vous, vous sauriez mieux qu'elle comment elle doit gérer sa vie privée ?

Éric défendait sa mère avec ténacité.

— Elle doit bien avoir envie d'être seule, puisque tu dis que c'est elle qui l'a largué, remarqua Charlotte.

— Tu ne vois pas qu'elle a l'air triste ?

— Non, pour moi, elle est comme d'habitude. On va me chercher une robe de mariée demain. Ça, ça la rendra heureuse.

— Je rêve... Ça te fera plaisir à toi, surtout. Qu'est-ce qu'on fait, nous, pour elle ?

Paul et Charlotte échangèrent un regard sans répondre. Ils ne voyaient pas les choses de cette façon. Il leur semblait normal que leur mère en fasse beaucoup pour eux, et ils n'avaient jamais pensé à lui renvoyer l'ascenseur. D'ailleurs, Chantal ne leur demandait rien ; elle n'était pas exigeante.

Ils en étaient là de leurs réflexions quand elle les appela à table. Elle venait de remplir une carafe de vin rouge et les servit dès qu'ils se furent assis.

À la fin de ce délicieux dîner, tout le monde s'accorda à dire qu'elle s'était surpassée.

— Je vais prendre au moins cinq kilos, se plaignit Rachel. Et je ne peux pas faire de biking, ici.

— C'est bon pour toi et le bébé, lui assura Paul. Tu ne manges pas assez.

Il trouvait qu'elle faisait trop de sport, entre le Pilates, le biking, le yoga et ses exercices quotidiens de musculation. Ses efforts payaient : elle avait un corps superbe. Mais elle avait aussi tendance à oublier qu'elle était enceinte.

— Et vous, vous avez l'intention de faire un bébé bientôt ? demanda-t-elle à Rupert et à Charlotte.

Chantal écoutait leur conversation avec intérêt, même si elle ne participait pas beaucoup.

— Non, on préfère attendre quelques années, répondit Charlotte. On a envie d'acheter un appartement plus grand, et peut-être aussi un studio à Londres, avant de se lancer dans les bébés. En plus, je devrais bientôt avoir une promotion. Je ne veux pas passer à côté.

Personne ne fut pris de court par cette réponse : c'était typique de Charlotte, qui aimait tout planifier longtemps à l'avance. Paul, lui, laissait beaucoup plus de place au hasard dans sa vie, ce qui expliquait que Rachel soit tombée enceinte. Passé la surprise, ils s'étaient réjouis de cette nouvelle – sans compter que l'arrivée du bébé ne bousculerait pas trop leur quotidien, puisque les parents de Rachel leur avaient déjà trouvé une nourrice à domicile pour un an. Chantal, elle, avait eu ses trois enfants en l'espace de cinq ans et s'en était occupée toute seule, pendant que son mari tentait de gagner quelques sous avec les livres qu'il écrivait. À sa mort, elle avait dû, en plus de tout le reste, chercher un travail pour subvenir à leurs besoins. Aujourd'hui, aucun de ses enfants n'aurait voulu se retrouver dans cette situation. Ils avaient oublié les difficultés qu'elle avait eu à surmonter. Chantal n'avait jamais voulu leur donner l'impression qu'elle peinait à joindre les deux bouts.

Une fois le repas terminé, Rachel et Charlotte l'aidèrent à ranger la cuisine pendant que les hommes jouaient à des jeux vidéo dans le salon. Ils enchaînèrent sur une soirée mimes et partagèrent de bons éclats de rire. La compétition était rude, avec Rachel et Rupert en plus dans la bande.

À minuit, tout le monde alla se coucher. Chantal était tellement contente de les avoir à la maison ! Xavier lui manquait terriblement, mais elle essayait de ne pas y penser. Cela l'étonnait que Charlotte et Paul ne lui aient posé aucune question à son sujet. Occupée en cuisine, elle n'avait rien entendu de leur conversation avant le dîner – et c'était mieux ainsi, car elle en aurait eu le cœur brisé. Deux de ses enfants considéraient qu'elle n'avait pas besoin de l'amour d'un homme et s'étaient même félicités qu'elle se soit séparée de Xavier.

Valérie et les enfants avaient installé le sapin de Noël et fabriqué des décorations en carton et en papier mâché qu'ils avaient recouvertes de paillettes. Ils avaient même construit une crèche grâce aux instructions trouvées dans un magazine, et acheté les figurines des animaux et du petit Jésus. Le 24 décembre, quand Jean-Philippe, de retour de Pékin, entra dans l'appartement, celui-ci ressemblait à une carte de Noël. Tous les cadeaux étaient joliment emballés et disposés au pied du sapin. De son côté, il n'avait pas eu beaucoup de temps pour faire ses achats, et il ne rapportait dans ses valises qu'une petite robe chinoise pour Isabelle, un camion de pompiers pour Jean-Louis et un tigre en peluche pour Damien. Lors de son dernier passage à Paris en novembre, il avait trouvé un bracelet en or chez Cartier pour Valérie. Celle-ci avait prévu de lui offrir une montre.

Le matin de Noël, ils ouvrirent les paquets dans la joie et l'excitation, puis partirent à la messe en famille.

À leur retour, ils partagèrent un copieux repas de fête dont les odeurs délicieuses embaumaient l'appartement. Les enfants étaient ravis d'avoir leur papa à la maison, et Valérie se réjouissait tout autant de sa présence. Jean-Philippe et elle étaient restés dans l'état d'esprit joyeux des quelques jours passés ensemble en Chine. Valérie retournerait à Pékin en janvier pour superviser le shooting de *Vogue*, après quoi Jean-Philippe serait de nouveau à Paris en février. Aujourd'hui, ils avaient le sentiment que leur situation, si délicate fût-elle, était surmontable, pour peu qu'ils s'organisent et qu'ils y mettent chacun du leur. Quant aux enfants, ils paraissaient plutôt bien supporter l'absence de leur père. Valérie gérait tout d'une main de maître et veillait à ce qu'ils lui parlent régulièrement sur Skype.

Tous, parents comme enfants, furent comblés par leurs cadeaux. Et à la fin de cette belle journée, ils décrétèrent que ce Noël avait été l'un des meilleurs qu'ils aient jamais passé. C'était même sans conteste *le* meilleur, songea Jean-Philippe en contemplant sa femme, qui s'endormit dans ses bras avec le sourire aux lèvres.

Le frère et la belle-sœur de Xavier furent très attristés d'apprendre que Chantal avait rompu avec lui. Ils avaient de bons souvenirs de son passage en Corse et estimaient qu'ils formaient un beau couple tous les deux. Les raisons de cette rupture, d'après ce que leur en avait dit Xavier, n'avaient aucun sens à leurs yeux, mais celui-ci était formel : sa relation avec Chantal était bel et bien terminée. Ils l'invitèrent à passer Noël avec eux. Entre leurs amis et ceux des enfants, il y aurait foule dans leur grande maison. Xavier déclina. Il n'était pas d'humeur à faire la fête.

Le jour de Noël, il s'occupa en lisant et en regardant des films, avant d'aller faire une longue balade sur les quais de Seine. L'espace d'un fol instant, il songea à pousser la porte d'une des animaleries qui se trouvaient là pour y acheter un chien, mais il avait entendu dire que la plupart arrivaient malades d'Europe de l'Est. Il rentra donc chez lui seul, et pleura la femme qu'il aimait, cette femme qui ne voulait plus de lui parce qu'il risquait un jour de tomber amoureux de quelqu'un de plus jeune. Ce n'était pas juste. Il ne l'avait pas trompée. Il n'avait même pas flirté avec cette fille, il n'avait fait que lui parler ! Obnubilée par leur différence d'âge, Chantal avait paniqué. Et depuis trois semaines, elle n'avait répondu à aucun de ses appels et messages. Il était bien obligé de se rendre à l'évidence : c'était fini. À présent, il devait tourner la page, mais il n'en avait pas envie. Il avait besoin de faire le deuil de l'amour qu'il ressentait pour elle, un amour vrai et fort. Il se serait bien vu rester toute sa vie avec elle, puisqu'ils partageaient les mêmes valeurs et les mêmes intérêts, et s'entendaient si bien. Mais Chantal n'avait visiblement pas les mêmes attentes…

Le cabinet étant fermé pendant les vacances de Noël, Xavier passa ses journées à marcher le long de la Seine ou dans le bois de Boulogne. Malgré lui, ses idées tournaient en boucle dans sa tête : il ne pouvait s'empêcher de chercher un moyen de convaincre Chantal que son âge n'avait aucune espèce d'importance pour lui. Il lui semblait impensable de continuer son existence sans elle.

18

Charlotte et Rupert partirent les premiers, deux jours après Noël. Ils avaient écourté leur séjour chez Chantal pour pouvoir skier plus longtemps à Val-d'Isère. Charlotte avait des amis qui y passaient toutes leurs vacances d'hiver, et elle avait promis à Rupert une expérience de ski unique.

Charlotte avait trouvé la robe de mariée parfaite chez Christian Dior. Elle était aux anges, d'autant que la robe lui allait comme un gant et ne nécessitait aucune retouche. Chantal se chargerait de l'apporter à Hong Kong au mois de mai pour le mariage. Pour elle-même, elle avait acheté une tenue chez Nina Ricci, en face du magasin Dior. Une robe bleu marine qui plaisait surtout à sa fille… Chantal la jugeait un peu trop sévère à son goût, et le boléro qui était vendu avec lui donnait carrément l'air d'une grand-mère. Mais elle s'était laissé convaincre par sa fille. De toute façon, elle ne connaîtrait pas la moitié des invités, des amis de Charlotte et Rupert pour la plupart. Selon ce dernier, sa propre mère serait habillée en gris pâle – une couleur encore plus déprimante. Avec toutes les règles, restrictions et traditions auxquelles Charlotte se pliait, l'événement promettait d'être on ne peut plus formel… D'ailleurs, Paul et Éric n'étaient pas enchantés à l'idée de porter une jaquette, mais leur sœur y tenait dur comme fer. De son côté, Rachel craignait surtout, deux mois après l'accouchement, de ne pas avoir retrouvé la ligne. Quant aux robes des huit demoiselles d'honneur, elles devaient être confectionnées par une grande couturière de Hong Kong.

Charlotte et Rupert étaient d'excellente humeur lorsqu'ils remercièrent Chantal avant de s'eclipser. Rupert l'informa qu'ils passeraient le prochain Noël chez ses parents, à Londres, et qu'ils ne viendraient plus chez elle qu'un an sur deux. Sur ce, Paul enchaîna en disant que Rachel et lui resteraient peut-être à Los Angeles l'année suivante, à cause du bébé, et parce que les parents de Rachel réclamaient leur tour, eux aussi, pour Noël. Mais Chantal serait la bienvenue en Californie, bien sûr.

Cette dernière prit conscience à cet instant qu'elle venait peut-être de passer son dernier Noël avec ses trois enfants réunis. Son regard peiné n'échappa pas à Éric, même si, fidèle à elle-même, Chantal fit l'effort de ne rien laisser paraître. Ils étaient adultes, elle devait respecter leurs décisions. En outre, il leur fallait à présent satisfaire les attentes de leur belle-famille, et non plus seulement les siennes.

Le lendemain, Éric rentra à Berlin – non sans un pincement au cœur à l'idée d'abandonner sa mère. Enfin, la veille du 31 décembre, Paul et Rachel s'envolèrent pour le Mexique. Ce soir-là, l'appartement parut bien vide à Chantal, et bien silencieux. Cela lui faisait toujours ça. Quand ses enfants repartaient, elle avait toujours l'impression qu'on lui arrachait un bout de cœur. Les premiers jours, elle avait envie de hurler, puis elle finissait par s'habituer. Une mélancolie sourde remplaçait sa douleur. Cela lui avait fait mal d'entendre Charlotte et Paul l'informer avec désinvolture qu'ils ne seraient pas là l'année suivante…

À midi, le 31 décembre, Chantal était convenue de déjeuner avec Jean-Philippe. Elle fit son possible pour cacher son chagrin. Elle lui parla de ses enfants, de leurs partenaires, de leurs futurs bébés… C'était le cycle naturel de la vie, contre lequel elle ne pouvait pas – et n'avait pas à – lutter. Sa fille et ses fils avaient le droit de mener leur propre existence. Mais celle de Chantal était bien vide sans eux. Elle l'avait presque toujours été, à l'exception du bref intermède avec Xavier.

Jean-Philippe ne fut pas dupe : il voyait bien qu'elle était triste. Et il trouvait que ses enfants ne faisaient pas assez d'efforts pour elle, comparé à tout ce qu'elle faisait pour eux…

— Comment sont-ils, avec Xavier ? lui demanda-t-il tandis qu'ils attendaient leur commande.

Peut-être avaient-ils été infects avec lui… Charlotte en était tout à fait capable ; elle se montrait souvent très dure avec sa mère.

— Xavier n'était pas là, répondit Chantal en évitant son regard.

— Pourquoi ?

— On s'est séparés il y a quelques semaines.

— Merde, lâcha-t-il, stupéfait. Pourquoi tu ne m'as rien dit ?

— J'avais besoin de temps pour me faire à l'idée, et pour pouvoir en parler.

— Que s'est-il passé ? Vous aviez l'air de nager dans le bonheur, pourtant.

— J'ai décidé de sauver les meubles avant que ça change.

— Pardon ?

— J'ai choisi la chirurgie préventive, si tu préfères. On est allés à une fête et il a passé la soirée à discuter avec une superbe jeune femme. On aurait pu me prendre pour leur grand-mère ! Je me suis rendu compte que c'était ça qui me pendait au nez. Xavier est beau, et il est jeune. Un jour ou l'autre, il comprendra qu'il n'a rien à faire avec une femme de mon âge. J'ai préféré ne pas attendre ce jour.

— Qu'est-ce qu'il a dit ? demanda Jean-Philippe, bouleversé par cette nouvelle.

— Qu'il m'aimait, et qu'il ne voulait pas d'une femme plus jeune… Mais je le sais, ça aurait fini par arriver. Et ça m'aurait tuée. Enfin, peut-être pas, se corrigea-t-elle, mais je n'ai pas envie de souffrir, alors autant tout arrêter maintenant.

— Et tu ne souffres pas, là ?

— Si, mais j'aurais encore plus souffert plus tard. C'était la meilleure chose à faire.

— Est-ce qu'il t'a appelée, depuis ?

— Il n'a pas cessé.

— Et… ?

— Je ne réponds pas. Il n'y a rien à dire. C'est fini, un point c'est tout. Je ne veux plus le voir ni lui parler. Il faut qu'il tourne la page.

— Et toi ?

— Moi, je n'espère plus rien de ce côté-là. Il me reste le travail, et aussi mes enfants, même s'il est vrai qu'ils ont peu de temps pour moi. C'est comme ça, quand on a des gamins qui vivent à l'étranger.

Chantal l'acceptait – elle n'avait pas le choix. Mais Jean-Philippe, lui, avait beau savoir que personne n'était responsable de cette situation, il enrageait de voir son amie en subir les conséquences. Elle n'avait plus que son travail dans la vie, et cela ne risquait pas de s'arranger avec le temps.

— Tu ne peux pas te séparer de Xavier comme ça, Chantal. S'il te dit qu'il t'aime, et si tu l'aimes aussi, pourquoi ne pas vous laisser une chance ?

— Parce que je souffrirai trop quand il partira. Et il partira, j'en suis sûre.

— Comment peux-tu en être sûre ? Si ça se trouve, c'est toi qui partiras la première. Ou toi qui tomberas amoureuse d'un autre mec.

Sauf que ce n'était pas son genre. Elle était une femme aimante et fidèle. Néanmoins Jean-Philippe avait l'impression que Xavier possédait les mêmes qualités… Chantal renonçait à une belle histoire d'amour par peur d'une très hypothétique trahison.

— Je t'assure que j'ai pris la bonne décision, insista-t-elle.

— Je ne crois pas, non.

Jean-Philippe était rarement en désaccord avec elle, mais là, il n'hésita pas à le lui faire savoir. Malheureusement, elle ne voulut rien entendre.

— Qu'est-ce que tu fais, ce soir ? s'enquit-elle pour changer de sujet.

— Je réveillonne à la maison avec Valérie et les enfants. Je repars à Pékin la semaine prochaine, alors j'ai envie de profiter d'eux. Et toi, tu fais quelque chose ?

Il devinait aisément la réponse, au vu de ce qu'elle venait de lui apprendre…

— Oui, je prévois de me coucher vers neuf heures, répondit-elle avec un sourire. Ou même plus tôt. Je déteste le réveillon du nouvel an.

Jean-Philippe lui lança un regard tendre, puis promit de l'appeler et d'essayer de la revoir avant son départ. Il la plaignait de tout son cœur.

Benedetta passa le réveillon à Londres avec Dharam. Il était venu la chercher la veille à Milan à bord de son avion privé et avait réservé sa suite habituelle au Claridge's. Après un dîner en tête à tête au Harry's Bar, ils se rendirent à une soirée organisée par des amis dans le quartier de Knightsbridge. Ils n'y restèrent cependant pas longtemps, pressés de se retrouver seuls. À minuit, ils s'embrassèrent, puis rentrèrent à l'hôtel.

Le matin du nouvel an, ils prirent un brunch, avant d'aller se dégourdir les jambes à Hyde Park. Benedetta portait le bracelet qu'il lui avait offert – elle ne l'avait pas quitté depuis leur séjour en Inde. Ils passèrent le reste de la journée à regarder des films et à faire l'amour dans leur chambre d'hôtel. Six ou sept mois plus tôt, Benedetta n'aurait jamais imaginé qu'elle fêterait la nouvelle année de cette façon. Elle pensait finir sa vie avec Gregorio, en dépit de sa mauvaise conduite. Mais Dharam était tombé du ciel, tel un miracle – ou comme l'une des lanternes magiques de Xavier, en sens inverse.

— Heureuse ? lui demanda-t-il alors qu'ils se prélassaient au lit.

— Totalement.

Benedetta l'attira à elle pour l'embrasser.

— Tant mieux, murmura-t-il, aux anges.

Il n'y avait pas de meilleure façon de commencer la nouvelle année.

De leur côté, Anya et Gregorio fêtaient le réveillon à Courchevel. Lui préférait Cortina, dans les Alpes italiennes, mais la station savoyarde, prise d'assaut par la jet-set russe, était l'endroit rêvé pour elle. Dans le village, on trouvait des panneaux et des cartes de restaurants en alphabet cyrillique, et beaucoup de magasins employaient des vendeuses russes. Presque toutes les collègues mannequins d'Anya étaient là, ainsi qu'une foule d'hommes riches venus de Russie en famille – parfois même avec leurs maîtresses cachées dans d'autres hôtels. Certains avaient l'air louche et grossier, mais ils ne manquaient pas d'argent à dépenser. Les plus riches logeaient dans des chalets.

Anya et Gregorio étaient venus avec la nourrice. Celle-ci passait ses journées à skier, Gregorio préférant s'occuper lui-même de sa fille. Il l'emmenait faire de longues balades dans le porte-bébé, l'installant face à lui pour pouvoir la regarder, lui parler et la faire rire. Le soir, en revanche, il sortait au restaurant avec Anya, fier de l'avoir à son bras, et ravi de pouvoir profiter de quelques jours de vacances avec elle. Anya voyageait beaucoup ces temps-ci et n'avait guère eu le temps de revenir à Milan depuis le mois de septembre. Gregorio ne s'en plaignait pas : il comprenait son besoin d'oublier le traumatisme de son accouchement, et il était persuadé qu'elle finirait par se poser. En tout état de cause, elle semblait heureuse d'être à Courchevel avec lui. Tous les jours, elle partait skier avec ses amis russes pendant qu'il gardait leur fille.

Le 31 décembre, il lui acheta un manteau de vison rouge chez Dior, qu'elle essaya sitôt rentrée des pistes. Le soir, elle le porta fièrement avec une minijupe noire, un haut transparent et des bottes en daim à talons hauts qui lui montaient jusqu'aux cuisses. Sa silhouette parfaite ne laissait voir aucune trace de sa grossesse.

Bref, elle était plus belle que jamais. Ce mois-ci, elle avait fait la une de plusieurs magazines, et son agent venait de lui trouver un contrat au Japon. Être avec elle flattait l'ego de Gregorio. Il se sentait de nouveau jeune et sexy.

Sa relation avec Anya n'était toutefois plus aussi fusionnelle que pendant les trois mois terribles qui avaient suivi la naissance de leurs bébés. Par ailleurs, Gregorio n'avait presque plus de vie sociale, et les rares invitations qu'il recevait n'incluaient pas Anya. Sa famille refusait toujours de la rencontrer. Ses belles-sœurs la voyaient d'un mauvais œil, et il était convaincu que ses frères étaient jaloux, même s'ils ne voulaient pas l'admettre. En Italie, personne ne les avait invités pour fêter le nouvel an, ce qui expliquait pourquoi ils étaient partis à Courchevel. Là, au moins, Anya avait tout le loisir de traîner avec ses compatriotes.

Comme les restaurants risquaient d'être bondés, Gregorio lui proposa de réveillonner tranquillement dans leur suite, autour d'un dîner romantique. Anya fut déçue. Elle lui rappela qu'ils avaient été conviés à plusieurs soirées.

— Par des gens que je ne connais pas, répliqua Gregorio. Et qui parlent tous russe.

Il lui suggéra alors qu'elle les rejoigne après minuit. Lui garderait Claudia – il avait libéré la nounou pour la soirée. Ainsi, ils pourraient quand même marquer ensemble le passage à la nouvelle année. L'idée sembla la satisfaire. Gregorio commanda du caviar, du homard et du champagne, et ils se régalèrent pendant que Claudia dormait à poings fermés à côté d'eux dans son couffin. De temps en temps, Anya jetait un coup d'œil vers elle comme si elle se demandait comment ce nourrisson était arrivé là. L'expérience de la maternité lui paraissait encore irréelle. Ses nombreux déplacements ne lui avaient pas permis de tisser des liens avec sa fille.

Gregorio sourit.

— On dirait une poupée, tu ne trouves pas ?

À six mois, Claudia était à peine plus grosse qu'un nouveau-né – ce qui ne l'empêchait pas d'être très éveillée et de gratifier son père de nombreux sourires.

À minuit, Gregorio et Anya s'embrassèrent ; il tenta de l'attirer vers le lit, mais elle avait hâte de retrouver ses amis et lui promit de ne pas rentrer trop tard.

Il demeura seul avec leur bébé endormi. Ce n'était pas le réveillon auquel il avait rêvé, mais il payait là le prix de sa relation avec une jeune femme de vingt-quatre ans. Et il persistait à penser que cela en valait la peine.

Gregorio regarda un film, puis alla se coucher en emportant le couffin avec lui dans la chambre. Il s'endormit instantanément. À trois heures du matin, il sentit qu'Anya le rejoignait dans le lit. Il se pelotonna contre elle, prêt à lui faire l'amour, mais elle sombra dans un profond sommeil avant même qu'il n'ait commencé à la caresser. Il la soupçonna d'avoir fait quelques excès d'alcool…

Anya était déjà levée lorsque Claudia réveilla Gregorio le lendemain matin. Alors qu'il confiait la petite à la nourrice pour qu'elle la change et lui donne son biberon, il fut étonné de trouver Anya tout habillée, en train de boire son café, la mine sérieuse.

— Tu es drôlement matinale, lui dit-il en se penchant pour l'embrasser. C'était bien, hier soir ?

Il s'assit en face d'elle en robe de chambre et se servit du café. Il remarqua soudain qu'elle portait un pantalon et des bottes à talons hauts, et non sa tenue de ski.

— Tu vas où, comme ça ? s'enquit-il, confus.

— Je pars.

Elle avait murmuré sa réponse les yeux baissés.

— Tu rentres à la maison ?

Gregorio était surpris : ils avaient prévu de rester encore quelques jours à Courchevel. Anya le regarda alors en face.

— Je vais à Londres avec Mischa Gorgovitch.

Gregorio connaissait ce type. Il avait fait fortune dans la finance en Angleterre.

— Je ne comprends pas. Qu'est-ce que tu vas faire à Londres, avec lui ?

— Il m'a invitée dans son avion.

— Mais tu lui as parlé de moi et de Claudia, non ?

Les yeux d'Anya s'emplirent de larmes. Elle avait encore un cœur – seulement, il n'appartenait pas à Gregorio ni à sa fille ; ni à personne d'autre, d'ailleurs.

— Je ne peux plus continuer comme ça. Toi, le bébé… À l'hôpital, c'était différent. Tout me semblait tellement réel, à l'époque ! Mais je ne sais pas comment m'y prendre avec Claudia. Elle pleure dès que je la touche. Et il n'y a plus qu'elle dans ta vie. On s'amusait bien, au début, avant qu'on ait les jumeaux. Maintenant, tu ne veux plus sortir, tu ne veux plus rien faire à part t'occuper de Claudia. Je ne suis pas prête à être mère. Je pensais l'être, mais je me trompais. J'ai l'impression d'étouffer quand je suis avec elle ou avec toi. Et je veux aller à Londres avec Mischa.

— Tu me quittes ? s'étrangla Gregorio en la dévisageant d'un air incrédule. Mais tu reviendras, n'est-ce pas ?

Il ne comprenait toujours pas. Ou plutôt, il n'avait pas envie de comprendre. Il avait tout plaqué pour elle ! Sa décision lui paraissait complètement inconcevable.

Anya secoua la tête.

— Je déteste Milan. Je ne peux même plus y travailler, à cause de ton ex-femme.

— Mais qu'est-ce que tu fais de nous deux ? Et de Claudia ?

— Tu devrais la garder. Moi, je ne peux pas.

Au moins, elle était honnête, et elle avait la décence de paraître gênée. Alors qu'elle se dirigeait vers la chambre, Gregorio la suivit, abasourdi.

— C'est tout ? Tu nous laisses comme ça, et tu pars avec un autre homme ?

Anya ne répondit pas. Lorsqu'elle eut fini de rassembler ses affaires, elle posa les sacs par terre et se tourna vers lui, tout en enfilant le manteau de vison qu'il lui avait offert la veille.

— Je suis désolée, Gregorio. À l'hôpital, je t'ai aimé. Mais l'hôpital, c'était comme une prison ou une île déserte.

Une fois qu'elle était retournée dans le monde qui la séduisait si facilement, cet amour s'était évanoui. Et tandis qu'il la regardait, encore incrédule, Gregorio comprit qu'il ne l'aimait pas non plus. Il aimait la personne qu'elle aurait pu devenir, pas celle qu'elle était vraiment.

— Tu veux dire au revoir à Claudia avant de partir ? proposa-t-il d'une voix éteinte.

Anya secoua la tête. Elle appela l'accueil et demanda qu'on lui envoie un bagagiste.

Son départ fut étrange. Bref et sans larmes, sans déchaînement de passions. Sur le seuil de la porte, elle lui répéta qu'elle était désolée. Gregorio n'essaya pas de la retenir. C'était inutile. Il ne pouvait pas rivaliser avec Mischa Gorgovitch ; il n'en avait même pas l'envie.

— Claudia sera mieux avec toi, dit-elle.

Il acquiesça, soulagé qu'elle ne veuille pas partir avec leur fille. Cela l'aurait achevé. Sans un mot de plus, Anya referma la porte derrière elle. Il resta planté là un moment, avant de se laisser tomber lourdement dans un fauteuil. Cette folle histoire était terminée.

Gregorio rentra à Milan l'après-midi même avec Claudia et la nourrice. Pendant une demi-heure, il déambula dans l'appartement qu'il avait partagé ces derniers mois avec Anya. Les placards étaient remplis de vêtements à elle, et tous les bijoux qu'il lui avait offerts se trouvaient encore dans un coffre. Sans doute lui demanderait-elle de les lui envoyer à Londres.

Il attendit deux jours avant de contacter Benedetta. Il lui écrivit un e-mail et plusieurs textos, lui laissa de nombreux messages sur son répondeur ; tous restèrent sans réponse. Il se décida alors à appeler son assistante pour solliciter un rendez-vous avec elle. La jeune femme lui répondit qu'elle ferait part de sa requête à Mme Mariani. Alors qu'il était certain de ne jamais avoir de nouvelles, elle le rappela le lendemain. L'espoir n'était pas complètement perdu.

— Mme Mariani vous recevra demain matin à neuf heures, annonça-t-elle. Elle n'aura pas beaucoup de temps à vous consacrer, elle a une réunion à neuf heures quarante-cinq.

— Ce sera parfait. Je ne la dérangerai pas longtemps. Veuillez la remercier de m'avoir accordé cette entrevue, dit poliment Gregorio.

— Très bien. Au revoir, monsieur.

Le lendemain, il se présenta à l'heure dite devant le bureau de Benedetta. C'était étrange de songer que, dans une autre vie, le sien se trouvait juste au bout du couloir…

En le voyant s'avancer dans la pièce, vêtu d'un costume anthracite impeccablement taillé, d'une chemise blanche et d'une cravate bleu marine, Benedetta ne put s'empêcher de penser que Gregorio était toujours aussi beau. Cependant, son regard de braise qui jadis la faisait fondre la laissa totalement indifférente. Elle en fut soulagée.

Elle lui fit signe de s'installer en face d'elle.

— Merci d'avoir accepté de me recevoir, dit-il sobrement.

Ils ne s'étaient pas vus depuis le mois de juillet, lorsqu'il était venu lui annoncer qu'il la quittait pour Anya et qu'elle avait répondu en demandant le divorce. En six mois, tout avait changé. Mais Gregorio tentait de se convaincre qu'au fond ils étaient restés les mêmes personnes, des personnes qui s'étaient aimées pendant vingt ans. La relation qu'il avait tissée avec Benedetta n'avait rien à voir avec une simple liaison, un feu d'artifice qui s'éteint au bout de cinq minutes, comme avec Anya.

— Ça me semble ridicule de nous éviter l'un l'autre, maintenant que tu es revenu vivre ici, expliqua froidement Benedetta. Milan est une petite ville. J'ai entendu dire que tu travaillais avec tes frères ?

Elle eut le bon goût de ne pas mentionner Anya ni l'enfant.

— C'est un gros changement pour moi, répondit-il. Ils dirigent une entreprise un peu vieillotte, comme tu le sais.

— Mais les affaires marchent, répliqua-t-elle en souriant.

Gregorio avait l'impression d'être face à une étrangère. Benedetta avait minci, ses cheveux étaient différents, et elle portait un bracelet indien serti de diamants qui avait beaucoup de style. Il se demanda s'il s'agissait de vraies pierres précieuses, et d'où elle le tenait. Elle l'avait habitué à des goûts plus traditionnels... Benedetta et Miuccia Prada étaient réputées à Milan pour leurs somptueuses parures.

— Tu as l'air en pleine forme, dit-il prudemment.

— Merci. Toi aussi.

— Écoute, je ne sais pas bien par où commencer… Je suis venu solliciter quelque chose, mais je voulais d'abord te dire que je regrette vraiment ce qui s'est passé. J'ai été stupide. La situation m'a complètement échappé, et tu en as payé les frais.

Benedetta acquiesça. S'il n'était là que pour lui présenter ses excuses et lui demander pardon, alors il remontait dans son estime.

— Je n'ai pas su quoi faire quand les jumeaux sont nés.

De nouveau, elle hocha la tête, puis baissa les yeux. Ce n'était pas un bon souvenir pour elle.

— Inutile de ressasser tout ça, Gregorio. On sait tous les deux ce qui s'est passé, et pourquoi.

Il lui lança un regard plein de remords.

— Je voulais juste que tu saches à quel point je regrette. J'ai fait une grave erreur, et je peux t'assurer que cela ne se reproduira pas.

— Je l'espère, pour le bien de celle qui partagera ta vie à l'avenir, répondit-elle sévèrement. Personne ne mérite de vivre cela.

Ils avaient tous les deux connu l'enfer, à la différence près que Benedetta n'était responsable de rien.

— Je te remercie pour ces excuses, ajouta-t-elle en jetant un coup d'œil à sa montre.

Il ne lui restait que vingt minutes avant sa réunion. Gregorio hésita un instant, les larmes aux yeux.

— J'aimerais te demander humblement si tu accepterais de nous redonner une chance, Benedetta. On vient de foutre en l'air vingt belles années de mariage.

Benedetta le dévisagea durement, peinant à croire ce qu'elle venait d'entendre.

— Je n'ai rien foutu en l'air, corrigea-t-elle. C'est toi qui as tout gâché en sortant avec cette fille – et avec toutes les autres avant elle. Et c'est toi qui m'as quittée. Sinon, je n'aurais jamais lancé une procédure de divorce.

— Elle est partie. Elle ne reviendra pas. Et c'est tant mieux, parce que je n'ai pas envie qu'elle revienne. J'ai eu un moment de folie, c'est tout.

Un de plus…

— Je vais avoir la garde de la petite, continua-t-il. Elle ne veut pas s'en occuper, et moi j'y tiens absolument. Claudia est un bébé adorable.

En le voyant sourire, Benedetta fut touchée. À l'évidence, il était fou de sa fille. Mais il s'était moqué d'elle pendant vingt ans et elle n'avait plus envie de supporter cela. En outre, elle était amoureuse de Dharam. Elle l'aimait profondément, de tout son cœur. Gregorio avait raté le coche.

— Je ne peux pas, dit-elle en le regardant dans les yeux.

Subitement, elle ne ressentait plus aucune colère. Seulement de la pitié. Il était parti avec une autre femme et, maintenant qu'elle l'avait quitté, il voulait revenir ? Oui, c'était pitoyable. Benedetta avait lu la presse à scandale : Anya se donnait en spectacle à Londres avec Gorgovitch et répétait à qui voulait l'entendre qu'elle n'était plus avec Gregorio.

— Pourquoi ? s'enquit-il.

Il n'osa pas lui demander s'il y avait quelqu'un d'autre – de toute façon, elle ne lui aurait rien dit.

— Je ne comprends pas, Benedetta, on s'est aimés pendant plus de vingt ans.

— Oui, mais je ne t'aime plus, Gregorio. Je suis navrée de ce qui s'est passé, pour toi comme pour moi. Beaucoup de gens en ont subi les conséquences – nos familles, tous ceux qui croyaient en nous, tous ceux qui ont perdu leur emploi quand j'ai dû restructurer l'entreprise. Et peut-être aussi ta fille. Mais je ne peux plus t'aimer. Pendant toutes ces années, j'ai gardé foi en toi, j'ai cru que tu finirais par rentrer dans le droit chemin. C'est fini, maintenant. Jamais plus je ne pourrai te faire confiance. Et il ne peut pas y avoir d'amour sans confiance.

— Cette histoire m'a servi de leçon. Et je l'ai bien retenue, crois-moi.

— Je l'espère. Moi aussi, ça m'a servi de leçon.

Benedetta se leva. Elle en avait assez entendu.

— Merci d'être venu me voir, ta proposition me touche. Mais je suis obligée de la refuser.

Gregorio parut choqué, comme s'il avait été certain qu'il réussirait à la convaincre. Or, même si Dharam n'avait pas été là, elle n'aurait jamais accepté de se remettre en couple avec lui.

Il resta un long moment assis, à la dévisager.

— Tu veux bien y réfléchir quand même ?

— Je te mentirais si je répondais oui. Et je ne t'ai jamais menti, Gregorio.

On ne pouvait pas en dire autant de lui – il le savait très bien. Il s'était réveillé trop tard. Beaucoup trop tard.

Gregorio se leva, fixa ses pieds un instant, puis s'avança vers la porte. Là, il se retourna vers elle, le regard brûlant.

— Je t'aimerai toujours, Benedetta, déclara-t-il d'un ton théâtral.

Elle le contempla, impassible. Elle ne le croyait pas. Pour tout dire, elle n'était même pas sûre qu'il l'ait jamais aimée, ni qu'il en soit capable. Il ne prononçait ces mots que pour obtenir ce qu'il voulait. Se sortir de sa mauvaise passe, avec sa fille bien sûr, et sans doute réintégrer l'entreprise. Remonter le temps, et lui briser le cœur à nouveau.

— Appelle-moi si tu changes d'avis, lui dit-il.

Elle secoua la tête.

— Je ne changerai pas d'avis.

Gregorio referma la porte et traversa le couloir de ce qui avait été son entreprise à peine quelques mois plus tôt. Il se demandait ce qu'il allait bien pouvoir faire. Le plan A avait échoué.

Dans son bureau, Benedetta se rassit tranquillement. Elle n'éprouvait pas la moindre émotion.

19

La veille de son départ, Jean-Philippe dîna avec Valérie et les enfants dans l'intimité de leur cuisine. Il donna le bain aux petits, leur lut quelques histoires et fit le plein de câlins. Cela lui manquait tellement quand il était en Chine ! Les voir sur Skype ne remplaçait pas le plaisir de les serrer dans ses bras…

C'est le cœur gros qu'il rejoignit Valérie dans leur chambre. Dans quelques semaines, elle se rendrait à son tour à Pékin pour y diriger le shooting du numéro d'avril. Elle avait déjà tout organisé, réservé les photographes, embauché dix mannequins parmi celles qu'elle avait repérées lors de son premier séjour. Son assistante l'avait aidée à choisir les tenues et l'accompagnerait en Chine, avec une deuxième collègue en renfort. La séance photos promettait d'être fabuleuse. Jean-Philippe songea qu'il logerait de nouveau à l'hôtel avec Valérie ; elle ne serait certes pas très disponible, mais au moins ils dormiraient ensemble.

Jean-Philippe s'étonna soudain de la voir si calme à l'approche de la séparation. Ses craintes qu'elle ne rencontre un autre homme en son absence refirent surface.

— J'ai quelque chose à t'annoncer, lui dit-elle justement alors qu'il s'allongeait à côté d'elle dans leur lit. J'ai parlé avec ma chef, la direction commence à s'intéresser à la Chine. Ils seraient d'accord pour m'envoyer là-bas à partir du mois de juin en tant que correspondante. Pendant un an… La rédactrice en chef ne devrait pas partir d'ici là ; si je brigue toujours son poste, il faudra que je revienne à Paris au moment adéquat. Mais ça nous permettrait déjà de passer une année ensemble à Pékin. Pour toi, cela fera deux ans sur place – ce sera peut-être suffisant ? Et il y a aussi des chances pour que je conserve mon boulot de consultante : Beaumont-Sevigny aussi s'intéresse de plus en plus au marché chinois. Ils m'ont demandé de faire du repérage pour ouvrir un magasin. Je pourrais être leur ambassadrice là-bas. Qu'est-ce que tu en penses ?

L'espace d'un instant, Jean-Philippe resta sans voix. Puis il l'attira dans ses bras, tout sourires.

— J'en pense que tu es formidable. Je ne t'en demandais pas tant ! Dès que je suis arrivé à Pékin, j'ai compris que j'avais eu tort de te mettre la pression. Es-tu certaine de vouloir y aller ? Ce n'est pas une ville très agréable à vivre.

Valérie n'avait en effet rencontré personne qui s'y soit plu. Néanmoins, c'était également une belle opportunité professionnelle pour elle, et elle se sentait capable de tenter l'expérience tant que celle-ci restait limitée dans la durée.

— Je veux bien y aller dans ces conditions, répondit-elle.

Jean-Philippe admirait son courage. Il en fallait, pour envisager un tel déracinement avec trois enfants en bas âge.

— Mon Dieu, Valérie… Comment pourrai-je te remercier ?

— Reviens à Paris au bout des deux ans. Ne signe pas pour une troisième année.

— Tu as ma parole, ma chérie.

Un grand sourire illuminait son visage.

— Il va falloir que je cherche un appartement plus grand, reprit-il. Plus confortable, aussi, et dans un quartier plus sympa, où il y aura d'autres expatriés.

Cette nuit-là, Jean-Philippe eut bien du mal à dormir, tant il était excité. Valérie avait trouvé un compromis qui rendrait sa vie tellement plus douce et ne mettait pas en péril leur mariage… C'était le plus beau cadeau qu'elle pouvait lui faire. Le lendemain matin, il bondit du lit, prêt à conquérir le monde, heureux de retourner en Chine, et plus amoureux que jamais de sa femme. Alors qu'il s'habillait, il vit qu'elle l'observait en souriant.

— Je t'aime, ma chérie. Tu es fantastique, lui dit-il avant de l'embrasser.

Valérie se mit à rire.

— Comme on dit chez moi, tu n'es pas mal non plus.

Jean-Philippe appela Chantal de l'aéroport pour lui faire part de la bonne nouvelle. Son amie n'en revenait pas que Valérie ait pris une telle décision, et elle se réjouissait pour eux que leur situation s'arrange. Jean-Philippe lui trouva une sale voix au téléphone ;

apprenant qu'elle était grippée, il lui conseilla de bien prendre soin d'elle, avant de raccrocher.

Chantal avait attrapé un mauvais rhume qui avait dégénéré en bronchite et en sinusite. Elle était clouée au lit depuis huit jours. Son scénario sur le camp de concentration était enfin bouclé, mais elle se sentait trop mal en point pour sortir. Elle se contentait donc de vider les placards – de toute façon, elle n'avait pas faim. En réalité, cela faisait un mois qu'elle déprimait. Xavier lui manquait terriblement.

La pluie qui tombait depuis une semaine se transforma en neige le jour où elle se décida à faire un saut à l'épicerie. Elle passa également à la pharmacie pour acheter les antibiotiques prescrits par son médecin. Emmitouflée dans un vieux duffle-coat, un bonnet en laine enfoncé jusqu'aux yeux, elle se retrouva trempée comme une soupe sur le chemin du retour. Alors qu'elle luttait contre le vent, tête baissée, craignant que son rhume ne dégénère en pneumonie, elle fonça dans une personne qui attendait au passage piéton. Levant les yeux, elle étouffa un cri en reconnaissant Xavier. C'était bien sa veine de tomber sur lui aujourd'hui, alors qu'elle était pâle comme la mort, avait le nez rougi, les lèvres gercées et le regard fiévreux… Aussitôt, elle se mit à tousser, et faillit s'étrangler en voyant la jeune fille qui l'accompagnait – une blonde squelettique d'à peine plus de dix-neuf ans. Xavier était passé d'un extrême à l'autre…

— Ça va, Chantal ? demanda-t-il en la retenant par le coude.

Cruelle ironie, la fille portait presque la même tenue qu'elle, sauf qu'elle avait l'air adorable tandis qu'elle-même ressemblait à la grand-mère de Mathusalem.

— Ça va, croassa-t-elle entre deux quintes de toux. J'ai attrapé un gros rhume. Ne vous approchez pas trop, je risque de vous le refiler.

Elle adressa un sourire à la jeune fille, qui attendait patiemment la fin de leur conversation. Le temps était tellement exécrable, avec ces trombes de neige fondue qui s'abattaient sur eux, qu'ils ne pouvaient vraiment pas s'attarder sur le trottoir.

— Tu devrais vite rentrer au chaud, lui dit Xavier, visiblement inquiet.

Il avait peut-être peur qu'elle ne contamine sa très jeune compagne, songea-t-elle. On était samedi matin, ils passaient sûrement le week-end ensemble.

— Comment tu vas ? voulut-il savoir.

— Super bien, répondit-elle avec ironie. Bonne année, au fait.

Les Français répétaient cette formule *ad nauseam* pendant tout le mois de janvier…

Chantal leur fit un vague signe de la main, puis traversa précipitamment la rue avec son sac de courses et son paquet de médicaments. Elle était encore sous le choc lorsqu'elle arriva chez elle et se débarrassa de ses chaussures et de son manteau mouillés. Elle enfila un deuxième pull, se prépara du thé et avala son antibiotique. Puis elle s'assit, pensant toujours à sa rencontre avec Xavier et sa jolie copine. Pourquoi le destin avait-il décidé de les réunir un jour comme aujourd'hui, alors qu'elle était malade comme un chien et faisait peur à voir ? Sans doute pour lui montrer qu'elle avait bien fait de rompre avec lui.

Elle s'enroula dans une couverture en cachemire, échangea sa paire de chaussettes contre une autre plus chaude, et se glissa dans son lit tout habillée. Si la grippe ne la tuait pas, peut-être mourrait-elle d'un cœur brisé… Cela s'était vu, au dix-huitième siècle.

Quand la sonnette retentit, une demi-heure plus tard, Chantal l'ignora. Elle n'attendait personne et, s'il s'agissait d'une lettre recommandée envoyée par Dieu sait quelle banque, cela ne l'intéressait pas. Elle avait toutes les cartes de crédit qu'il lui fallait. Mais la sonnette se fit insistante. L'inconnu laissait son doigt enfoncé sur le bouton. Chantal s'extirpa de son lit en grognant et alla décrocher l'interphone dans le couloir.

— C'est moi, Xavier ! cria la voix pour se faire entendre par-dessus le vent qui hurlait derrière elle. Je suis trempé. Tu peux me laisser entrer ?

— Non. Qu'est-ce que tu veux ?

— Je dois te parler.

Chantal se demanda si sa copine était avec lui, mais n'osa pas poser la question.

— Me parler de quoi ?

— Je suis enceinte, lâcha-t-il en désespoir de cause. Tu ne peux pas m'abandonner comme ça !

Chantal éclata de rire. Tout en levant les yeux au ciel, elle pressa le bouton pour lui ouvrir la porte. Il lui cria merci, puis elle l'entendit passer la seconde porte, dont il connaissait le code. Une minute plus tard, il était devant elle, le visage dégoulinant sous son bonnet en laine trempé. Une flaque se formait déjà à ses pieds.

Chantal se dirigea vers la cuisine, lui tendit une serviette et fit bouillir de l'eau. Il restait de son thé préféré : elle lui en prépara une tasse, puis ils s'assirent à table.

— Ta compagne est très jolie, lança-t-elle.

— Ce n'est pas ma compagne. C'est celle de mon neveu, j'ai promis de l'aider à réviser ses examens de droit. Je savais bien que tu te ferais des idées.

— Comment veux-tu que je ne m'en fasse pas, en te croisant avec une superbe nana un samedi matin ? De toute façon, ça ne me concerne pas.

Elle tentait d'afficher un certain détachement, sans grand succès. Tandis que Xavier l'observait de son regard intense, elle se remit à tousser violemment.

— Écoute, Chantal, je viens de passer le pire mois de mon existence. Je ne peux pas vivre sans toi ! Je t'aime. Et je ne veux pas d'une femme plus jeune – ou de n'importe quelle autre femme, d'ailleurs : c'est toi que je veux. Est-ce que tu pourrais essayer de comprendre ça ? Qu'est-ce qu'on fout, bon sang ? Tu fais peine à voir, et moi je suis perdu. Avec toi, j'étais heureux comme jamais je ne l'avais été auparavant.

Son regard se fit suppliant. Puis :

— Est-ce qu'on ne pourrait pas se redonner une chance, avant que tu meures d'une consomption dans ton lit et que je me jette dans la Seine ?

Chantal sourit malgré elle.

— Tu en fais un peu des tonnes, non ? objecta-t-elle.

— Moi, j'en fais des tonnes ? J'ai parlé à une rousse pendant une demi-heure et ça m'a valu de me faire plaquer. C'est l'hôpital qui se moque de la charité !

— Ça m'a semblé approprié, à l'époque, répliqua Chantal d'un ton guindé.

Dehors, la neige avait redoublé.

— Non, ce n'était pas « approprié », c'était complètement aberrant. Mais je te promets de ne plus jamais adresser la parole à une rousse en soirée, ni à aucune femme de moins de quatre-vingt-dix ans. Et tu pourras me bander les yeux chaque fois qu'on sortira dans la rue.

Chantal sourit à nouveau. Comment dire non à cet homme ? Il était trop beau pour être vrai, et elle l'aimait.

— Tu as gâché mon vœu, dit-elle sur un ton de reproche, repensant à la lanterne magique du Dîner en blanc.

— Moi, j'ai gâché ton vœu ? C'est toi qui m'as viré ! Dois-je te rappeler que tu as fait ma valise et que tu m'as foutu dehors ? Tu trouves ça sympa ?

— J'étais en colère.

— Ouais, moi aussi, ça m'a mis en colère. La valise n'est toujours pas défaite, soit dit en passant. Je pleurais chaque fois que j'essayais de la vider, alors j'ai décidé de ne plus y toucher. Et joyeux Noël à toi aussi, au fait. Tu as super bien choisi ton moment.

— Je suis désolée, dit-elle d'une voix pleine de remords. J'aimerais bien t'embrasser, mais je risquerais de te tuer avec mes microbes.

— Je m'en fous.

Il lui plaqua sur la bouche un baiser qui lui coupa le souffle.

— Voilà. Maintenant, on peut mourir ensemble.

— En fait, je viens de prendre un antibiotique… Je survivrai peut-être, le taquina-t-elle.

Les yeux de Xavier brillaient comme s'il venait de gagner au Loto. Il l'embrassa encore et encore. Tels des enfants, ils passèrent la journée à bavarder sous la couette, tout habillés, tandis que la neige tombait sur les toits. Le soir, ils préparèrent le dîner ensemble, puis s'endormirent dans les bras l'un de l'autre. Et quand ils se réveillèrent le lendemain matin, la ville avait revêtu son manteau blanc. Xavier regarda autour de lui, désorienté.

— C'est le paradis ? demanda-t-il à Chantal. Je suis mort ?

— Dans ce cas, je suis morte aussi, répliqua-t-elle en souriant.

— Tu ne peux pas, tu as pris des antibiotiques. Ça te dit d'aller jouer dans la neige ?

Dix minutes plus tard, ils se lançaient des boules de neige en riant aux éclats. Ils rentrèrent trempés, les cheveux collés au visage et quelques flocons encore accrochés aux cils.

— Il faut qu'on prenne un bain chaud, déclara Chantal tandis qu'ils retiraient leurs manteaux. Sinon, tu vas tomber malade, et mon état va empirer. Crois-moi, en tant que maman, je sais de quoi je parle.

— Si tu le dis.

Elle fit couler un bain, puis ils se déshabillèrent et s'y plongèrent tous les deux. Et tout recommença comme avant.

20

Au mois de février, Dharam vint assister au défilé de Benedetta pendant la Fashion Week de Milan. Il s'agissait du deuxième qu'elle présentait seule depuis qu'elle avait réorganisé son entreprise. Elle l'avait mis en garde : c'était une semaine de pure folie, et elle ne serait guère disponible. Mais elle tenait à ce qu'il vienne, ne serait-ce que pour partager avec lui ce qui était pour elle un moment clé de l'année.

Dharam logeait chez elle, et travaillait sur son ordinateur pendant qu'elle était au bureau. Benedetta l'invita à assister à quelques essayages. Puis vint le grand jour. Elle lui permit de jeter un coup d'œil en coulisses, avant qu'il n'aille s'installer à l'une des meilleures places dans la salle, parmi les rédacteurs en chef des magazines les plus influents, les stylistes et les acheteurs venus du monde entier. Des centaines de journalistes étaient parqués d'un côté de la salle.

Les lumières s'éteignirent, la musique retentit, et les mannequins déboulèrent sur le podium les unes après les autres : on eût dit des billes de chewing-gum propulsées hors d'un distributeur. En coulisses, Benedetta vérifiait une dernière fois la tenue de chacune avant de lui donner le feu vert.

Le défilé eut un énorme succès auprès des critiques. Et Dharam, bien sûr, était impressionné par le talent de Benedetta, par le volume de travail qu'elle abattait à chaque saison. Ils participèrent à plusieurs « after shows », où ils rencontrèrent d'autres stylistes, discutèrent avec quelques acheteurs et charmèrent tous les rédacteurs. Partout où ils passaient, les photographes les mitraillaient. À la fin de la Fashion Week, on ne parlait que de leur couple à Milan.

— Tu t'es bien amusé ? lui demanda-t-elle en rentrant d'une de ces soirées.

— J'ai adoré. Et je t'adore encore plus.

Pour le lui prouver, il lui offrit un second bracelet, acheté en même temps que le premier. Son origine indienne ne faisait aucun doute. Tandis que la collection de Benedetta intégrait avec subtilité un grand nombre de détails, de couleurs et de tissus qu'elle avait rapportés d'Inde, il n'y avait rien de discret, en revanche, dans les deux bracelets sertis de gros diamants qu'elle arborait à présent en permanence. Ils avaient d'emblée attiré l'attention de la presse ; toutes les femmes en étaient jalouses.

Benedetta parla à Dharam de la proposition que Gregorio lui avait faite en janvier. Et du refus qu'elle lui avait opposé. Pour elle, leur histoire appartenait définitivement au passé. Elle avait appris lors d'une fête que Gregorio était sorti avec plusieurs mannequins durant la Fashion Week. Il n'avait pas perdu de temps…

Elle partit se ressourcer quelques jours avec Dharam à l'hôtel Il Pelicano, sur la presqu'île romantique de l'Argentario. Il aurait souhaité qu'elle reparte en Inde avec lui, mais elle devait commencer à réfléchir à sa nouvelle collection. Elle espérait lui rendre visite dans quelques mois ; en attendant, ils pourraient se voir régulièrement à Londres ou à Milan. Leurs emplois du temps s'harmonisaient au mieux. Benedetta s'était inquiétée pour rien.

— Heureuse ? s'enquit-il la veille de son départ, alors qu'ils se blottissaient l'un contre l'autre.

— Toujours, avec toi.

Dharam l'embrassa, et elle se demanda une fois de plus comment elle avait eu la chance de rencontrer l'homme le plus gentil au monde. Cela tenait du miracle.

Une nuit du mois de mars, Chantal et Xavier furent réveillés à trois heures quarante par la sonnerie du téléphone. Xavier l'entendit le premier et secoua Chantal. Il connaissait le topo, maintenant. Elle répondait à tous les appels, quelle que soit l'heure, au cas où il serait arrivé quelque chose à l'un de ses enfants. L'inquiétude se lisait sur son visage quand elle s'empara du combiné qu'il lui tendait.

— Allô ?

Xavier l'observa attentivement, se demandant ce qui s'était passé. Il commençait à réagir comme elle... Mais les questions qu'elle posait ne l'éclairaient pas beaucoup. « À quelle heure ?... Comment se sent-elle ?... Elles sont espacées de combien ?... Rappelle-moi quand ça aura évolué. »

— C'était Paul, lui annonça-t-elle. Rachel a ses premières contractions.

Ils se rendormirent. Trois heures plus tard, le téléphone sonna de nouveau. Paul expliqua à sa mère que Rachel était presque prête à pousser, mais que la sage-femme était inquiète au sujet des battements de cœur du bébé. Ils partaient à l'hôpital en ambulance : Rachel allait peut-être devoir subir une césarienne. Paul se faisait un sang d'encre pour elle et pour le bébé. Chantal tenta de le rassurer du mieux qu'elle put.

— Pourquoi ai-je l'impression de tenir le standard des urgences ? soupira Xavier tandis qu'ils renonçaient à l'idée de se rendormir.

Chantal espérait que tout se déroulerait bien. Elle leur avait dit dès le début ce qu'elle pensait de l'idée d'accoucher à la maison…

Vingt minutes plus tard, Paul rappela de la clinique Cedars-Sinai. Le rythme des contractions s'était accéléré et les battements de cœur du bébé étaient de nouveau réguliers.

— Pas bête, ce petit, commenta Chantal après avoir raccroché. Il voulait naître à la maternité.

Xavier eut un petit rire.

— Je n'ai vraiment pas besoin de faire des enfants. Les tiens me suffisent amplement.

La semaine précédente, Éric les avait appelés après que le frère d'Annaliese, dix-huit ans et étudiant, s'était fait arrêter pour conduite en état d'ivresse. Il se demandait quelle attitude adopter : payer la caution pour le faire sortir de prison, ou l'y laisser pour lui donner une leçon ? Chantal leur avait conseillé d'aller le chercher le lendemain matin, le temps qu'il dessoûle – et c'est ce qu'ils avaient fait. Cette fois-ci, c'était Paul qui appelait à l'aide, parce que Rachel s'apprêtait à accoucher de leur petit prince… La mère de cette dernière était à la clinique et faisait tourner tout le monde en bourrique : elle insistait pour entrer dans la salle de naissance, alors que Rachel ne voulait pas d'elle. Chantal était bien contente d'être à Paris et non à Los Angeles, où elle n'aurait fait que les importuner davantage.

Après le dernier coup de fil de Paul, trois heures passèrent sans que Chantal et Xavier aient des nouvelles. Rachel était sans doute en train de pousser… Chantal croisait les doigts pour qu'il ne lui arrive rien de traumatisant. Elle n'osa pas appeler ; de toute façon, ils n'auraient certainement pas répondu.

Il était neuf heures et demie quand elle reçut un texto de Paul : « C'est cuit. Césarienne dans dix minutes. Pauvre Rachel… » Chantal fut bien désolée pour elle. À onze heures – deux heures du matin en Californie –, Paul rappela, euphorique. Il était papa d'un petit garçon de quatre kilos deux cents, qu'ils avaient prénommé Dashiell, Dash pour faire court. La césarienne s'était bien passée, mais Rachel était épuisée – le bébé était trop gros pour naître par voie basse. Chantal se garda bien de souligner qu'ils auraient couru à la catastrophe s'ils s'en étaient tenus à leur idée d'un accouchement dans l'eau. Heureusement, ils y avaient renoncé dès les premières vraies contractions.

— Quand viendras-tu le voir, maman ? demanda Paul.

Chantal avait déjà réfléchi à cette question. Elle ne voulait pas être une mère envahissante – ils en avaient déjà une sur place. Elle préférait faire la connaissance de Dash au mariage de Charlotte, quand il aurait deux mois, plutôt que d'aller à Los Angeles maintenant, alors que Rachel était fatiguée, qu'elle devrait batailler pour l'allaitement et que les deux jeunes parents chercheraient leurs marques avec un nouveau-né. Pour une fois, elle n'allait pas tout plaquer et sauter dans le premier avion. Le bébé était en bonne santé, ils n'avaient pas besoin d'elle. Elle était certaine aussi que Paul serait un bon père ; c'était un garçon gentil et responsable, et il aimait la mère de son bébé. En outre, Chantal avait sa propre vie à mener.

— Tu as conscience de ce que cela veut dire, n'est-ce pas ? demanda-t-elle à Xavier après avoir raccroché.

L'expression de son visage était horrifiée.

— Quoi ? Ils vont t'appeler tous les soirs pour avoir des conseils sur l'allaitement ?

— Pour ça, Rachel demandera à sa mère, qui est experte en tout. Non, ça veut dire qu'à compter d'aujourd'hui tu couches avec une grand-mère.

Xavier éclata de rire.

— Est-ce que ça fait de moi un grand-père par procuration ?

— Si tu en as envie, oui.

— Je crois que l'idée me plaît, répondit-il, amusé.

Chantal, elle, avait du mal à se remettre du choc. Dire qu'elle avait un petit-fils !

En avril, Xavier rendit les clés de son appartement. C'était absurde de continuer à payer un loyer pour un logement qu'il n'occupait plus.

— Sauf si tu as l'intention de me mettre dehors une deuxième fois, dit-il prudemment. Je te signale que je n'ai parlé à aucune rousse depuis Noël.

Chantal se mit à rire.

— Je suis guérie… Tu n'as pas de souci à te faire.

Xavier se débarrassa de la plupart de ses meubles, auxquels il n'était pas spécialement attaché. Chantal lui libéra plusieurs placards chez elle pour qu'il puisse y ranger toutes ses affaires. Quand elle annonça la nouvelle à ses enfants, elle eut droit à un silence gêné… Seul Éric exprima sa joie en l'apprenant.

Au mois de mai, ils participèrent au festival de Cannes, où l'un des films de Chantal était en compétition. Elle eut l'heureuse surprise de gagner un prix. Ils dînèrent avec son producteur et deux acteurs célèbres, et Xavier fut dûment impressionné. Ils logeaient à l'hôtel du Cap, au Cap-d'Antibes. Ils avaient réservé une suite luxueuse, baptisée Eden-Roc, qui surplombait la mer. Xavier en entendait parler depuis longtemps, mais il n'y avait jamais mis les pieds. Chantal, elle, y séjournait chaque année au moment du festival. Très fier de l'accompagner, il se montra parfaitement indifférent à la multitude de starlettes qui se seraient battues pour assister aux festivités au bras d'un homme. L'événement rassemblait un nombre incroyable d'acteurs et d'actrices connus, de producteurs et de réalisateurs réputés dans le monde entier.

Deux semaines plus tard, Chantal et Xavier se rendaient au mariage de Charlotte à Hong Kong. Chantal préparait la fête à distance depuis des mois, mais le jeune couple avait également fait appel à un organisateur, et Charlotte s'était occupée de nombreux détails toute seule.

Ils posèrent leurs valises à l'hôtel Peninsula, puis rejoignirent la petite troupe. Chantal put enfin rencontrer son petit-fils, qu'elle avait vu sur Skype presque tous les jours depuis sa naissance. Elle ne s'attendait pas à être aussi émue en le portant dans ses bras. D'autant que Dashiell sembla reconnaître sa voix et lui offrit un beau sourire. Xavier ne se gêna pas pour les mitrailler avec son appareil photo.

— Tu fais ça pour pouvoir te moquer de mon nouveau statut de grand-mère ?

— C'est la première fois que je suis grand-père, laisse-moi en profiter !

— Tu es trop jeune pour être grand-père, lui rappela-t-elle en riant.

Xavier prit un air offusqué.

— Non, je ne suis pas trop jeune. Fais le calcul !

À trente-neuf ans, il aurait pu en effet avoir un fils de vingt ans.

— Si tu veux… Mais je préfère qu'on ne s'aventure pas sur ce terrain. Ça risquerait de faire de moi une arrière-grand-mère !

La remarque le fit rire.

Ce soir-là, lorsqu'elle essaya sa robe devant lui, il fronça les sourcils.

— Quand as-tu acheté ça ?

— À Noël, avec Charlotte. C'est elle qui l'a choisie.

— Tu devais être déprimée. C'est vraiment trop triste. Viens, je t'emmène faire du shopping.

— Maintenant ? s'étrangla Chantal. Deux jours avant la cérémonie ? Je ne trouverai jamais rien ici dans un délai aussi court.

Elle eut soudain l'air paniqué.

— C'est si horrible que ça ?

En regardant dans le miroir la robe bleu marine et son boléro de vieille dame, elle comprit ce qu'il voulait dire.

Le lendemain matin, ils partirent donc de bonne heure, avec des airs de conspirateurs. Ils filèrent vers les magasins de Victoria Harbour dans la Rolls-Royce de l'hôtel. Xavier ne lui laissa pas le temps de souffler. Lui qui d'habitude détestait faire les boutiques prit les choses en main comme s'il s'agissait d'une urgence juridique. Il lui dégota une robe blanche en satin qui lui allait parfaitement, mais elle lui expliqua qu'il était hors de question qu'elle porte du blanc aux noces de sa fille – ou de n'importe qui d'autre, d'ailleurs. La mariée l'aurait tuée, à juste titre. Le noir, trop sévère, aurait été mal vu. Quant au rose, cela faisait trop « fille », même si c'était joli.

— Tu pourras porter du rose à notre mariage, la taquina-t-il. Même si j'aime bien la blanche, aussi.

Chantal savait qu'il plaisantait. Ils n'avaient pas besoin de se marier, ils étaient heureux comme ça.

Elle essaya une robe grise : un peu terne et de toute façon impossible, car la mère du marié serait déjà en gris. Une autre, d'un rouge éclatant, était trop tape-à-l'œil : Chantal aurait donné l'impression de vouloir voler la vedette à sa fille, et c'est peut-être bien ce qui se serait passé, tant elle était sexy dans le satin rouge. Ce fut finalement chez Dior qu'elle trouva son bonheur : une robe en satin bleu pâle, comme ses yeux. Une couleur à la fois élégante et discrète. La coupe, sensuelle mais sage, lui donnait l'air jeune sans être ridicule. Par miracle, ils avaient les chaussures assorties. Et le sac à main argenté que Chantal avait acheté irait très bien avec.

— Bingo ! s'exclama Xavier.

D'une longueur parfaite, la robe n'avait besoin d'aucune retouche : elle allait comme un gant à Chantal, mettant en valeur sa silhouette de jeune femme. C'était exactement ce qu'elle aurait voulu trouver si elle n'avait pas eu le moral en berne quand elle avait fait les magasins avec Charlotte au mois de décembre. Pour le très traditionnel dîner de répétition, elle avait prévu une petite robe Balenciaga en satin vert émeraude, assez sexy, qui laissait voir ses longues jambes. Avec, elle porterait des sandales argentées à talons hauts. La famille du marié avait choisi d'organiser le dîner au Hong Kong Club, comme le mariage proprement dit, mais dans des pièces différentes. C'était un lieu qu'ils appréciaient, et Charlotte avait donné son approbation.

En rentrant à l'hôtel, Chantal remercia Xavier de l'avoir aidée à trouver une autre robe. Ils avaient écumé les magasins pendant quatre heures, mais cela en avait valu la peine : sa nouvelle tenue lui allait à merveille.

Le dîner de répétition se révéla aussi guindé que prévu, à l'image de la grande majorité des amis de Charlotte et Rupert. Chantal et Xavier passèrent néanmoins une bonne soirée, qu'ils prolongèrent en dansant comme des endiablés au Play Club. Éric était content que Xavier soit là. Il se sentait un peu perdu parmi tous ces bourgeois, et son frère ne pensait plus qu'à son bébé et à Rachel.

Le lendemain, Chantal aida sa fille à enfiler sa robe. Ce fut un moment chargé d'émotion. Ses yeux s'emplirent de larmes lorsque l'organisateur remit son bouquet à Charlotte. Elle était belle comme une princesse. Elle eut l'air surprise de voir sa mère vêtue d'une robe bleu pâle et les cheveux détachés.

— Qu'est-ce que tu as fait de la robe bleu marine qu'on avait trouvée chez Nina Ricci ? s'enquit-elle tandis qu'elles attendaient Paul pour partir à l'église.

C'était lui qui devait la conduire à l'autel.

— J'ai changé d'avis. Je la trouve trop sérieuse. À Paris, en décembre, elle était parfaite ; pour un mois de mai, elle n'est pas assez printanière.

Chantal ne voulut pas avouer que cette robe lui donnait surtout l'impression d'avoir cent ans, et que Xavier la détestait autant qu'elle. Charlotte n'avait fait aucune remarque désobligeante à l'égard de ce dernier depuis qu'il était arrivé à Hong Kong. Quant à Paul, il semblait sincèrement heureux de le revoir, et touché qu'il prenne autant de photos de son bébé.

— Celle-ci me plaît, déclara Charlotte avec un sourire.

Chantal l'embrassa, tout en s'efforçant de refouler ses larmes.

— Tu es la plus belle mariée que j'aie jamais vue, ma chérie, dit-elle d'une voix tremblante.

Paul arriva, et Chantal et l'organisateur aidèrent Charlotte à porter sa traîne. Les demoiselles d'honneur accoururent, vêtues de robes d'un rose très pâle, un bouquet de roses assorties à la main. Toute la petite troupe monta dans les limousines que l'hôtel avait mises à leur disposition : Paul et Charlotte à bord d'une Rolls, suivis de Chantal et Xavier dans une Bentley. Éric était assis à l'avant, très séduisant dans sa jaquette. Comme il ne faisait pas partie de la famille ni du cortège officiel,

Xavier n'était pas tenu d'en porter une, mais il n'en était pas moins fort élégant dans son costume sombre.

Tout se déroula sans accroc à l'église, et la réception qui suivit fut magnifique. Chantal se sentait parfaite dans sa robe. En regardant s'éloigner la voiture des jeunes mariés, elle laissa échapper quelques larmes. Elle n'avait pas essayé d'attraper le bouquet ; c'eût été déplacé. Pendant que les femmes célibataires se bousculaient pour le récupérer, elle avait échangé un sourire avec Xavier. Ce qu'ils avaient leur suffisait amplement.

Le lendemain, Paul, Rachel et Dash reprirent l'avion pour Los Angeles. Éric s'envola vers Francfort, où l'attendait une correspondance pour Berlin, et Chantal et Xavier rentrèrent à Paris. Quant aux jeunes mariés, ils partaient en lune de miel à Bali. Toute la famille était de nouveau dispersée aux quatre coins du monde. Mais avec Xavier à ses côtés, Chantal n'était plus seule à présent. Son vœu s'était réalisé : partager sa vie avec un homme qu'elle aimait et qui l'aimait en retour.

21

Jean-Philippe rentra à Paris pour aider Valérie à finir d'empaqueter leurs affaires. Il avait trouvé un appartement meublé, mais elle avait mille choses à expédier à Pékin, pour eux comme pour les enfants. Cela faisait plusieurs jours qu'elle vivait au milieu des cartons. Tout était parfaitement planifié : ils prenaient l'avion la semaine suivante, juste après le Dîner en blanc, et prévoyaient une étape à Hong Kong pour faire du shopping.

Valérie partait avec une tonne de livres pour le travail. Pendant un an, elle serait correspondante de *Vogue* à Pékin, avec quelques incursions à Shanghai. Passé ce délai, ils la voulaient de retour à Paris. Elle avait également signé un accord avec Beaumont-Sevigny pour continuer à les conseiller depuis la Chine.

— Qu'est-ce qu'on fait de ça ? demanda Jean-Philippe en brandissant un énorme ours en peluche.

— Jean-Louis tient à l'emporter. Alors on l'emballe, j'imagine.

Des montagnes de jouets, de vêtements et de livres jonchaient le sol de l'appartement. Valérie était soulagée que Jean-Philippe soit venu lui donner un coup de main. Ces deux dernières semaines l'avaient épuisée. Il était rentré deux fois depuis Noël, et elle l'avait rejoint à Pékin en janvier pour le shooting de *Vogue*. Ils s'étaient donc vus régulièrement, mais ils allaient enfin pouvoir se réveiller tous les matins dans le même lit. Cela leur avait tellement manqué pendant neuf mois !

Ils firent une pause le temps de déjeuner, après quoi Valérie disparut un moment – pour relever ses e-mails ou passer un coup de fil, pensa-t-il. Mais lorsqu'elle réapparut, elle semblait désorientée. Elle s'assit sur un carton qu'il venait de remplir de livres et le dévisagea sans rien dire.

— Ça ne va pas, ma chérie ?

— Je ne sais pas. Ça dépend comment on voit les choses.

Jean-Philippe cessa aussitôt ce qu'il était en train de faire et la fixa avec le sentiment qu'un problème majeur venait de surgir : Valérie tenait dans sa main un test de grossesse. Il en avait vu d'autres avant, mais pas depuis trois ans…

— Je suis enceinte, souffla-t-elle.

Jean-Philippe était revenu à Paris au début du mois de mai. Quand elle s'était rendu compte qu'elle avait plus d'une semaine de retard, Valérie avait acheté un test. Mais avec le déménagement, elle n'y avait plus pensé, et ce n'est qu'en triant les affaires de la salle de bains qu'elle avait remis la main dessus. Elle avait fait le test, persuadée qu'il serait négatif…

— Tu es sûre ? demanda-t-il, stupéfait.

Elle lui tendit le bâtonnet pour qu'il vérifie lui-même : aucun doute, c'était positif. Subitement, il vit tous leurs projets s'envoler en fumée. Jamais elle n'accepterait d'aller en Chine en étant enceinte.

— Qu'est-ce qu'on va faire ? s'enquit-elle d'une voix mal assurée.

Il s'assit en face d'elle, sur un carton lui aussi.

— Je ne sais pas. Qu'est-ce que tu veux faire, toi ? On abandonne ? C'est à toi de décider, ma chérie.

Elle choisirait sans nul doute de rester à Paris. De toute façon, il n'était pas certain lui-même de vouloir partir dans ces conditions.

— Je ne sais pas ce que je veux faire, répondit-elle.

— Il naîtrait quand, ce bébé ?

Elle calcula les dates en silence.

— En février.

C'était un sacré choc. À vrai dire, ils n'avaient pas été très prudents lors du séjour de Jean-Philippe en mai. Trop heureux de se retrouver, ils avaient oublié un instant les considérations matérielles… Aujourd'hui, la réalité les rattrapait.

— Si tu veux accoucher ici, il faudra que tu rentres à Paris à Noël. Est-ce que ça vaut le coup de partir pour six mois ?

Valérie sourit.

— Je ne m'attendais vraiment pas à ça, dit-elle pensivement.

Cette grossesse contrecarrait sérieusement leurs plans… Jean-Philippe se voyait déjà démissionner : il n'avait aucune envie de laisser Valérie seule et enceinte à Paris. Elle avait été très patiente pendant neuf mois, il ne pouvait pas lui en demander plus.

— C'est fou, non ? s'exclama-t-elle en riant. Je me découvre enceinte à une semaine du déménagement !

— Heureusement que tu as fait le test. Tu t'imagines apprendre ça à Pékin ?

— Et pourquoi pas ? Les Chinoises font bien des bébés, non ? Pas autant que nous, mais elles en font quand même.

En Chine, il était encore rare d'avoir deux enfants. Jean-Philippe et Valérie, eux, en auraient quatre…

— Est-ce que c'est vraiment inimaginable d'avoir ce bébé là-bas ? demanda Valérie. Il doit bien exister de bons médecins, en Chine. Au moins dans les grandes villes.

— Je ne sais pas, mais on peut se renseigner.

Valérie affichait une sérénité remarquable. Il fallait dire aussi qu'elle avait connu trois grossesses et trois accouchements sans histoire.

— D'après Chantal, son petit-fils devait naître dans une baignoire à la maison, confia-t-elle à Jean-Philippe.

Il écarquilla les yeux, horrifié.

— Tu n'y penses pas, j'espère ?

— Bien sûr que non.

Alors qu'il la rejoignait sur son carton, elle passa les bras autour de son cou.

— On a de la chance, Jean-Philippe, on va avoir un bébé. On en a toujours voulu quatre.

— Oui, mais peut-être pas maintenant.

Il était contrarié.

— Tu sais, mon amour, partout dans le monde, les femmes font des bébés, lui rappela-t-elle. Ça ne me fait pas peur d'avoir un enfant en Chine, tant que tu es avec moi. Et tant qu'on trouve un médecin européen ou américain avec qui je peux communiquer. Il y en a forcément un à Pékin.

Elle lui sourit et l'embrassa, parfaitement détendue. Décidément, sa femme ne reculait devant rien… Jean-Philippe l'aimait chaque jour un peu plus. Dès qu'un problème se présentait, elle trouvait un moyen de le résoudre. Elle s'était débrouillée pour que *Vogue* l'envoie un an en Chine sans risquer son avenir au sein du magazine. Et elle avait même réussi à conserver son job de consultante !

— Tu es sûre de toi, Valérie ? C'est une décision importante. Je ne veux pas t'emmener là-bas si tu ne le sens pas.

— J'ai confiance. Et s'il y a un souci, je pourrai toujours rentrer à la maison. Mais pourquoi y en aurait-il un ? Mes trois grossesses se sont déroulées sans problème. J'ai vraiment envie d'aller en Chine. Je suis sûre que ce sera passionnant.

— Je ne demande qu'à ce que tu viennes, évidemment, répondit-il en la regardant avec adoration. Et quoi qu'il en soit, je veux t'avoir à l'œil pendant ta grossesse.

Il la connaissait bien : elle en faisait toujours trop. Pour la naissance de Damien, elle avait attendu la fin d'un shooting avant de partir à la maternité et avait failli ne pas y arriver à temps. Et il s'en était fallu de peu qu'elle n'accouche d'Isabelle en plein défilé, pendant la Fashion Week.

— Je veux y aller, dit-elle fermement. Finissons ces cartons.

Alors qu'elle se levait, il la retint par le bras.

— Non, toi, tu restes assise. Je ne t'emmène pas en Chine si tu ne sais pas être raisonnable.

— D'accord, chef.

Elle lui sourit, et il l'embrassa. Ils allaient avoir un bébé ! La logistique les avait presque arrêtés, mais désormais plus rien ne pouvait les retenir : ils partaient en Chine et leur quatrième enfant naîtrait là-bas. Quel meilleur moyen de s'y sentir chez eux et de nouer un lien sentimental fort avec Pékin ?

Dans la soirée, alors que Valérie s'était remise au travail et remplissait un carton de médicaments, Jean-Philippe la rejoignit dans la salle de bains. Devant lui se tenait la femme qu'il aimait, la mère de ses enfants. Dire qu'il avait failli la perdre cette année… et là, ils allaient de nouveau être parents… C'était un cadeau du ciel.

— Est-ce que tu imagines seulement combien je t'aime ? lui demanda-t-il, la gorge nouée.

— Autant que je t'aime, toi, répondit-elle d'une voix douce en se laissant aller dans ses bras.

Jean-Philippe songea au petit être qui grandissait dans son ventre et aux moments de bonheur qui s'annonçaient. Avec elle à ses côtés, rien ne lui faisait peur – et il en allait de même pour elle.

— Merci, murmura-t-il en la serrant fort contre lui.

Elle ferma les yeux, un sourire heureux aux lèvres.

22

L'e-mail de Jean-Philippe arriva le matin : cette année, rendez-vous au Palais-Royal. Le lieu était intéressant, car il se trouvait en face du Louvre, à trois rues de la place de la Concorde et tout aussi près de la place Vendôme – autant de sites qui pouvaient accueillir le Dîner en blanc. S'il était maintenu… En effet, il pleuvait à verse depuis la veille au soir.

En se levant, Chantal regarda par la fenêtre et poussa un soupir.

— Il n'y aura sans doute pas de dîner cette année, dit-elle à Xavier.

Celui-ci continua de lire son journal, imperturbable.

— Bien sûr que si, répondit-il calmement.

— Tu as vu comme il pleut ? Comment veux-tu que le ciel se dégage ?

— Ne sois pas pessimiste. Tu verras, il va arrêter de pleuvoir avant ce soir.

Il rangea le journal dans sa mallette, embrassa rapidement Chantal et partit au travail.

Toute la journée, elle surveilla le temps. La pluie tombait, inlassablement. Elle semblait même redoubler d'heure en heure. C'en était désespérant.

Chantal avait choisi sa tenue pour la soirée : pantalon blanc, pull blanc et veste blanche. La vaisselle était déjà emballée dans le chariot, et le repas était au réfrigérateur avec le vin. Pendant ce temps, le ciel s'obstinait à déverser ses trombes d'eau. Un vrai déluge. On s'attendait presque à voir Noé apparaître sur la Seine à bord de son arche... Et la météo annonçait de la pluie pour la soirée. Or Chantal n'avait aucune envie de passer des heures devant un monument de Paris, si beau, si grandiose et si romantique fût-il, si c'était pour se faire rincer jusqu'aux os pendant qu'elle essayait d'avaler son dîner détrempé avec Jean-Philippe et leurs amis.

Elle envoya plusieurs messages à Xavier dans la journée ; chaque fois, il lui répondit que tout irait bien. Sa boîte de lanternes magiques était posée à côté du chariot. Il avait mis au point un système ingénieux qui lui permettait de la porter comme un sac à dos : ainsi, il aurait les mains libres pour la table et les chaises.

À seize heures, le ciel s'assombrit encore – on eût dit la fin du monde. Il y eut un éclair, immédiatement suivi d'un violent coup de tonnerre. Quelques instants plus tard, une pluie de grêlons s'abattait sur le toit et rebondissait contre les vitres. Nul doute, le Dîner en blanc était plus que compromis.

À dix-sept heures, la pluie commença à faiblir. À dix-huit heures, un coin de ciel bleu apparut, et un magnifique arc-en-ciel se dessina sur les derniers nuages. Chantal le contempla un long moment par la fenêtre, se demandant si Xavier n'avait pas raison. Un miracle n'était-il pas en train de se produire ? Une demi-heure plus tard, c'était clair et net : la pluie avait complètement cessé et le ciel était parfaitement dégagé. Ainsi, le Dîner en blanc aurait bien lieu ; c'était la magie de ce moment qui opérait d'ores et déjà. Chantal n'en croyait pas ses yeux.

Xavier rentra du bureau à dix-neuf heures avec un sourire triomphant.

— Alors ?

— D'accord, d'accord, tu avais raison. C'est une soirée spéciale, et Dieu a l'air de croire la même chose.

Sur ce, Jean-Philippe appela pour leur confirmer qu'ils se retrouvaient tous au Palais-Royal à vingt heures quinze. Les spéculations reprirent de plus belle : Chantal pensait que le dîner aurait lieu sur la place de la Concorde, tandis que Xavier imaginait plutôt le Louvre. Lorsqu'ils avaient posé la question à Jean-Philippe, celui-ci leur avait répondu qu'il n'en savait rien – et c'était probablement vrai.

Ils s'apprêtaient à quitter l'appartement quand Xavier se tourna vers Chantal en souriant.

— Il y a un an jour pour jour, je partais avec des amis à un dîner auquel je n'avais jamais mis les pieds auparavant. J'avais peur de m'ennuyer, alors j'ai emporté quelques lanternes chinoises, histoire d'égayer un peu la soirée… J'étais loin de me douter que j'allais te rencontrer.

Ils sortirent avec tout leur équipement et rejoignirent le lieu du rendez-vous en voiture. Dans le jardin du Palais-Royal, des milliers de personnes vêtues de blanc convergeaient, se hélaient les unes les autres, ou se téléphonaient pour se localiser dans la foule.

Il fallut quelques minutes à Chantal et Xavier pour trouver Jean-Philippe. Comme chaque année, ce dernier avait invité neuf couples – les mêmes que pour l'édition précédente, à l'exception de Gregorio. Benedetta était venue accompagnée de Dharam. Ils se dévoraient des yeux. Le bel Indien salua chaleureusement Chantal, se souvenant qu'ils avaient été placés face à face un an plus tôt. De son côté, elle présenta Xavier aux quelques personnes qui ne le connaissaient pas encore. À vingt heures quarante-cinq, alors que les conversations allaient bon train, Jean-Philippe annonça le lieu choisi pour le Dîner en blanc : Xavier avait deviné juste, il s'agissait du Louvre. Ils s'installeraient entre l'ancien palais transformé en musée et les pyramides de verre conçues par I. M. Pei, et profiteraient ainsi d'un coucher de soleil spectaculaire. Un murmure enthousiaste accueillit la nouvelle. Selon certains, l'autre moitié des convives allaient dîner au Trocadéro, avec vue sur la tour Eiffel. Ici, dans le jardin du Palais-Royal, ils étaient déjà censés être huit mille, ce qui paraissait incroyable. Le petit groupe de Jean-Philippe prit garde à ne pas se perdre tandis que la foule se mettait en mouvement. Après avoir traversé deux rues, ils passèrent sous les arcades du Louvre et débouchèrent sur la place. Le palais se dressait devant eux, avec les pyramides qui étincelaient à la lumière du soleil. Pas un seul nuage ne voilait le ciel bleu depuis deux heures.

Chaque homme déplia sa table sur l'emplacement qui lui avait été dévolu, tandis que les femmes déployaient les nappes et disposaient la porcelaine blanche, les verres en cristal et les serviettes de lin. Jean-Philippe s'affairait, l'humeur joviale. Benedetta avait apporté un candélabre Buccellati, et Chantal des cierges et des chandeliers en argent. Les dix tables de leur groupe étaient magnifiques – comme toutes les autres, en réalité. À vingt et une heures trente, les huit mille convives étaient installés et trinquaient joyeusement. En face de Chantal, Xavier rayonnait de bonheur.

— Je n'arrive pas à croire que je suis là avec toi, murmura-t-il en entrechoquant sa coupe de champagne contre la sienne.

Dharam avait apporté du caviar pour tout le monde, comme la dernière fois. Les hors-d'œuvre passèrent de main en main, au milieu du brouhaha des rires et des bavardages. Bientôt, le soleil se coucha, on alluma les bougies, et les quatre mille tables joliment dressées illuminèrent la nuit étoilée.

— L'an dernier, je rêvais d'être à cette place, confia Dharam à Benedetta.

Elle lui sourit. Le cataclysme de l'année passée n'était plus qu'un vague souvenir. Son mariage avec Gregorio avait pris fin cette nuit-là, à la naissance des jumeaux. Un an plus tard, elle était ici avec Dharam, l'homme le plus bon qu'il lui ait été donné de connaître.

Comme à son habitude, Jean-Philippe circulait d'une table à l'autre pour s'assurer que ses convives passaient un bon moment. Cependant, il ne cessait de revenir vers Valérie pour l'embrasser. Pour eux tous, cette soirée se déroulait sous le signe de la tendresse.

À vingt-trois heures, l'orchestre commença à jouer, et toute la place se mit à scintiller à la lumière des cierges magiques. Benedetta et Dharam furent parmi les premiers à rejoindre la piste de danse, pendant que les autres discutaient en dégustant leur dessert.

Une demi-heure plus tard, Xavier sortit son mystérieux carton de sous la table et entreprit de distribuer les lanternes.

— C'est un peu notre anniversaire, tu sais, dit-il à Chantal. Tout a débuté il y a un an.

Et aujourd'hui, ils vivaient ensemble… Xavier mit une lanterne de côté et alluma les autres une par une pour les personnes de leur groupe et des deux rangées voisines. Chacun tenait son lampion le temps qu'il s'emplisse d'air chaud, avant de faire un vœu et de lâcher la boule de papier dans le ciel nocturne. C'était toujours aussi beau.

Il y en avait déjà des dizaines qui s'envolaient lorsque Xavier fit signe à Chantal de le rejoindre. Comme l'année passée, ils tinrent la lanterne ensemble pendant qu'elle se gonflait d'air.

— Fais un vœu, murmura-t-il, les bras passés autour d'elle.

— Mon vœu s'est déjà réalisé, chuchota-t-elle.

— Fais-en un autre, alors. J'en ferai un aussi.

Autour d'eux, les gens dansaient entre les tables ou contemplaient le ballet des lanternes chinoises. Chantal et Xavier levèrent la leur bien haut, avant de la laisser partir. Elle monta tout droit, puis vira au-dessus du Louvre, et continua sa course dans le ciel parisien. Elle n'était plus qu'un petit point lumineux quand Xavier se tourna pour embrasser Chantal.

— Grâce à toi, tous mes rêves sont devenus réalité, lui dit-il d'une voix douce, tandis que la magie et le romantisme de la soirée les enveloppaient.

Xavier et Jean-Philippe échangèrent un sourire.

— Merci pour les lanternes, lui dit ce dernier.

Il n'en restait plus aucune ; toutes flottaient dans le ciel sous les yeux fascinés des convives.

— C'est magique, murmura Dharam, qui avait rejoint le petit groupe avec Benedetta.

— Pour moi, c'est toujours la plus belle soirée de l'année, répondit la belle Italienne en plongeant son regard dans le sien.

Tous les ans, le Dîner en blanc célébrait l'amour, l'amitié et la générosité sous l'œil bienveillant des plus somptueux monuments de Paris. Jean-Philippe en avait rarement connu d'aussi remarquables que celui de cette année. L'atmosphère était parfaite.

Les gens buvaient, fumaient et bavardaient, d'autres dansaient au rythme de l'orchestre. À minuit et demi, Jean-Philippe lança le signal à ses invités. Ceux-ci sortirent les sacs en plastique blanc et entreprirent de ramasser leurs déchets. Aucune trace du dîner ne devait subsister – et ce ne fut pas difficile, car ils avaient terminé presque tous les plats et fini toutes les bouteilles de vin et de champagne. Le caviar de Dharam avait eu beaucoup de succès. La soirée tout entière était une réussite.

C'était un crève-cœur de replier les tables et de clore un si beau moment, mais l'heure était venue. Les membres du petit groupe embrassèrent Jean-Philippe et Valérie en leur souhaitant bonne chance à Pékin. Le lendemain, la petite famille logerait à l'hôtel pendant que les déménageurs investiraient leur appartement. Le grand départ était prévu quelques jours plus tard. D'ici là, Valérie avait mille choses à faire – les certificats de vaccination des enfants, entre autres. Jean-Philippe, lui, ne l'avait pas quittée des yeux durant toute la soirée. Tout comme Dharam, qui était resté tout le temps auprès de Benedetta.

Une fois de plus, la magie du Dîner en blanc avait opéré, comme elle opérerait encore. Le temps d'une soirée, huit mille cœurs avaient fait palpiter la place, des milliers de bougies l'avaient illuminée, tandis que, de là-haut, les lanternes bénissaient les convives en emportant avec elles l'esprit de la fête.

— On rentre à la maison ? demanda Xavier à Chantal, qui acquiesça en souriant.

Ils prirent congé de leurs amis, puis elle le suivit jusqu'à la voiture, non sans jeter un dernier coup d'œil vers le ciel pour s'assurer que sa lanterne était bien là quelque part, en train de porter son vœu vers les étoiles. Mais celui-ci était déjà parvenu à destination.

Découvrez dès maintenant
le premier chapitre de

Plus que parfait
le nouveau roman de
DANIELLE STEEL

aux Éditions
Presses de la Cité

DANIELLE STEEL

PLUS QUE PARFAIT

ROMAN

Traduit de l'anglais (États-Unis)
par Francine Deroyan

Titre original :
PAST PERFECT
L'édition originale de cet ouvrage a paru en 2017
chez Delacorte Press, Random House,
Penguin Random House LLC, New York.

Ce livre est une œuvre de fiction. Les noms, les personnages, les lieux et les événements sont le fruit de l'imagination de l'auteur ou sont utilisés fictivement. Toute ressemblance avec des personnes réelles, vivantes ou mortes, serait pure coïncidence.

Pocket, une marque d'Univers Poche,
est un éditeur qui s'engage pour la préservation
de l'environnement et qui utilise du papier fabriqué
à partir de bois provenant de forêts gérées
de manière responsable.

À mes enfants tant aimés,
Beatie, Trevor, Todd, Nick, Samantha,
Victoria, Vanessa, Maxx et Zara.

Que votre passé, votre présent et votre avenir
soient une bénédiction et un cadeau
pour chacun d'entre vous.
Que l'histoire que vous partagez soit un lien d'amour,
de force et de tendresse, maintenant et à jamais.
Avec tout mon amour, maintenant et pour toujours.

Maman/D. S.

Si vous connaissiez l'avenir et le passé,
changeriez-vous de chemin,
ou accepteriez-vous l'idée
que votre destin est immuable, inévitable ?
Pouvons-nous modifier l'avenir ou le passé,
ou seulement nous y adapter ?
Ou bien les deux doivent-ils être respectés
et laissés tels quels ?

D. S.

Chères lectrices, chers lecteurs,

Je n'ai jamais apprécié les histoires de fantômes ni les livres sur les voyages dans le temps. Ils sont à mes yeux trop extravagants et pas très intéressants. Un personnage bloqué dans le temps, qui tombe amoureux d'un autre personnage ayant vécu cent ans plus tôt, et qui se retrouve à devoir choisir entre rester vivre dans ce siècle-là (et abandonner tous ceux qu'il connaît dans sa « vraie » vie) ou quitter son grand amour pour revenir dans le présent, cela ne me plaît pas, et je dirais même que je trouve cela très frustrant. Voici donc un livre inhabituel pour moi, qui reste aux confins de ce qui semble raisonnable.

J'éprouve une tendresse particulière pour les maisons des siècles passés. J'ai d'ailleurs vécu dans plusieurs demeures anciennes. L'une d'entre elles, une très belle maison victorienne, était réputée abriter des fantômes, ce que je refusais d'admettre. Mais on y entendait indéniablement d'étranges bruits et il s'y produisait des faits que personne ne pouvait expliquer. Certains ressentaient des ondes et étaient persuadés que la maison était hantée, ce que je continuai bravement de nier le temps que j'y vécus. Les vieilles maisons ont leur propre histoire, celle des gens qui y ont habité, qu'ils aient connu des jours heureux ou malheureux. Elles portent l'empreinte des évènements qui s'y sont déroulés. Je me suis souvent interrogée sur la véritable histoire des précédents occupants de mes différentes résidences. J'ai restauré deux maisons, et j'ai senti qu'elles avaient une âme. Je dis toujours que les habitations d'un autre temps nous entraînent en quelque sorte dans une histoire d'amour. Vous les aimez ou pas.

Dans *Plus que parfait*, une famille dynamique – un jeune couple et ses trois enfants – quitte New York pour s'installer à San Francisco dans un très beau manoir construit un siècle plus tôt. Bien sûr, ils y apportent leur style de vie moderne, leurs ordinateurs, leurs jeux électroniques, tous les éléments de notre époque. La nuit de leur emménagement, un tremblement de terre les secoue quelque peu. Soudain, en un instant, un groupe d'élégantes et de sympathiques personnes du siècle précédent surgit d'on ne sait où, avant de disparaître aussi vite. Leurs portraits et leurs meubles de famille se trouvent encore dans la maison. Il y a des phénomènes psychiques que je ne comprends pas, mais certains jurent que cela existe. Rien de tout cela n'est facile à expliquer, ni à réfuter.

Dans cette histoire, quelques jours après cette première apparition, les nouveaux propriétaires, en jean, T-shirt et baskets, ou carrément pieds nus, pénètrent dans la salle à manger, et se retrouvent tout à coup en compagnie des premiers occupants du manoir. Élégamment vêtus, en robes du soir et queues-de-pie, ces gens sont en train de dîner. Les deux groupes sont les seuls capables de se voir mutuellement. Ce qui naît cette nuit-là, c'est une profonde amitié mêlée de respect entre deux familles qui vivent à un siècle d'écart, mais partagent néanmoins leur quotidien sous le même toit. Le XXe siècle a été une époque palpitante, avec deux guerres mondiales, le krach de 1929, de grands bouleversements sociaux et industriels, le premier pas d'un homme sur la Lune, et tous les incroyables changements qui se sont produits au cours de cette période.

La famille d'aujourd'hui vit cette période fascinante de l'Histoire avec ses nouveaux amis, tout en continuant à mener son existence moderne. Tous ces personnages se soutiennent, s'aident, partagent leurs expériences, leur vécu. Ils se consolent, ils s'aiment, ils évoluent au contact les uns des autres grâce à une amitié qui défie le temps. C'est l'histoire poignante et touchante de deux familles qui se retrouvent par hasard à habiter la même demeure par la grâce d'une rencontre à laquelle personne ne s'attendait, et qui enrichit considérablement leurs vies.

Je vous souhaite d'aimer mes personnages autant que je les ai aimés en écrivant ce roman.

J'espère sincèrement qu'il vous plaira.

Avec mon affection,

Danielle

1

Blake Gregory laissait vagabonder son regard par-delà la fenêtre de son bureau à New York, tandis qu'il réfléchissait à la proposition que venait de lui faire le P-DG d'une nouvelle start-up spécialisée dans les réseaux sociaux de haute technologie. Il avait reçu d'autres offres auparavant, émanant de sociétés installées à Boston ou ailleurs – mais aucune de vraiment attrayante –, et il les avait refusées sans hésitation. Celle-ci présentait d'indéniables avantages : les fondateurs étaient deux jeunes hommes au palmarès prestigieux, qui avaient engrangé des fortunes avec leurs précédents projets. De ce fait, ils avaient beaucoup d'argent à investir dans leur nouvelle entreprise, qui reposait, comme les précédentes, sur des concepts simples. Il s'agissait d'appliquer les principes d'un moteur de recherche à l'univers des réseaux sociaux. Le taux de croissance potentielle était astronomique.

Blake travaillait dans le domaine des hautes technologies pour une société de capital-risque solide et très respectée dans la profession. Il avait bien réussi à son poste, mais la brillante idée exposée par ces deux créateurs lui donnait envie de rejoindre leur équipe. Certes, on n'était jamais certain du résultat d'une nouvelle entreprise, mais en cas de succès on pouvait s'attendre à des profits faramineux. Et, même si on n'était pas à l'abri des écueils, il serait facile de les surmonter pendant la phase de développement du projet. Cette offre avait surgi de nulle part, grâce à certains de ses contacts professionnels et à sa réputation d'analyste visionnaire, particulièrement doué dans l'évaluation des risques et doté des compétences requises pour transformer de nouvelles idées en entreprises prospères. Quant à la rémunération, on lui proposait le double de son salaire actuel. Toutefois, son avenir était assuré dans la société où il exerçait depuis dix ans, et il s'entendait bien avec ses collègues, tandis qu'il ne savait quasiment rien de cette start-up de San Francisco, ni de ceux avec qui il serait amené à travailler. Il savait juste qu'ils étaient brillants, qu'ils ne manquaient pas de cran et qu'ils se montraient impitoyables en affaires. Blake n'était pas du genre à prendre des risques, mais l'offre était très tentante ! En plus du salaire attractif, la rémunération comprenait également des actions dans le capital de la société lorsqu'elle serait cotée en Bourse, ce qui était l'objectif affiché des investisseurs.

Il se sentait rajeunir à l'idée de se lancer dans quelque chose de nouveau, dans un lieu différent. À quarante-six ans, il devait bien reconnaître que la routine s'était installée dans sa vie. Marié et père de trois enfants, il redoutait généralement de lâcher la proie pour l'ombre. En outre, il préférait ne pas imaginer la réaction de sa femme, Sybil, s'il lui faisait part de cette proposition. Ils étaient tous deux d'impénitents New-Yorkais, et ils adoraient la ville où eux-mêmes et leurs enfants avaient grandi. Blake n'avait jamais envisagé de la quitter, pourtant, si cette start-up connaissait le succès, il pourrait gagner une fortune. C'était une offre difficile à refuser.

À trente-neuf ans, Sybil avait occupé toute une palette de postes. Elle avait d'abord étudié l'architecture à Columbia, où elle avait rencontré Blake, alors sur le point d'obtenir son MBA à l'école de commerce. Elle se passionnait à l'époque pour Frank Lloyd Wright, I. M. Pei, Frank Gehry et tous les architectes avant-gardistes de l'époque moderne. Après leur mariage et la naissance des enfants, elle s'était spécialisée dans l'architecture d'intérieur, exerçant comme consultante auprès d'entreprises de design de meubles haut de gamme. D'ailleurs, elle avait elle-même créé plusieurs pièces qui étaient devenues des modèles iconiques. Elle appréciait particulièrement les lignes épurées. Aujourd'hui elle travaillait régulièrement pour le MoMA et le Brooklyn Museum, qu'elle conseillait dans leur choix d'acquisitions pour leurs collections permanentes et où elle organisait des expositions. Enfin, dans le peu de temps libre qu'il lui restait, elle préparait un livre, que son éditeur lui réclamait à cor et à cri, sur les plus beaux éléments de décoration intérieure du XXe siècle.

Blake était certain que l'ouvrage de sa femme serait un succès. Sybil rédigeait fréquemment des articles sur le sujet dans des magazines cotés et pour la rubrique décoration du *New York Times.* On la considérait comme une experte dans son domaine. Même si elle préférait certains styles, cela ne l'empêchait pas d'apprécier toutes les époques, et d'écrire sur l'ensemble du design. Elle emmenait Blake voir les expositions du Metropolitan Museum, et lui faisait découvrir l'élégance fin de siècle du Frick Museum. Mais la période préférée de Sybil était le Mid-Century Modern postérieur à 1950, et, surtout, le design contemporain de pointe. Leur loft de deux étages à Tribeca sur North Moore, construit dans un ancien entrepôt textile, était aménagé avec une sobre élégance et le souci de laisser l'espace flotter dans les pièces. Elle avait conçu elle-même certains meubles. L'endroit ressemblait à l'aile moderne d'un grand musée. Les designers importants étaient représentés par des pièces facilement identifiables pour un expert. Sybil était douée pour choisir d'instinct tout ce qui était nouveau et chic. Blake ne comprenait pas toujours ses acquisitions, mais force lui était d'admettre que le résultat était bluffant.

Très talentueuse, Sybil était sollicitée par des musées aux quatre coins du pays comme commissaire d'exposition et ne travaillait quasiment plus pour des clients privés, car elle refusait d'être limitée par les idées et les goûts des autres. New York constituait l'épicentre de toutes ses activités créatives, et Blake trouvait injuste de lui demander de déménager à San Francisco. En temps normal, il ne l'aurait pas envisagé, mais cette proposition était pour lui une occasion unique dans sa carrière ! Peut-être pourrait-il s'engager dans cette start-up pour un an ou deux dans un premier temps. Néanmoins, il savait déjà que, si l'entreprise était un succès, il aurait envie d'y rester plus longtemps.

Pas plus que son épouse ses enfants n'apprécieraient de déménager. Andrew venait tout juste d'entamer sa dernière année de lycée et, cet automne, il ferait sa demande d'admission à l'université. Caroline était en première, et fermement ancrée dans sa vie new-yorkaise. À seize et dix-sept ans, ils seraient tous deux horrifiés par la perspective de changer de ville. Seul Charlie, leur fils de six ans, scolarisé au CP, se moquait de l'endroit où ils vivaient, tant qu'il était avec eux. Bien entendu, cette proposition était arrivée pendant la semaine de reprise des cours !

Sybil était partie pour la journée à Philadelphie. Elle devait y rencontrer les dirigeants d'un musée désireux d'avoir recours à ses services pour préparer une exposition qui aurait lieu dans deux ans. Lui parlerait-il de l'offre ? Y était-il obligé ? Pourquoi prendre le risque de la bouleverser à propos d'un poste qu'il n'était pas sûr d'accepter ? Mais les deux entrepreneurs avaient beaucoup insisté pour le rencontrer dans la semaine à San Francisco afin de discuter plus avant de leur projet, et il était très tenté d'accéder à leur demande. On était lundi, et il avait déjà déplacé certaines réunions pour pouvoir s'absenter le mercredi après-midi.

Il pesait encore le pour et le contre quand Sybil revint à la maison. Avec ses longs cheveux blonds noués en chignon, son tailleur noir, d'une coupe stricte mais chic, son épouse était la quintessence de la New-Yorkaise, comme elle l'avait toujours été. Elle était très belle, et leur fille avait la même allure qu'elle, grande et mince, les traits réguliers. Leurs deux fils, aux cheveux de jais et aux yeux noirs, lui ressemblaient davantage. Ils adoraient le sport, et se débrouillaient bien dans plusieurs disciplines.

— Comment ça s'est passé ? lui demanda-t-il, tandis que Sybil, le sourire aux lèvres, posait son sac et retirait ses escarpins.

C'était une chaude soirée de l'été indien. Sybil ayant quitté la maison à six heures du matin pour être à Philadelphie à temps pour sa réunion, leur gouvernante était allée chercher Charlie à l'école, et Caroline et Andy avaient pris le métro à des heures différentes. Un aspect que Sybil appréciait dans la diversité de sa vie professionnelle était la flexibilité de ses horaires, de sorte qu'elle pouvait habituellement récupérer Charlie à la fin des cours. L'arrivée de leur benjamin les avait surpris tous les deux, mais après le choc initial ils étaient convenus que sa naissance était l'une des meilleures choses qui se soit jamais produite dans leur existence. C'était un petit garçon adorable, joyeux et facile à vivre. Quant à son frère et à sa sœur aînés, ils adoraient s'occuper de lui.

Andy et Caroline faisaient leurs devoirs dans leurs chambres, Charlie regardait un film sur l'écran plat dans celle de ses parents. Tous trois avaient déjà dîné, mais Blake avait attendu le retour de Sybil. Il la suivit dans la cuisine, et la regarda sortir du réfrigérateur une salade et une assiette de poulet préparées à leur intention par la gouvernante.

— Je n'envisage pas de m'occuper de leur exposition, dit-elle quelques moments plus tard, alors qu'il lui servait un verre de vin. C'est un prestigieux musée danois qui l'a mise sur pied, et ils tiennent à la garder intacte. Or, à mes yeux, elle est incomplète, mais ils refusent que j'y ajoute quoi que ce soit. Ce n'est pas pour moi.

Exigeante dans son travail quant aux époques et aux artistes qui l'intéressaient, Sybil avait déjà repoussé bon nombre d'offres au cours des années.

— En plus, j'ai besoin de temps pour avancer dans mon livre. Je veux le terminer avant la fin de l'année prochaine.

Elle y travaillait depuis deux ans. Ce serait un ouvrage de référence sur le meilleur du design moderne.

— Comment s'est passée ta journée ? s'enquit-elle en souriant.

Ils aimaient se retrouver chaque soir et partager le récit de leur quotidien professionnel.

— Très bien. Je pars pour San Francisco mercredi, annonça-t-il à son propre étonnement.

Il avait eu l'intention d'aborder le sujet avec plus de précaution, mais sa nervosité avait pris le dessus.

— Un nouveau contrat ? demanda Sybil, sirotant son vin.

Blake hésita un long moment, ne sachant pas quoi dire. Puis il poussa un profond soupir et se cala sur sa chaise. Il ne lui avait jamais rien caché. Au bout de dix-huit ans de mariage, leur duo fonctionnait encore très bien. Leur vie ne comportait guère de surprises, mais cela leur convenait parfaitement. Et ils étaient toujours amoureux.

— J'ai reçu une offre d'une start-up de folie à San Francisco aujourd'hui, dit-il à voix basse.

— Tu vas la refuser ?

Elle pensait connaître la réponse à la question, mais elle la posa quand même. Blake déclinait toujours les offres qu'il recevait. Il était heureux à son poste, ou du moins elle le pensait.

— Cette start-up est différente. Les deux entrepreneurs qui la lancent ont une réputation irréprochable, ils y ont déjà investi beaucoup d'argent et c'est une idée du tonnerre qui va rapporter une fortune à tout le monde.

Il semblait très sûr de lui. Sybil le regarda en face, et posa sa fourchette sur l'assiette.

— Mais c'est à San Francisco.

Elle aurait aussi bien pu dire Mars ou Pluton. La Californie ne faisait pas partie de leur univers.

— Je sais bien, mais ils m'offrent le double de ce que je touche actuellement, d'excellentes stock-options et, si cette idée leur rapporte gros, nous serons tranquilles jusqu'à la fin de nos jours.

Ils gagnaient déjà très bien leur vie et ne manquaient de rien. Leurs enfants étudiaient dans de bonnes écoles. Et aucun d'eux n'avait jamais aspiré à un train de vie supérieur.

— Je ne dis pas que je deviendrai milliardaire, mais il y a beaucoup d'argent en jeu dans cette affaire, Syb. Ce n'est pas facile de refuser.

— Nous ne pouvons pas déménager à San Francisco, affirma-t-elle d'un ton tranquille. C'est impossible pour moi comme pour toi et nous ne pouvons pas faire ça aux enfants. Andrew va passer son diplôme cette année.

Blake ne le savait que trop bien, et il y avait pensé tout l'après-midi, bourrelé de remords d'avoir seulement pesé le pour de cette offre sans en envisager le contre ni la rejeter sur-le-champ. Il avait l'impression de trahir sa famille.

— J'aimerais me rendre compte par moi-même de ce que je m'apprête à refuser, répliqua-t-il, sachant pertinemment que c'était une mauvaise excuse.

Ce dont s'aperçut Sybil.

— Que se passera-t-il si tu n'arrives pas à leur dire non ? demanda-t-elle soudain inquiète.

— Il le faudra bien, mais je voudrais au moins écouter ce qu'ils ont à me dire.

Il savait qu'à quarante-six ans c'était sans doute la dernière proposition de cette envergure qu'il recevrait dans sa vie. La repousser signifiait qu'il resterait probablement dans son entreprise actuelle jusqu'à la fin de sa carrière. Il n'y avait rien de mal à cela, son poste était tout à fait honorable, mais il tenait à être absolument sûr de lui avant de décliner l'offre une fois pour toutes.

— Ça ne présage rien de bon, dit Sybil alors qu'elle déposait la vaisselle dans l'évier.

— Je ne dis pas que je vais accepter le poste, Syb. Je veux juste y réfléchir encore un peu. Peut-être que je pourrais travailler là-bas un an ou deux, suggéra-t-il, essayant de trouver une solution à un problème qu'elle refusait de prendre en compte.

— Ça m'étonnerait qu'ils acceptent ! De plus Caro et Andy doivent terminer leur scolarité ici, et ils en ont encore pour deux ans.

— Rassure-toi, je pars mercredi après-midi et serai de retour pour le week-end.

Son ton était neutre, mais il avait une lueur dans le regard qu'elle ne lui avait jamais vue auparavant et qui ne lui disait rien qui vaille. Blake pensait à lui seul, et non à eux.

— Pourquoi ne suis-je pas rassurée ? Tu n'es pas sérieux, Blake, rétorqua-t-elle d'un ton crispé, les lèvres serrées.

— Cela me permettrait de nous mettre à l'abri pour toujours. Jamais je ne pourrai gagner autant en restant ici.

— Nous n’avons pas besoin de plus ! Nous avons un bel appartement et une vie agréable.

Elle n’avait jamais été exigeante, et leurs situations lui convenaient tout à fait.

— Il ne s’agit pas seulement d’argent. C’est excitant de faire partie d’un nouveau projet. Ce qu’ils veulent mettre en place pourrait être révolutionnaire. Je suis désolé, Syb. Je veux juste me faire mon idée. Tu me détesterais pour ça ?

Il l’aimait et ne voulait pas compromettre leur couple mais, s’il fermait la porte avant même de discuter avec ces investisseurs, il le regretterait toute sa vie. Et puis, il s’était déjà engagé à faire le voyage avant d’en débattre avec sa femme.

Sybil n’était pas en colère, mais inquiète.

— Je serais bien incapable de te détester… sauf si tu nous obliges à quitter New York ! répondit-elle en riant. Promets-moi de ne pas t’emballer et de ne rien accepter avant de m’en parler !

— Promis !

Il lui passa un bras autour des épaules et, quand ils regagnèrent leur chambre, Charlie s’était endormi sur leur lit devant la télé allumée. Blake porta leur fils dans sa chambre, et Sybil lui enfila son pyjama sans le réveiller.

Ils souhaitèrent bonne nuit à Caroline et Andy, puis, après avoir éteint les lumières de leur propre chambre, Sybil resta allongée dans l’obscurité. Elle se remémora leur discussion, formant le vœu que ce soit l’un de ces moments fugaces où une idée nous séduit avant que la réalité reprenne le dessus ; on sait alors que ce n’est pas pour nous. Elle n’avait aucune intention d’aller vivre à

San Francisco. Si ce poste semblait présenter de multiples attraits pour Blake à l'heure actuelle, elle était certaine qu'ils seraient tous malheureux de devoir quitter New York à cause de lui. Ça lui était impossible, même pour l'homme qu'elle aimait. De toute façon, il était inenvisageable d'infliger cela à leurs enfants, et hors de question pour elle de vivre son couple entre côte est et côte ouest, avec la contrainte de devoir prendre l'avion tous les week-ends pour se voir. Non, il n'y avait aucune chance pour que ce travail à San Francisco convienne à leur famille.

Blake était déjà parti au bureau lorsque Sybil emmena Charlie à l'école. De retour à la maison, elle s'installa à sa table de travail, bien décidée à ne pas se mettre martel en tête. Blake n'avait jamais agi avec impulsivité, c'était un homme sensé. New-Yorkais dans l'âme tout autant qu'elle, il aurait à cœur de ne pas perturber sa famille. Finalement, mieux valait le laisser partir pour la Californie et arriver à la même conclusion par lui-même, plutôt que de lui faire une scène. Il prendrait tout seul la bonne décision.

Ce jour-là, ils passèrent une soirée paisible, sans plus aborder le sujet.

Le mercredi il se rendit directement du bureau à l'aéroport. Avant d'embarquer, il lui téléphona pour lui dire qu'il l'aimait et, avant de raccrocher, il la remercia d'être belle joueuse et de lui permettre de se faire une idée.

— Autant que tu aies toutes les données avant de refuser ce poste, dit-elle d'un ton serein.

Blake semblait soulagé. Sybil en était persuadée : si séduisante soit leur offre, ces deux entrepreneurs ne parviendraient pas à lui faire quitter New York. Son mari était un homme d'habitudes et il aimait son travail.

— C'est ce que je pense aussi. Dis aux enfants que je les embrasse. Je rentrerai tard vendredi soir.

Il prendrait le dernier vol au départ de San Francisco et, du fait du décalage horaire, elle serait sûrement endormie quand il arriverait à la maison. Son avion devait atterrir à JFK à deux heures du matin. Il préférait rentrer à cette heure tardive plutôt que de passer une autre nuit loin d'elle. Ce week-end-là, ils avaient projeté de partir dans les Hamptons, où ils louaient une maison pour un mois l'été, et occasionnellement les week-ends. Le temps était si clément qu'ils voulaient en profiter une dernière fois avant l'automne ; les enfants étaient impatients d'y aller pour s'y retrouver en famille, et Blake n'était pas en reste !

Le décalage horaire jouant en sa faveur, Blake rencontra les deux créateurs de la start-up pour un dîner tardif à son hôtel le mercredi soir. Ils étaient tout feu tout flamme. Geeks devenus de brillants hommes d'affaires, ils avaient une dizaine d'années de moins que lui, et un palmarès impressionnant. Ils étaient titulaires d'un MBA de Harvard, mais étaient avant tout des hommes d'idées, qui créaient des entreprises en vue de les revendre avant de passer au projet suivant. Ils lui proposaient de diriger la boîte pendant la phase de développement du concept, jusqu'à la vente ou à l'entrée en Bourse, selon l'option la plus lucrative. Ils disposaient de tout l'argent nécessaire pour transformer leur idée en succès. Les écouter parler de leur projet était aussi excitant que Blake l'avait craint, d'autant plus qu'il connaissait à présent les intéressés.

Cette nuit-là, il ne parvint pas à dormir. Le lendemain matin, il partagea un petit déjeuner de travail avec la demi-douzaine de responsables des différents départements. Hommes et femmes, tous étaient innovateurs dans leur domaine, et avaient occupé avec succès des postes similaires dans d'autres entreprises. Les fondateurs ne recrutaient que les meilleurs. À leurs yeux, l'objectivité de Blake et son sens des réalités feraient de lui le P-DG idéal. Leur plan de développement comportait peu de failles, et l'occasion de gagner beaucoup d'argent était à portée de main, y compris pour Blake, dont le poste était assorti de diverses stock-options et d'une participation aux résultats.

Toute la journée, il assista à des réunions et, avant le dîner, rencontra de nouveau les deux fondateurs pour leur faire part de ses impressions. Ils furent satisfaits de ses remarques et conquis par son expertise financière. Blake n'aurait pas de mal à trouver sa place au sein de l'équipe. Les réunions du vendredi furent encore plus fructueuses. Blake appréciait également l'environnement de travail, un entrepôt rénové au sud de Market Street transformé en immeuble de bureaux, et occupé par un bataillon de jeunes employés dynamiques regorgeant d'idées novatrices, fraîchement recrutés. C'était revigorant et excitant de se trouver là. Certes, l'affaire comportait indéniablement des risques, mais toutes les personnes impliquées semblaient sensées et expérimentées. La cohésion du groupe était remarquable, et

Blake s'y intégrait parfaitement. Avant son départ, les deux jeunes entrepreneurs lui renouvelèrent leur offre, plus convaincus que jamais qu'il était l'homme de la situation. Tout comme lui ; en deux jours, ils avaient réussi à dissiper ses hésitations. Durant la plus grande partie du vol de retour vers New York, il resta assis les yeux dans le vague, perdu dans ses pensées. Ces dernières quarante-huit heures au sein de la start-up avaient été exceptionnelles. Sur le plan professionnel, cela faisait des années qu'il n'avait pas ressenti un tel enthousiasme. Il se sentait un autre homme.

À trois heures du matin, lorsque Blake pénétra dans leur chambre, Sybil dormait profondément. Il déposa un léger baiser sur sa tête sans la réveiller. Au petit déjeuner, c'est l'air fatigué et préoccupé qu'il entra dans la cuisine. Sybil et les enfants étaient prêts à partir pour le week-end. À dessein, Sybil ne lui posa aucune question sur sa visite à San Francisco. Elle avait décidé d'attendre qu'ils soient installés dans la maison des Hamptons.

De la terrasse en bois, ils regardaient leurs enfants s'amuser sur la plage quand Sybil se tourna soudain vers lui et l'observa attentivement. Déjà, il cherchait ses mots, conscient qu'elle n'aimerait pas entendre ce qu'il avait à lui dire.

— Ça s'est passé comment ? lui demanda-t-elle, l'air tendu.

— Je serais fou de refuser. On ne m'a jamais offert une chance pareille. Et ce sera vraisemblablement la dernière fois.

Il évoqua ce qu'il pourrait gagner s'il s'engageait avec eux dès le début, avant que la société soit cotée en Bourse, ou rachetée à terme par un géant comme Google.

— La vie n'est pas qu'une question d'argent, rétorqua-t-elle. Depuis quand est-ce devenu ta motivation principale ? Tu ne peux pas sacrifier notre vie actuelle à cause de ça !

Hélas, elle lisait l'envie dans ses yeux ; jamais Blake n'avait été attiré à ce point par un poste. Elle avait bien conscience qu'il ne s'agissait pas d'une affaire d'argent, mais plutôt de la perspective pour lui de s'engager dans un nouveau projet, terriblement excitant. Oui, cette offre était un enjeu majeur à ses yeux mais, en y réfléchissant bien, si l'entreprise remportait le succès qu'il lui prédisait, toute la famille en bénéficierait. Cet aspect n'était pas négligeable. Et, pour la première fois dans la carrière de Blake, la situation géographique lui importait peu.

— C'est différent quand il est question de telles sommes, Syb, dit-il avec douceur. N'envisagerais-tu pas de t'installer à San Francisco pendant quelques années ? Tu pourrais y écrire, travailler sur ton livre et envoyer tes articles. Rien ne t'empêcherait de te rendre à New York pour continuer à collaborer avec les musées en tant que commissaire d'exposition.

À coups de suggestions, il tentait de l'amener à voir les choses sous un autre angle, mais en vain.

— Et passer ma vie dans les avions, avec trois enfants à la maison, merci bien ! s'exclama-t-elle, choquée qu'il puisse envisager cette éventualité.

Son époux prenait cette offre visiblement au sérieux. Bien sûr, elle pouvait en comprendre les raisons, mais leur existence en serait bouleversée à un point inimaginable. Non, il n'était pas question d'infliger cela aux enfants, ni à elle-même. Ce ne serait pas juste.

Quelques instants plus tard, Charlie, Caro et Andy regagnèrent la maison pour prendre une collation, et leurs parents ajournèrent cette discussion, pour la reprendre quand les aînés furent sortis voir leurs amis et que Charlie se fut endormi dans la chambre voisine de la leur.

— Je sais que c'est beaucoup te demander, mais les enfants s'adapteront très bien, insista Blake. Ils se feront de nouveaux amis, et de toute façon Andy part à la fin de cette année. Je dois me décider rapidement. Si je refuse, ils chercheront quelqu'un d'autre. C'est maintenant qu'ils ont besoin d'un dirigeant comme moi !

Blake avait l'air désespéré, et elle était désolée pour lui, mais plus encore pour elle et les enfants à la pensée des implications de ce déménagement.

— En plus il y a des tremblements de terre là-bas ! lui rappela-t-elle, se sentant à la fois égoïste et ridicule d'avoir recours à ce genre d'argument pour le décourager.

— Cela fait cent ans qu'ils n'en ont pas enregistré d'important, se moqua-t-il.

Mais elle était aussi têtue que lui.

— Donc, ça ne tardera plus !

— Chérie, aucun tremblement de terre ne va se déclencher juste parce que nous emménageons là-bas !

Il l'attira contre lui, la prit dans ses bras, et ils oublièrent cette histoire de San Francisco pour le reste de la nuit.

Le lendemain, ils regagnèrent New York sans avoir trouvé de solution. Ils n'étaient pas fâchés, mais la tension entre eux était palpable.

Les jours suivants, ils eurent plusieurs échanges sur le sujet. Aucun ne parvenait à convaincre l'autre du bien-fondé de ses arguments. Finalement, Sybil comprit que si Blake était obligé de refuser l'offre il ne le lui pardonnerait jamais, et ce regret amer resterait coincé en travers de sa gorge toute sa vie. Elle n'était pas enchantée de devoir le suivre là-bas, mais elle savait aussi qu'à son âge – il avait raison sur ce point – une telle chance ne se représenterait pas. Tout ce qu'il lui demandait, c'était qu'elle lui accorde deux ans. Si, à la fin de cette période, leur famille était trop affectée par ce changement, il démissionnerait et retournerait à New York. Sybil l'aimait et ne voulait pas nuire à sa carrière, ni porter tort à leur mariage. Après deux semaines de discussions, elle le regarda, épuisée, et noua les bras autour de son cou :

— Je cède. Je t'aime trop pour que tu tournes le dos à cette offre à cause de nous. Nous allons faire en sorte que ça marche d'une manière ou d'une autre.

La reconnaissance qu'elle lut sur le visage de Blake lui fit comprendre qu'elle avait pris la bonne décision.

Le lendemain matin, Blake téléphona aux deux entrepreneurs de San Francisco et leur annonça la bonne nouvelle. Dans la foulée, il démissionna de son poste new-yorkais et, le soir même, après le dîner, ils mirent les enfants au courant de la situation.

Ceux-ci furent horrifiés, mais leur mère se montra ferme envers eux et ne leur laissa pas le choix : c'était un sacrifice pour le bien de la famille ; une transition importante pour la carrière de leur père et pour leur sécurité financière à long terme. Caroline et Andrew étaient tous les deux assez grands pour le comprendre, et Sybil leur fit remarquer que, pour elle aussi, l'ajustement serait de taille. Elle avait déjà contacté le lycée d'Andy cet après-midi-là. Le directeur avait accepté qu'il revienne passer son diplôme avec ses camarades de classe, s'il le désirait, à condition qu'il achève avec succès sa dernière année dans son nouvel établissement de San Francisco.

Il fut convenu que les enfants finiraient le semestre à New York. Avec leur mère, ils déménageraient à San Francisco en janvier. Lui partirait dans une quinzaine de jours, et aurait ainsi le temps de leur trouver un logement. Ignorant si cette installation serait de longue durée, ils préféraient louer plutôt qu'acheter. Sybil avait clairement indiqué qu'elle souhaitait un appartement lumineux et moderne, et non une maison. Elle avait déjà fait des recherches sur les établissements scolaires de San Francisco. Quant à l'appartement de Tribeca, ils le garderaient inoccupé, dans l'hypothèse de leur retour à New York au bout de deux ans. De plus, Sybil aurait ainsi un endroit où séjourner quand elle reviendrait travailler dans sa ville préférée. Elle avait deux mois et demi pour organiser leur départ. De son côté, Blake aurait le temps de leur dégoter un nouveau nid et de prendre ses marques au travail. Sybil prévoyait de décorer l'appartement de San Francisco avec des meubles de location[1], quitte à acquérir ce dont ils auraient besoin par la suite, le cas échéant. L'éventualité du retour à

1. Il est très fréquent de louer ses meubles aux États-Unis, notamment pour des déménagements de courte durée (changement d'emploi, départ pour l'université, déplacement militaire...).

New York rendait l'exil moins douloureux pour Sybil et les enfants, et elle espérait que San Francisco n'était rien de plus qu'un projet à court terme. Néanmoins, pour le bien de Blake, elle se lança avec ardeur dans les préparatifs du déménagement et tenta de convaincre les enfants et de se convaincre elle-même que ce changement n'était pas la fin du monde.

Andy était contrarié mais, une fois qu'il eut compris le potentiel financier du projet, il se montra raisonnable. Il était fier de son père, et soulagé de pouvoir passer son diplôme avec ses camarades en juin. Caroline, elle, fit des scènes mémorables et menaça de ne pas suivre ses parents sur la côte ouest. Cependant, elle n'avait aucun endroit où séjourner à New York, car aucun membre de leur famille n'y habitait, et elle refusait le pensionnat, que ses parents lui proposèrent face à son refus catégorique de déménager. Elle n'avait donc pas d'autre choix que d'accompagner sa famille à San Francisco. Comme on pouvait s'y attendre, Charlie fut le plus facile de tous. Ce changement de vie l'amusait, et il voulait déjà tout savoir sur sa nouvelle école.

Deux semaines après le départ de Blake, grâce à leurs excellents bulletins de notes, Sybil put inscrire les enfants dans de très bonnes écoles de San Francisco, que Blake avait visitées et dont il était satisfait. Il avait aussi commencé à chercher un appartement, mais quand il rentra à New York pour Thanksgiving il n'en avait toujours pas trouvé. Entre les exigences de Sybil qui souhaitait un appartement inondé de lumière, doté de hauts plafonds et d'une belle vue, et la nécessité d'habiter à une distance raisonnable des établissements scolaires, il avait été plus difficile qu'il ne le pensait de dénicher une location qui leur convienne. Blake adorait son nouveau travail et semblait rajeuni de dix ans. Sybil en fut confortée dans sa décision, mais elle avait hâte qu'il trouve un logement. Il lui promit de reprendre activement ses recherches après Thanksgiving.

— Est-ce que l'on va vivre à l'hôtel ? demanda Charlie à Sybil après que son père eut regagné la côte ouest.

— J'espère que non ! Papa va trouver avant qu'on arrive, assura-t-elle, peu désireuse d'habiter à l'hôtel avec trois enfants, même si l'idée séduisait son petit garçon.

La semaine qui suivit le retour de Blake à San Francisco, l'agente immobilière lui proposa un appartement doté d'une vue fabuleuse au cinquante-huitième étage de la Millennium Tower, un gratte-ciel très chic récemment érigé sur Mission Street, en plein centre du quartier financier depuis peu embourgeoisé. Le point négatif était l'absence de parcs et de terrains de jeux pour Charlie. Le propriétaire de l'appartement avait déménagé à Hong Kong et le logement était en vente depuis un an déjà ; l'agente pensait toutefois qu'il pourrait être ouvert à la location pour un an ou deux. Blake attendait de le visiter avec plusieurs autres candidats, et Sybil le pressait quotidiennement à ce sujet.

Pendant ce temps, les enfants tiraient le meilleur parti de leur dernier mois à New York avant les vacances. Andy en profitait pour voir tous ses amis et assister à des matchs de basket et de hockey. Caroline pensait toujours que ses parents étaient cruels de les déraciner, mais s'arrangeait malgré tout pour se divertir avec ses amis. La famille avait prévu de passer Noël à New York, avant de s'envoler pour San Francisco le premier de l'an. Ils commençaient à s'inquiéter de n'avoir encore trouvé aucun pied-à-terre. Blake avait réservé sa journée du 1er décembre pour des visites avec l'agente immobilière, et il espérait avoir plus de chance qu'en novembre. Cela ne devait tout de même pas être si difficile de trouver un appartement de quatre chambres qui soit du goût de Sybil. Ce jour-là, cinq visites étaient prévues. L'appartement de la Millennium Tower n'était pas encore ouvert à la location, mais Blake et Sybil gardaient bon espoir. En attendant, Blake vivait au Regency depuis son arrivée, un ensemble de locations de courte durée et de suites d'hôtel.

Quand l'agente immobilière passa le chercher le matin convenu, la brume recouvrait San Francisco. Elle déclara être certaine qu'ils trouveraient leur bonheur ce jour-là et Blake croisa les doigts pour qu'elle ait raison. Le premier appartement était situé dans un immeuble des années 1930 à Pacific Heights, le principal quartier résidentiel de la ville. La vue spectaculaire ne compensait pas le caractère sombre et déprimant des pièces, à la décoration désuète et exposées plein nord.

En route vers une nouvelle adresse, Blake commença à douter de parvenir un jour à dénicher le logement idéal. Il n'eut pas le cœur d'envoyer un texto à Sybil pour lui annoncer que la première visite de la matinée n'avait rien donné. Il finirait bien par trouver.

Sybil lui avait permis de réaliser son rêve. Maintenant, c'était à lui d'assurer. Sa femme lui manquait. Il ferma les paupières quelques instants, se laissant bercer par le trafic. Quand l'agente s'arrêta à un stop, il ouvrit les yeux et se retrouva face à un bouquet d'arbres d'où émergeait le toit d'un somptueux bâtiment qui lui rappela le Frick Museum de New York. Il n'avait jamais remarqué cette bâtisse auparavant, bien qu'ayant traversé plusieurs fois Pacific Heights en voiture.

— Qu'est-ce que c'est ? demanda-t-il, intrigué.

Entouré d'une enceinte formée de grands arbres, le bâtiment ressemblait plus à un musée qu'à une résidence familiale. Une magnifique grille en fer forgé gardait la cour intérieure, et le jardin semblait envahi par la végétation.

— C'est le manoir Butterfield, répondit l'agente en redémarrant.

Blake se retourna pour l'admirer. La bâtisse, de style européen, semblait abandonnée malgré sa splendeur.

— Qui habite là ? demanda-t-il étonné.

— Plus personne depuis longtemps. La maison date d'une centaine d'années, avant le tremblement de terre de 1906. Une famille influente de banquiers y vivait à l'époque. Malheureusement, ils ont perdu leur fortune pendant la Grande Dépression et ont dû la mettre en vente. Par la suite, la propriété a changé de mains à plusieurs reprises, jusqu'à ce qu'une banque ordonne sa saisie il y a cinq ou six ans. Depuis, elle est inhabitée. De nos jours, les gens ne recherchent plus de maisons de cette taille à cause des coûts d'entretien et de personnel. Un promoteur finira par l'acheter et la fera démolir. Je pense que la banque redoute la mauvaise publicité qui en découlera forcément lorsque cela se produira. Un investisseur aurait facilement pu en faire un excellent hôtel, car le terrain est assez vaste, mais au niveau de l'aménagement foncier il est difficile de recevoir les autorisations nécessaires. Comme je vous le disais, elle est donc vide pour l'instant. Elle compte une vingtaine de chambres, un nombre infini de chambres de bonne et une salle de bal. Nous avons la fiche descriptive du bien à l'agence, mais personnellement je ne l'ai jamais visitée. Cette demeure fait partie de l'histoire de San Francisco. Malgré tous les génies fortunés de la haute technologie qui vivent ici, personne n'en a fait l'acquisition et c'est dommage. La banque l'a mise en vente à un prix ridiculement bas, juste pour s'en débarrasser, mais je reconnais que s'attaquer à une rénovation de cette taille est un coup à vous donner des migraines !

Blake opina du chef. L'agente avait sûrement raison. La bâtisse était clairement à l'abandon et il en émanait une mélancolie empreinte de dignité. Quelle pitié que personne n'en ait pris soin depuis tant d'années !

— Qu'est-il arrivé à la famille qui vivait là ? Les Butterworth ?

— Butterfield, corrigea-t-elle. Je pense qu'ils ont quitté la ville après la vente. Ou leur lignée s'est éteinte. Je crois me souvenir qu'ils ont déménagé en Europe, quelque chose dans ce goût-là... En tout cas, une chose est sûre, ils ne font plus partie des nantis de San Francisco.

Quelle tristesse de penser qu'une famille qui avait vécu dans tant d'élégance et de splendeur avait disparu.

La demeure fascinait Blake, captivé par le récit de l'agente. Ils visitèrent ensuite quatre autres appartements dont il savait dès le départ qu'ils ne conviendraient pas à Sybil. Il regagna son bureau puis, dans la soirée, son hôtel. Quand il téléphona à Sybil ce soir-là, il lui annonça qu'il avait de nouveau fait chou blanc.

— Tu vas bien finir par nous trouver quelque chose, dit-elle en essayant de prendre un ton optimiste. Et l'appartement de la Millennium Tower ?

En réalité, elle n'avait aucune envie d'habiter au cinquante-huitième étage, dans une région réputée pour ses tremblements de terre. Sans parler de la difficulté de descendre tous ces étages à pied avec trois enfants en cas d'incendie…

— Le propriétaire est à Hong Kong et il ne leur a pas encore répondu. Peut-être qu'il ne veut pas louer.

— C'est tout aussi bien, dit-elle, faisant référence à l'étage élevé.

Il faillit lui parler de l'immense manoir vide qu'il avait aperçu ce matin-là, mais ils passèrent à d'autres sujets, et il oublia de le mentionner. Une fois couché, il repensa à l'antique bâtisse. À quoi pouvait bien ressembler l'intérieur ?

Le lendemain matin, il ne put s'empêcher d'appeler l'agente pour lui demander le prix de la propriété. D'un côté il se sentait ridicule de poser la question, de l'autre il se sentait irrésistiblement attiré par le charme inhabituel de la demeure. Quand l'agente lui communiqua l'information, il en eut le souffle coupé.

Elle avait mentionné un prix inférieur à celui de tous les appartements en vente qu'ils avaient visités et qui ne lui plaisaient pas. Le coût de l'immobilier était beaucoup moins élevé qu'à New York. Leur loft à Tribeca valait dix fois la somme demandée pour le manoir Butterfield.

— Cette maison vous coûterait probablement une fortune en entretien, mais je pense que la banque serait tout à fait disposée à baisser le prix. Ils ont évoqué une vente aux enchères, mais ils craignent qu'un promoteur n'en fasse l'acquisition dans le seul but de la démolir. Le terrain à lui seul vaut plus que ça.

— Dans quel état est l'intérieur ?

— Aucune idée, mais je peux poser la question. Vous voulez la visiter ?

Elle avait l'air surprise. Le manoir était tout le contraire de ce qu'il avait souhaité jusque-là. C'était vrai, mais pour autant la vieille maison abandonnée ne quittait pas l'esprit de Blake.

— Je suppose qu'il n'y a aucun intérêt à la visiter, si ce n'est par pure curiosité. Ma femme me tuerait si je décidais de l'acheter.

— Vous pouvez faire une offre inférieure si la maison vous plaît, dit l'agente en baissant la voix et en ignorant son commentaire au sujet de Sybil.

Le prix était déjà si bas que toute négociation semblait superflue. Ils pourraient rénover le manoir et le revendre avec une belle plus-value à leur départ de San Francisco. En envisageant les choses de cette façon, il avait presque l'impression d'être raisonnable.

— Peut-être que je vais quand même y jeter un coup d'œil, juste pour le plaisir.

— Très bien. Je vous rappelle.

Elle raccrocha, le rappela cinq minutes plus tard – après avoir obtenu les clés auprès de son directeur – et confirma que la propriété était toujours sur le marché. La banque était impatiente de s'en débarrasser, et ce depuis un certain temps déjà.

— Je peux vous la faire visiter à midi, si cela vous convient.

Se sentant légèrement ridicule, Blake accepta, et à l'heure dite il rejoignit l'agente devant la grille d'entrée du manoir.

Se promener dans cette demeure lui donnait l'impression de remonter le temps jusqu'au début du XXe siècle. L'intérieur était désuet, mais d'une beauté et d'une élégance spectaculaires, avec des moulures sculptées, une bibliothèque lambrissée, de magnifiques parquets et une salle de bal qui évoquait Versailles. On se serait cru dans un musée ou un petit château. Et, chose surprenante, le bâtiment semblait en bon état. Il ne vit aucune trace de fuite ou de dégâts. Dans la cuisine trônait une longue rangée de clochettes auxquelles de nombreux domestiques avaient répondu durant les jours de grandeur du manoir, un siècle plus tôt. Le rez-de-chaussée abritait de vastes salles de réception. Toutes les chambres familiales étaient regroupées au premier étage, chacune dotée de son propre petit salon, d'un dressing et d'une salle de bains spacieuse. Les chambres d'invités et plusieurs salons – tous bénéficiant de vues spectaculaires sur le parc et de cheminées en marbre, à l'image des chambres principales – se trouvaient au deuxième étage. Enfin, le dernier niveau de la demeure était réservé à une multitude de chambres de bonne. Une très nombreuse famille aurait pu y vivre à l'aise, avec une armée d'employés de maison à son service. Empruntant l'escalier principal, Blake déambula d'étage en étage. Il fut heureux de constater que la cuisine avait été modernisée à un moment donné au cours des années, même si elle nécessitait encore quelques travaux.

— Quelle maison étonnante, dit-il, émerveillé, après l'avoir parcourue de long en large.

— Voulez-vous faire une offre ? demanda brusquement l'agente.

Il observa en silence les plafonds majestueux, remarqua que les lustres avaient disparu et qu'il faudrait tous les remplacer. Simplement en raison de sa taille, la maison présenterait un véritable défi en matière de décoration et d'ameublement.

— Je pense que oui, dit-il d'une voix basse qu'il ne reconnut pas. Il suffit de repeindre tout l'intérieur et de retirer les planches des fenêtres, pour la mettre en valeur. Et même si nous ne l'habitons jamais ce serait un excellent investissement.

Essayait-il de convaincre l'agente ou de se persuader lui-même ? Il décida de ne pas en parler à Sybil pour le moment. Impossible de justifier aux yeux de sa femme son désir de posséder cette maison, qui représentait tout ce dont elle ne voulait pas. D'humeur audacieuse, comme l'on parie sur la roulette à Las Vegas, il décida de proposer une somme correspondant à la moitié du prix de vente, juste pour voir. Il était certain que son offre serait refusée, mais c'était amusant d'essayer. Et, qui sait, si l'on considérait uniquement la superficie et l'emplacement de la propriété, il aurait conclu une affaire incroyable, en cas d'acceptation.

L'agente disposait des formulaires nécessaires dans son bureau, et une heure plus tard il les signait. Cela ressemblait presque à un jeu, une véritable farce. Une fois parti de l'agence, cela lui sortit de la tête et il passa le reste de la journée en réunions. Il regagna son bureau à dix-huit heures et y trouva un message de l'agente lui demandant de bien vouloir la rappeler. Il résolut de le faire avant de retourner à son hôtel, certain que la banque avait décliné sa proposition.

— Le manoir Butterfield est à vous, monsieur Gregory, annonça l'agente d'un ton solennel.

Stupéfait, Blake mit un moment à comprendre l'énormité de la situation.

— La maison est à vous, répéta la femme. La banque a accepté votre offre. Ils sont prêts à signer dans deux semaines, quand vous aurez reçu les conclusions des contrôles techniques.

C'était sa seule condition suspensive dans le contrat.

— Oh mon Dieu !

Interloqué, il se laissa tomber dans son fauteuil. Que diable allait-il raconter à Sybil ? Il venait d'acquérir un manoir construit en 1902, d'une surface au sol de deux mille mètres carrés, comportant carrément une salle de bal, et implanté sur un terrain de quarante hectares.

Pour combattre la vague de panique qui menaçait de le submerger, il éclata soudain de rire en songeant à la tête de Sybil au moment où il lui annoncerait la nouvelle. Il avait encore la possibilité de renoncer à l'acquisition après analyse des rapports techniques. Mais il n'en avait aucune envie. Il ignorait pourquoi, et cela n'avait absolument aucun sens, mais il était tombé amoureux de cette bâtisse. Il se demanda s'il s'agissait d'une crise de la quarantaine. D'abord ce poste à San Francisco. Et maintenant un manoir vieux de cent quinze ans. Strictement rien à voir avec la location d'un appartement moderne que Sybil imaginait.

Il rentra à pied à son hôtel, se demandant de quel sortilège il était victime. Bah ! Quelle qu'en soit la raison, ou la folie, ils possédaient désormais une maison à un prix si ridiculement bas que cela avait à peine entamé leurs économies. Au moins, Sybil ne pourrait pas lui en vouloir pour la dépense ! Et, une fois les peintures intérieures refaites, le manoir Butterfield serait une splendide demeure, du moins pour la durée de leur séjour à San Francisco. Tout ce qu'il lui restait à faire, c'était d'en convaincre Sybil.

— Le manoir Gregory ! lança-t-il à voix haute avant d'éclater de rire comme un gamin.

Composition et mise en pages
Nord Compo à Villeneuve-d'Ascq

Imprimé en France par CPI
en octobre 2019
N° d'impression : 3035508

POCKET – 12, avenue d'Italie – 75627 Paris Cedex 13

S29150/01